D1203251

LES INSECTES

Helgard Reichholf-Riehm

LES INSECTES

SOLAR

Abréviations

♂ Mâle	**H.** Habitat	**F.** Fréquence
♀ Femelle	**D.** Distribution	**N.** Nourriture
C. Caractéristiques	**R.** Reproduction	**G.** Généralités

Abréviations de noms d'auteurs

Ad. Adelung
All. Allioni
Bc Bosc
Berg. Bergroth
Bl. Blackwall
Blt Bourlet
Burm. Burmeister
Ced. Cederhjelm
Ch. Christ
Chp. Charpentier
Cl. Clerck
Curt. Curtis
DG. DeGeer
Don. Donovan
D.&S. Denis & Schiffermüller
Eich. Eichwald
Evers. Eversmann
F. Fabricius
Fal. Fallén
Fg Fiebig
Fonsc. Boyer de Fonscolombe
Förs. Förster
Fu. Fuessly
G. Goeze
Geoff. Geoffroy
Ger. Germar
Gr. Gravenhorst
H. Herbst
Hag. Hagen
Hans. Hansemann
Harr. Harris
Htg Hartig
I. Illiger
K. Kollar
Ko. Koch
L. Linné
Lat. Latreille
Lh Leach
Lind. van der Linden
M. Meigen
Mars. Marsham
Mein. Meinert
Mik. Mikan
Müll. O.F. Müller
O. Olivier
Ob. Obenberger
P. Poda
Pall. Pallas
Pct Pictet
Pet. Petagna
Prey. Preyssler
Pz Panzer
R.D. Robineau-Desvoidy
Ros. Rossi
S. Schrank
Sah. Sahlberg
Sc. Scopoli
Sch. Schaller
Schr. Schreber
S.L. Selys Longchamps
Slz Sulzer
St. Stal
Thbg Thumberg
Thor. Thorell
V. de Villers
Vt Voet
W. Walckenaer
West. Westwood

COLLECTION DIRIGÉE PAR GUNTER STEINBACH

Titre original de cet ouvrage :
INSEKTEN
Traduction-adaptation d'Élisabeth de GALBERT
Adaptation de P. LERAUT,
attaché au laboratoire d'Entomologie
du Muséum d'Histoire naturelle (Paris)

ISBN : 2-263-00884-5
Numéro d'éditeur : 1194

Imprimé en Allemagne

Sommaire

Cigale venant d'éclore

Introduction

Cet ouvrage présente une sélection des innombrables espèces d'insectes et classes voisines : araignées, scorpions... vivant en Europe ; plusieurs dizaines de milliers, contre 170 espèces de mammifères. Le lecteur y trouvera une description relativement détaillée des espèces généralement bien connues, voire populaires, et pourra les identifier grâce à un certain nombre d'explications et de photos. Par contre, les groupes d'espèces identifiables seulement par un spécialiste ne sont illustrés que par quelques exemples caractéristiques. Si l'auteur a choisi les espèces les plus communes, les mieux connues, les plus originales et les plus importantes sur le plan économique, il a également essayé d'illustrer les principales familles d'insectes présentes dans nos régions.

Un ouvrage aussi complet que celui-ci fournira donc à l'amoureux de la nature une aide très précieuse pour classer les insectes qu'il rencontre, et ce d'autant plus que les caractéristiques et le comportement de nombreuses espèces d'un même genre ou d'une même famille ne diffèrent souvent que par de petits détails.

Le nombre de symboles utilisés pour schématiser les différents groupes montre combien il est difficile pour l'Homme d'enfermer la nature dans un système clos. Certaines familles ne sont représentées ici que par une seule espèce ; d'autres par de nombreuses espèces, elles-mêmes représentatives de groupes englobant d'innombrables entités. Notre classification en 44 symboles donne toutefois une bonne vue d'ensemble qui facilite la première approche.

Le problème de l'identification des insectes est compliqué par les métamorphoses, c'est-à-dire par les modifications que beaucoup subissent pour passer de la larve à la chrysalide, et enfin à l'imago souvent capable de voler. Là aussi, il a fallu choisir des photos illustrant la richesse de formes de cette classe d'animaux. L'illustration des insectes a également posé quelques problèmes à cause de leurs dimensions très variables. Aussi chaque espèce a-t-elle été représentée indépendamment de sa taille réelle, afin que ses caractères spécifiques soient le plus visible possible. Étant donné que, comme dans les autres ouvrages de cette collection, nous avons voulu que les animaux soient photographiés dans leur environnement naturel, les espèces présentées sur une même page ne sont pas à la même échelle : les dimensions réelles sont indiqués sur la page opposée dans le paragraphe intitulé « caractéristiques ».

Du fait des exigences dues au format et des subdivisions de chaque page, il a fallu modifier l'angle de présentation de certaines photos afin d'utiliser la totalité de la surface disponible pour mieux montrer tous les détails. Seules 14 des 524 photos en couleurs illustrent des animaux conservés en collection. Je remercie au passage le Dr E.J. Fittkau, conservateur du Musée zoologique de Munich, qui a bien voulu mettre ses collections à notre disposition.

Il existe malheureusement peu de photos représentant les espèces en voie de disparition. La décision de classer de nombreuses espèces dans la catégorie des nuisibles n'est pas sans avoir un rapport de cause à effet avec la forte diminution et l'extermination locale de nombreux insectes, les papillons n'étant pas les seuls touchés ; mais les vraies causes de la disparition des insectes sont tout d'abord la destruction des biotopes (leurs lieux de vie), les pesticides et les défoliants utilisés en premier lieu par ceux qui ont pour charge d'aménager les « espaces verts ». Ce n'est qu'en connaissant la nature qu'on peut la protéger. Et l'objectif de cet ouvrage est justement de mieux la faire connaître.

G.S.

Symboles

Aptérygotes
p. 21

Ephémères
p. 23

Libellules
p. 25

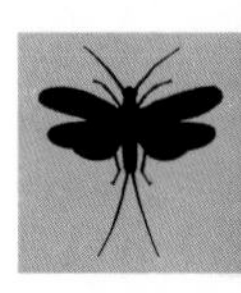

Perles
p. 49

Forficules
p. 49

Mantes
p. 51

Phasmes
p. 51

Blattes
p. 53

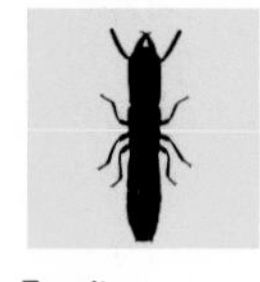

Termites
p. 55

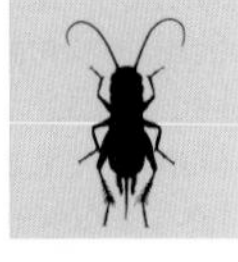

Grillons
p. 55

Sauterelles
p. 59

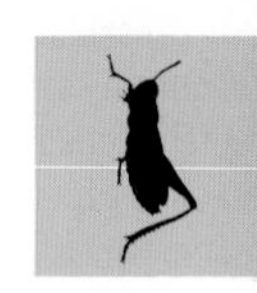

Criquets
p. 63

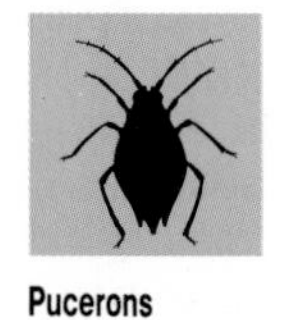

Pucerons
p. 69

Cochenilles et psylles
p. 71

Punaises
p. 73

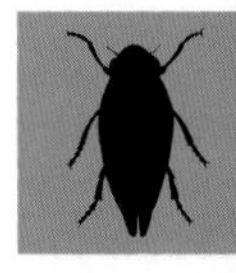
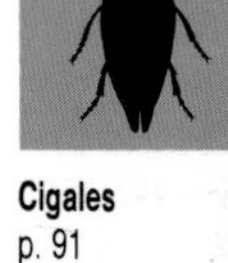

Cigales
p. 91

Sialides
p. 97

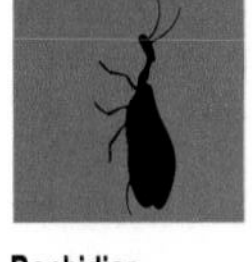

Raphidies
p. 97

Névroptères
p. 99

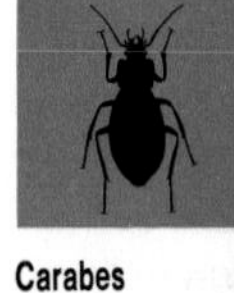

Carabes
p. 105

Les insectes

La classe des insectes est celle qui compte le plus grand nombre d'espèces connues. Il est encore impossible d'énumérer toutes les espèces existant dans nos régions. Même les plus grands spécialistes sont réduits à classer les insectes de certaines familles par groupes, afin d'avoir une vue d'ensemble de toutes les espèces connues tellement elles sont nombreuses. Rien que dans nos régions, on compte déjà plus de 30 000 espèces différentes. Quant au nombre d'espèces existant dans le monde entier, les estimations varient entre 2 à 3 millions et plus de 30 millions... Il n'existe donc aucun guide englobant toutes les espèces vivant dans nos pays. Les guides classiques se limitent à un nombre plus ou moins important d'espèces. Et la plupart du temps, il faut recourir à un spécialiste ou à des publications scientifiques spécialisées pour identifier avec précision telle ou telle espèce. Cet ouvrage ne prétend pas se substituer à cette démarche. Son objectif est de donner une vue d'ensemble des principaux ordres et familles d'insectes et, grâce à un certain nombre d'explications et de photos, de divulguer le mode de vie des espèces les plus communes ou les plus importantes sur le plan économique.

Le choix des espèces ne s'est donc pas fait proportionnellement au nombre d'entités appartenant à un même groupe ; mais celles qui ont été choisies sont plutôt celles qui sont les mieux connues et le plus souvent observées par les entomologistes débutants, en France et dans les pays limitrophes. Les papillons forment un ordre très important et sont étudiés dan un ouvrage séparé.

Le but de la systématique (science d classement) est, dans ce cas, d'effectue des classifications selon des critères biologiques ou tout autres, pour mettre e évidence des affinités entre les espèces e les groupes d'espèces.

Classification

L'ordre englobe la multitude. Inconsciemment, tout homme établit un ordr lorsqu'il essaye d'avoir une vue d'ensemble d'une multitude d'objets. Cet ordr peut être établi de mille manières différentes. Par exemple, en fonction des dimensions, des couleurs ou d'autres caractéristiques visibles. Pour les objets inanimé qui ne présentent aucun rapport les un avec les autres, la classification peut s faire arbitrairement, de la manière paraissant la plus appropriée. Il n'en va pas d même pour les êtres vivants. Étant donn qu'au cours des millions d'années forman l'histoire du monde, les organismes s sont développés à partir d'ancêtres communs, il existe entre eux des liens d parenté. Ceux-ci sont souvent masqué par certaines transformations dues à l nécessité de s'adapter à des condition de vie particulières. Ainsi les larves d certains insectes ressemblent à des ver Pourtant il s'agit bien d'insectes et non d vers, même si le terme de ver désign parfois des larves dans le langage populaire. Les fourmis et les termites se caractérisent, entre autres, par une organisation sociale très élaborée, présentant d nombreux points communs. Or les fourmis font partie des hyménoptères et le

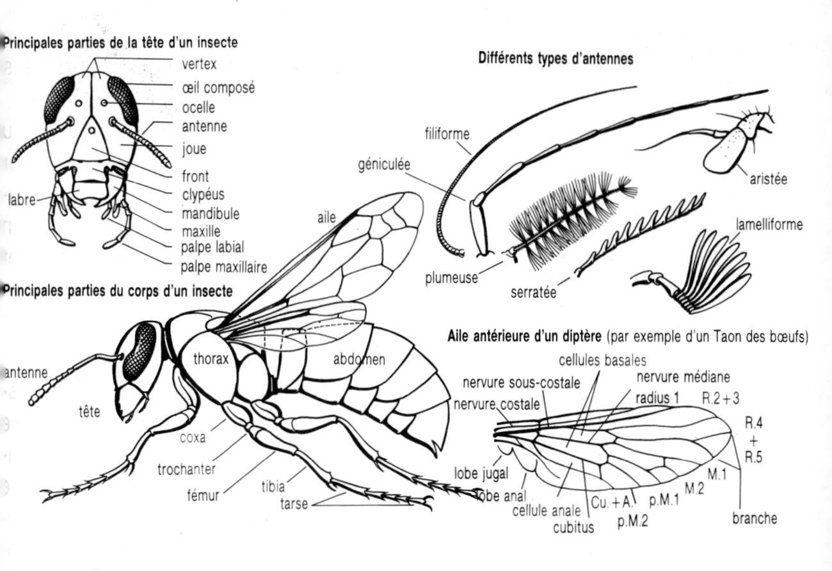

termites des dictyoptères : il s'agit de deux ordres différents.

Les caractéristiques anatomiques des imagos permettent généralement de classer les insectes dans tel ou tel groupe. Il nous est impossible de décrire les caractéristiques de toutes les familles figurant dans ce guide (lequel n'illustre pas, loin de là, toutes les familles existant en Europe). Même dans le cas d'exemples représentatifs d'un groupe, nous ne pouvons pas, faute de place, décrire toutes les caractéristiques du groupe ; cependant, les photos sont souvent d'excellents documents, elles montrent généralement les représentants caractéristiques d'un genre, d'une famille ou d'un ordre.

Métamorphoses complètes et incomplètes

Les insectes ne se développent pas de la même manière que les vertébrés ou les mollusques. Juste après s'être formé, leur exosquelette peut encore se développer légèrement, mais il ne tarde pas à durcir, formant une enveloppe rigide. Lorsque l'insecte grandit, il doit faire éclater cette carapace pour déployer l'enveloppe plus ample qui s'élabore sous cette dernière, de manière à arriver au stade ultime de son développement, l'imago (ou insecte parfait). Ce processus ne semble pas laborieux lorsque la structure du corps est simple ; par contre, il devient plus élaboré dans le cas d'organes complexes : les ailes par exemple. D'une manière générale, les différents stades de développement des insectes sont plus homogènes que le stade final. On distingue deux types de développement : les métamorphoses complètes (holométabole) et les métamorphoses incomplètes (hémimétabole),

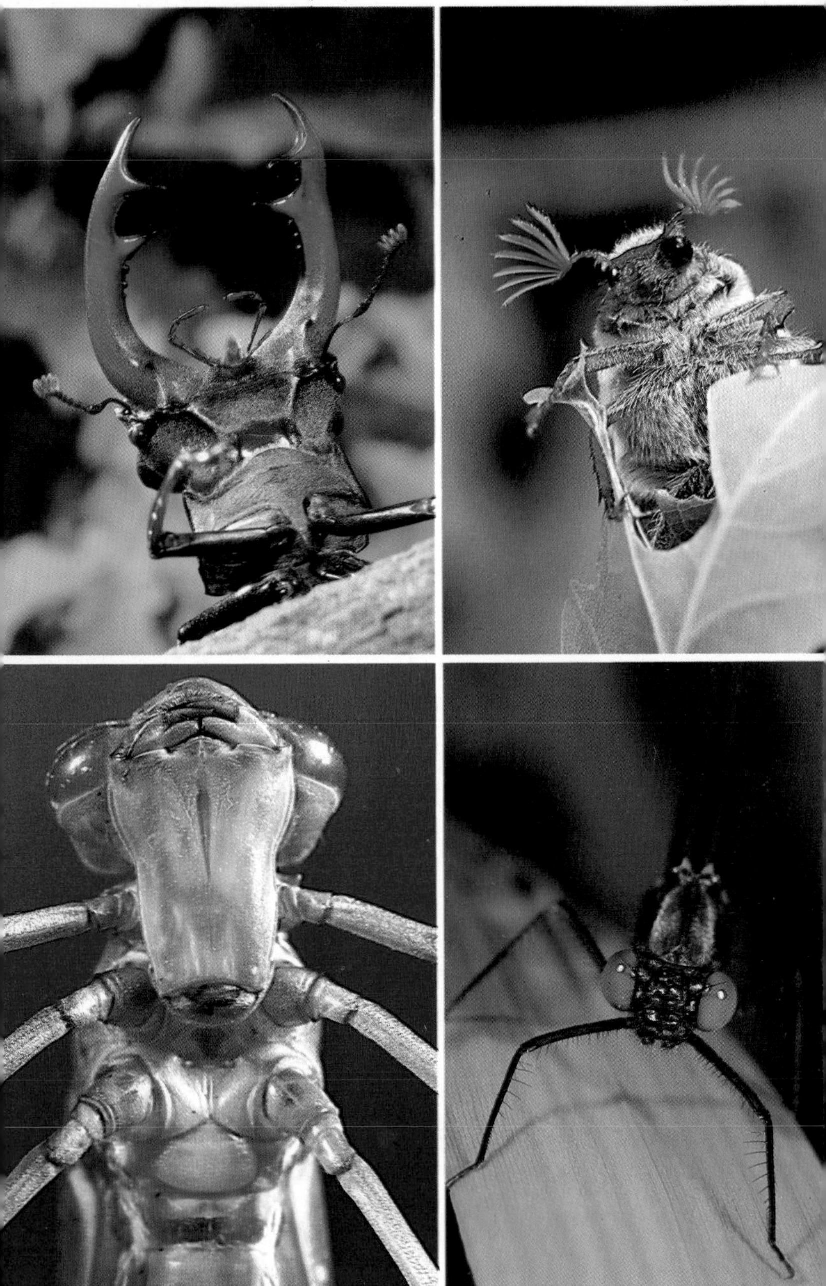

« Masque » d'une larve de Libellule

Agrion (p. 25)

Stethophyma grossum (L.)

Taon des bœufs (p. 230)

Guêpe germanique (p. 200)

selon qu'il y a ou non un stade intermédiaire avant le stade final : la nymphe. Laquelle subit de profondes modifications, invisibles extérieurement, indispensables pour l'accès au stade adulte. Les papillons et les coléoptères sont des exemples d'insectes à métamorphoses complètes, les libellules et les sauterelles ont des métamorphoses incomplètes.

Des œufs de coléoptères sortent de petites larves dont l'aspect extérieur est très variable. La grosse capsule céphalique ne comporte que les puissantes mandibules et quelques ocelles généralement minuscules. Les segments thoraciques sont pourvus de trois paires de pattes courtes, plus ou moins puissantes. Puis vient l'abdomen qui est divisé en plusieurs segments. Le stade larvaire, que peut illustrer la larve du Hanneton, est le stade pendant lequel le coléoptère se nourrit. Lorsque, après plusieurs mues, la larve a grandi, elle se transforme en nymphe — ou chrysalide — qui est dotée des principaux appendices de l'insecte parfait. Après une période de latence l'adulte éclos qui ne peut plus ni muer ni donc grandir. Ainsi, tous les coléoptères que nous rencontrons sont des insectes adultes, entièrement développés, aussi petits soient-ils.

Les insectes qui ont des métamorphoses incomplètes se développent d'une manière tout à fait différente. Des œufs des sauterelles sortent des juvéniles ressemblant déjà beaucoup à l'imago qui apparaîtra plus tard. Leur corps est structuré de la même manière, mais n'a pas encore d'ailes ; celles-ci ne se développeront que progressivement. Elles grandissent à chaque mue jusqu'à leur complet développement, une fois la dernière mue terminée. Les sauterelles adultes peuvent enfin se reproduire. Le stade nymphal n'existe donc pas dans ce cas.

Toutefois, les insectes qui ne subissent qu'une métamorphose incomplète ne passent pas tous directement du stade larvaire au stade adulte. Certains groupes subissent une métamorphose presque complète. C'est le cas des libellules. Leurs larves qui vivent dans l'eau diffèrent autant des libellules adultes que les chenilles des papillons. Grâce aux branchies internes se trouvant sur la paroi de l'intestin postérieur ou aux lamelles branchiales formant des appendices à l'extrémité de l'abdomen, elles absorbent dans l'eau l'oxygène nécessaire pour respirer. Les libellules adultes, elles, respirent par des trachées et se noieraient donc si elles vivaient dans l'eau ; elles peuvent cependant rester une demi-heure sous l'eau. La différence entre l'imago ailé qui respire l'air et la larve aquatique est tellement évidente que l'on pourrait croire à l'existence d'un stade de nymphose permettant le passage de l'un à l'autre. Mais celui-ci n'existe pas. A chaque mue, les larves développent des fourreaux alaires de plus en plus grands qui, avant la dernière mue, deviennent de véritables ailes. Le changement d'habitat, avec toutes les exigences que cela comporte, explique cette transformation radicale de l'insecte.

Morphologie

Malgré l'extraordinaire variété de leurs formes, les insectes ont une réelle homogénéité de caractères qui permet de distinguer leur classe des autres articulés (Arthropodes). Leur corps est toujours divisé en trois parties : la tête, le thorax et

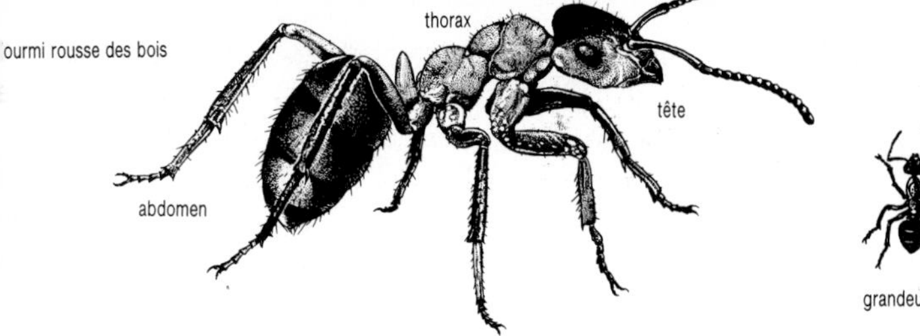

grandeur nature

abdomen. D'où le mot insecte qui signifie *divisé en morceaux*. La tête comporte les pièces buccales de forme très variable : type broyeur, masticateur, suceur, piqueur, qui servent à attraper directement la nourriture ; et les antennes et les yeux. Les yeux de nombreux groupes d'insectes sont composés d'une multitude de petits yeux : yeux à facettes. Ils sont tout à fait adaptés à la perception du mouvement, mais donnent une image floue et peu fidèle du monde. Les yeux composés peuvent être séparés par de petits yeux compacts appelés ocelles. Les antennes jouent le rôle d'organe olfactif (odeurs, mais également parfums des fleurs et phéromones : odeurs sexuelles) et enfin tactile. A l'origine, la tête comportait six segments, lesquels se sont soudés les uns aux autres et forment maintenant un tout. Le thorax est formé de trois segments pourvus de trois paires de pattes ; les segments méso- et métathoraciques portent les ailes, généralement au nombre de quatre ; mais il arrive parfois qu'une paire d'ailes se soit transformée. Ainsi, chez les coléoptères, la première paire d'ailes ou élytres est relativement rigide et protège la deuxième paire d'ailes jusqu'à ce que l'insecte puisse voler. Chez les mouches, c'est l'inverse. La première paire d'ailes correspond aux ailes véritables qui permettent de voler, tandis que la deuxième paire est réduite à de petits balanciers. Les insectes ne sont pas tous pourvus d'ailes. Certains, comme les puces, sont devenus incapables de voler par la disparition de celles-ci. D'autres n'ont jamais eu d'ailes. C'est ceux qu'il est convenu d'appeler les insectes primitifs (Aptérygotes) dont font partie des espèces très répandues comme le Poisson d'argent (Zygentome) et le Podure aquatique.

Les pattes des insectes comportent la hanche (coxa), le trochanter, le fémur, le tibia et le tarse souvent pourvu de griffes et, chez les mouches, de petites pelotes ou pulvilles (ce sont des ventouses). Afin de s'adapter à des conditions de vie très variées, les pattes ont subi des modifications extrêmement diverses : pattes marcheuses, fouisseuses, nageuses, sauteuses et ravisseuses. L'abdomen se compose de onze segments dépourvus de pattes au stade adulte, mais pouvant comporter des appendices à l'extrémité de l'abdomen (cerques, filaments). Les différents segments abdominaux sont formés d'une partie dorsale (tergite) et d'une partie ventrale (sternite), reliées par des membranes élastiques ou presque soudées les unes aux autres. L'appareil génital se trouve également sur l'abdomen. Généralement la structure des organes génitaux permet d'identifier des espèces d'aspect extérieur très semblable.

Quelques **insectes prédateurs :** *Picromerus bidens* aspirant une chenille (p. 74).

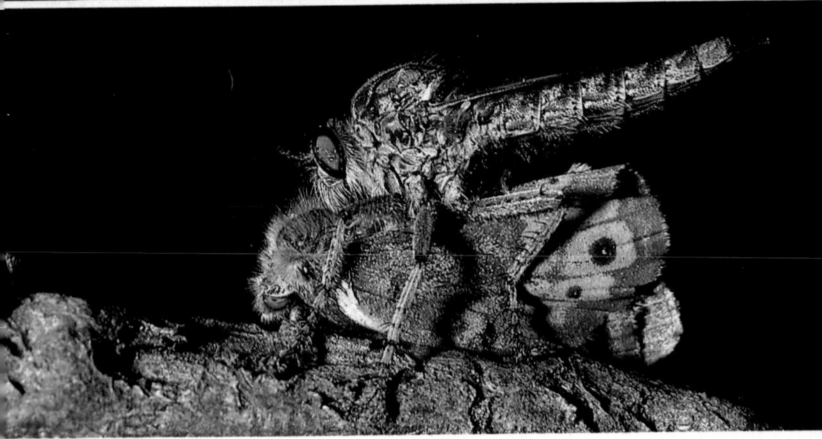

Laphria flava ayant capturé un *Lasiommata megera* (papillon) (p. 232).

Acilius sulcatus saisissant une larve de salamandre (p. 116).

Organes internes et sens

Les insectes sont peut-être les invertébrés les plus évolués. Certains papillons et des coléoptères sont pourvus d'antennes tellement sensibles qu'ils peuvent reconnaître une seule molécule de la substance odoriférante caractéristique de leur espèce (phéromone). Leur système nerveux est toutefois peu évolué, comparé à celui des Vertébrés. Il forme, au niveau de la tête, un ou deux renflements (ganglions) et se prolonge ensuite sur toute la partie ventrale du corps, formant ce que l'on appelle une chaîne ganglionnaire. Aussi les insectes réagissent-ils souvent de manière stéréotypée et peu souple. Leur faculté d'apprentissage est très limitée.

La circulation sanguine est assurée par le cœur, situé immédiatement sous la paroi dorsale. Les organes digestifs comportent souvent des symbiotes permettant la digestion de la cellulose du bois grâce à des substances complémentaires, par exemple des vitamines. L'oxygénation se fait grâce à un système de tubes ou trachées finement ramifiés, qui arrive jusqu'aux muscles et qui s'ouvre à l'extérieur par de petites ouvertures (stigmates). Les organes génitaux sont à l'extrémité de l'abdomen. Ils ne peuvent généralement fonctionner qu'une fois le stade larvaire terminé, l'insecte étant dit parfait.

Mode de vie

Les insectes occupent pratiquement tous les habitats terrestres et d'eaux douces. En revanche, ils ne se rencontrent que très rarement dans la mer. Cette dernière zone est occupée par des groupes d'animaux phylogénétiquement plus anciens, notamment les crustacés, appartenant au même groupe des Articulés. Ainsi l'espace libre conquis il y a plus de 300 millions d'années par les insectes était-il formé par la terre et les eaux douces. Du fait de leur multitude de formes et de leur incroyable faculté d'adaptation, il n'existe pratiquement aucun habitat, aucune niche écologique dont ils n'aient pris possession. Leur aire de disperson va des glaciers de haute montagne jusqu'à la banquise de l'Arctique et de l'Antarctique ; et des forets tropicales où la vie des insectes a pris les formes les plus diversifiées jusqu'aux déserts les plus arides ; elle va enfin des fleuves et des rivières aux grottes souterraines. Leur nombre est immense et dépasse très largement celui des êtres humains. Ils sont attaqués par de nombreux prédateurs, notamment les oiseaux, les chauves-souris, les musaraignes, les amphibiens, les reptiles et les araignées. Toutefois, outre les intempéries imprévisibles, les plus grands ennemis des insectes sont les insectes eux-mêmes. Les ichneumons parasitent les larves des coléoptères ou les chenilles des papillons eux-mêmes sont parasités par des chalcidiens (autres hynenoptères) encore plus petits (hyperparasitisme). Ces petits parasites qui se reproduisent très rapidement peuvent réagir beaucoup plus vite que les oiseaux par exemple à l'apparition massive d'insectes. Au niveau de ce que l'on appelle la lutte biologique intégrée les insectes parasites ont doncune grande importance. Par ailleurs, certains insectes comme l'anophèle transportent des maladies extrêmement dangereuses pour l'Homme. De toute temps, celui-ci a été obligé de se battre contre les insectes. Jusqu'à récemment, ces derniers l'empor taient. Dans l'Antiquité, aucune plante ne résistait aux invasions de sauterelles. Jusqu'au milieu des années 50, ramasser les Hannetons ou les Doryphores était une entreprise stérile qui ne pouvait guère éviter les calamités. Mais maintenant, avec les insecticides modernes, il existe des produits tellement efficaces pour combattre les insectes que, sous prétexte d'en éliminer certains, on tend à les détruire tous.

De nos jours, les insecticides perturbent l'équilibre écologique en détruisant des organismes souvent considérés comme utiles. Aussi essaye-t-on depuis peu de trouver une solution harmonieuse grâce à ce que l'on appelle la lutte biologique intégrée contre les insectes. L'action des prédateurs sur une espèce donnée est généralement efficace, elle est complétée par l'utilisation de produits chimiques agissant de manière sélective. Mais pour cela il faut absolument connaître avec précision les espèces concernées. Aussi l'objectif du présent ouvrage est-il de permettre la détermination d'un plus grand nombre d'insectes, afin que chacun puisse mieux percevoir le rapport étroit qui existe entre ces êtres et le reste de la nature.

Araignées, faucheurs, acariens

Ces trois groupes ne font pas partie des insectes — ils ont quatre paires de pattes, alors que les insectes n'en ont que trois —, mais, comme eux, constituent une des classes des Arthropodes. Les acariens sont représentés par de très nombreuses espèces qui ont une importance économique souvent grande.

Entomo-logique (l'entomologie dans l'Hexagone). *De par sa situation géographique, la France est le pays européen qui récèle la faune entomologique la plus riche et la plus variée (plus de 30 000 espèces connues). Elle comprend la faune atlantique, une partie des éléments eurosibériens, une bonne part de la faune méditerranéenne, et la faune alpine et pyrénéenne (éléments boréo-montagnards). Sur les trente ordres d'insectes connus dans le monde (d'après la synthèse de* Kristensen, *1981,* Ann. Rev. Entomol. **26** *: 135-157), vingt-huit sont présents dans notre pays. Dès le XVIII*^e^ *siècle, les premiers entomologistes français tels* Réaumur, Geoffroy, *et quelques autres, ont été d'admirables observateurs, puis des descripteurs de la faune européenne.* Latreille *a acquis une renommée mondiale en apportant à l'entomologie une base scientifique qui a servi aux recherches ultérieures. Au XIX*^e^ *siècle, l'étude de la faune de France a été poursuivie, quoique progressivement, les entomologistes français ont orienté leurs recherches vers la faune des pays exotiques dont l'accès était facilité par les possessions coloniales. Actuellement, on constate un désinvestissement général des entomologistes français pour la faune de leur pays. Des ordres entiers : collemboles, éphémères, embioptères, n'ont encore jamais été l'objet d'un travail de synthèse. D'autres ordres, tels les diptères, ou les trichoptères, sont fort peu étudiés, il s'agit cependant de groupes à la biologie et à la diversité remarquables. Le naturaliste attiré par l'étude des insectes a donc un vaste domaine de recherches qui s'offre à lui sur le sol français. Le résultat de ses investigations, outre le plaisir qu'elles lui procureront, pourra lui permettre de contribuer à la sauvegarde des sites en péril recélant des espèces rares ou attrayantes, par son avis autorisé. Un recensement des espèces d'insectes présentes sur notre territoire — s'il peut paraître aléatoire — reste à opérer.*

Patrice Leraut

Campodea fragilis Mein.
La Campode

Caractéristiques : 3,5 mm de long ; pas d'ailes. Ce Diploure fait partie des insectes dits primitifs, appelés Aptérygotes. Ils figurent généralement au début de la classification des insectes mais n'en font pas vraiment partie, présentant encore certaines caractéristiques typiques des Chilopodes et des Myriapodes : leur abdomen est divisé en un grand nombre de segments ; ils sont dépourvus d'ailes et la structure de leurs pièces buccales est très simple. Leur corps se termine par deux cerques. Les Diploures sont peu pigmentés et toujours aveugles.
Distribution : Répandu dans le monde entier.
Fréquence : Les Diploures vivent souvent en grand nombre dans les sols meubles, riches en humus.
Nourriture : Matières végétales et animales en décomposition (détritus). Les Diploures contribuent à la formation du sol. Par leur activité, ils rendent l'humus plus meuble.

Podura aquatica (L.)
La Puce d'eau

Caractéristiques : 1,1 à 1,3 mm ; représentant des Collemboles (Aptérygotes) ; malgré sa taille exiguë cet insecte est très vif. Caractérisé par un organe fourchu servant au saut et replié vers l'intérieur au repos, nommé furca. Cet organe fourchu se déploie vers l'arrière et le bas grâce à un muscle puissant : le corps bondit alors en avant.
Habitat : Vit dans les biotopes humides ; se rencontre très souvent à la surface des eaux provenant de la fonte des neiges.
Distribution : Europe, Asie, Amérique du Nord. N'existe pas dans les régions sèches.
Fréquence : Au printemps, les Puces d'eau peuvent apparaître en grand nombre. Se rencontre toute l'année, mais reste invisible.
Nourriture : Substances organiques microscopiques apparaissant à la surface de l'eau.
Généralités : On connaît plusieurs milliers d'espèces de Collemboles.

Sminthurides aquaticus (Blt)
Le Sminthure

Caractéristiques : 1 mm de long seulement ; extrémité de l'abdomen renflée et sphérique ; grandes antennes sur une grosse tête informe. Peut faire des bonds de plusieurs centimètres à la surface de l'eau grâce à la furca.
Habitat : A la surface des eaux stagnantes, surtout dans les mares riches en végétation.
Distribution : Très répandu dans toute l'Europe.
Fréquence : Courant à très abondant.
Reproduction : Les ♂ portent sur leurs antennes des espèces de pinces qui leur permettent de s'accrocher aux antennes des ♀ plus grandes et de se faire transporter. Au bout d'un certain temps, le ♂ dépose un paquet de spermes au-dessus duquel il retient la ♀ en lui faisant décrire des demi-cercles jusqu'à ce quelle s'y accroche. Une fois sorties de l'œuf, les larves peuvent muer jusqu'à plus de 40 fois ; même les adultes muent encore. La reproduction est extrêmement rapide.
Nourriture : Pollens et poussières organiques à la surface de l'eau.

Lepisma saccharina L.
Le Poisson d'argent

Caractéristiques : 7 à 10 mm de long. Se reconnaît facilement à ses trois cerques courts, à ses longues antennes et surtout aux fines écailles argentées qui recouvrent son corps. Fait partie des Aptérygotes.
Habitat : Vit surtout dans les habitations.
Distribution : Cosmopolite. N'est pas nuisible.
Fréquence : Se rencontre partout, parfois très abondant. Lorsqu'ils trouvent beaucoup de nourriture, les Poissons d'argent peuvent localement pulluler.
Reproduction : Les Poissons d'argent vivant la nuit, leur mode d'accouplement n'est connu que depuis peu. Le ♂ pond un paquet de spermes (spermatophore) que la ♀ découvre et utilise grâce à un certain nombre de processus biochimiques.
Nourriture : Substances organiques, surtout des matières sucrées.

Aptérygotes

Ephemera danica Müll.
La Grande Ephémère

Caractéristiques : 15 à 25 mm de long. Ailes brunes. Les éphémères se reconnaissent aux trois cerques allongés, minces et filiformes à l'extrémité, aux antennes courtes et aux longues pattes antérieures. Les deux ailes postérieures sont toujours beaucoup plus petites que les ailes antérieures ; parfois même elles n'existent pas.
Habitat : Les larves de tous les éphémères vivent dans l'eau. Les éphémères qui viennent d'éclore restent généralement près des berges.
Distribution : Europe.
Fréquence : Les larves se rencontrent souvent dans les endroits sablonneux des eaux courantes et des berges d'étangs ou de lacs où elles s'enfouissent facilement. Les éphémères volent le soir en essaims, de mai à août, surtout en juin.
Reproduction : Juste après l'éclosion, les éphémères s'accouplent, puis meurent rapidement. Les larves qui sortent des œufs ont besoin de 2 ans pour se développer. Elles se nourrissent de détritus organiques et d'algues.

Ephemera vulgata L.
L'Ephémère commune

Caractéristiques : 14 à 22 mm de long. Ailes transparentes, recouvertes d'écailles grises et de taches brunes.
Habitat : Eaux courantes et berges sablonneuses.
Distribution : Europe.
Fréquence : Cette espèce vole en essaims importants pendant les chaudes soirées d'été. Ces éphémères dansent au-dessus de l'eau.
Reproduction : Les adultes ne vivent que très peu de temps, souvent seulement quelques heures, et ne se nourrissent pas. Le stade de l'imago est le stade de la reproduction. Les larves aquatiques muent plus de 20 fois avant de devenir adultes et de se transformer en « subimago » déjà ailé. Celui-ci quitte l'eau, mue encore une fois et peut enfin se reproduire. Après l'accouplement, la ♀ dépose les œufs sur l'eau.

Heptagenia sulphurea (Müll.)
L'Ephémère soufrée

Caractéristiques : 1 cm. Difficile à identifier.
Habitat : Ne vit que dans les eaux coulant rapidement, surtout dans les torrents de montagne.
Distribution : Europe.
Fréquence : Se rencontre fréquemment dans les biotopes appropriés. Espèce en forte régression à cause de l'intervention humaine dans les eaux.
Reproduction : La larve s'adapte de manière intéressante à son habitat particulier : elle se cache au fond de l'eau, serrée contre les pierres. La partie ventrale du corps est aplatie tandis que la partie dorsale et les branchies sont bombées. Ainsi l'eau presse le corps contre la pierre et ne l'emporte pas.
Nourriture : Les larves mangent tous les restes de plantes et d'animaux qu'elles peuvent trouver. Elles se nourrissent également d'algues vivantes.

Prosopistoma foliaceum (Geoff.)
Le Binocle

Caractéristiques : Espèce rare, plutôt petite : environ 0,5 cm.
Habitat : Cours d'eau important ; les larves vivent au fond de l'eau.
Distribution : Rivières et fleuves d'Europe ; autrefois, très courant au bord de la Seine d'où il a été décrit.
Fréquence : Aujourd'hui, rare partout.
Reproduction : Le stade larvaire montre toute une série d'adaptations à la vie dans les cours d'eau importants. La tête et le dos forment un bouclier d'où sortent les trois soies caudales. Les larves résistent au courant en se collant contre les pierres. Lorsqu'elles sont dérangées, elles donnent des coups avec leurs cerques et essayent de s'enfuir en s'aidant du courant. Sous le bouclier se trouvent 5 paires de branchies. S'approchent des rives en volant en essaims. C'est alors qu'a lieu l'accouplement.
Nourriture : Les larves se nourrissent de vers et d'autres larves d'insectes.

Larve

Larve

Agrion virgo (L.) La Louise

Caractéristiques : 33 à 40 mm de long ; c'est l'un des plus grands représentants du sous-ordre des zygoptères (ou Demoiselles). Le ♂ se reconnaît à ses ailes très foncées, présentant des reflets bleu métallique, la ♀ à ses ailes transparentes et brunes. Principale caractéristique permettant de la distinguer d'*Agrion splendens* : les ailes du ♂ sont presque entièrement noires. Au repos, les ailes des Agrions sont toujours collées l'une contre l'autre, c'est la caractéristique de la plupart des zygoptères.
Habitat : Cours d'eau rapides et propres où poussent des plantes aquatiques et au bord desquels on trouve d'épais fourrés. Comme chez tous les odonates, les larves vivent dans l'eau, tandis que les imagos volent au-dessus de celle-ci.
Distribution : Dans toute l'Europe et l'Afrique du Nord, jusqu'à 700 m.
Fréquence : Très variable ; espèce commune dans les biotopes lui convenant. Menacée dans de nombreux endroits à cause de la pollution de l'eau.
Reproduction : Les premières Demoiselles apparaissent fin mai, lorsqu'il commence à faire chaud ; les dernières disparaissent en août ou en septembre. L'accouplement et la ponte ont lieu après une parade nuptiale impressionnante. La ♀ dépose toujours ses œufs dans les plantes aquatiques se trouvant sur le territoire du ♂ et plonge alors parfois dans l'eau.
Nourriture : Les zygoptères mangent des mouches et d'autres insectes ; leurs larves se nourrissent de petits animaux aquatiques qu'elles attrapent avec leur lèvre inférieure transformée en masque et qu'elles portent à la bouche. Les larves vivent deux ans.
Généralités : Lorsqu'ils chassent, les zygoptères s'orientent avec leurs yeux composés, extrêmement grands et formés parfois de 30 000 petits yeux. Grâce à leur cou très mince, ils peuvent en outre tourner la tête de 180° ; ainsi rien ne leur échappe.

Agrion splendens (Harr.) L'Agrion éclatant

Caractéristiques : 33 à 40 mm de long ; 7 cm d'envergure ; légèrement plus grand que *Agrion virgo* dont le ♂ se distingue par la large bande aux reflets vert-bleu apparaissant sur ses ailes. Contrairement à l'*Agrion virgo*, la ♀ a des ailes transparentes, vertes. Ces animaux se tiennent généralement sur des branches ou des pierres à 1 m au-dessus du sol et surveillent leur territoire. Leur vol n'est pas aussi gracieux que celui des anisoptères ; ils voltigent plutôt comme les papillons.
Habitat : Eaux ensoleillées au bord desquelles poussent des roseaux et des laiches. Contrairement à *A. virgo*, cette espèce vit au bord de ruisseaux et de rivières relativement larges à cours lent.
Distribution : Dans toute l'Europe jusqu'en Asie Mineure et en Afrique du Nord ; en montagne, jusqu'à 1 200 m.
Fréquence : Autrefois, cette espèce était l'un des odonates les plus courants de nos régions. Aujourd'hui, son habitat s'est considérablement réduit ; elle ne peut survivre que dans certains biotopes humides.
Reproduction : Ces zygoptères volent de début avril à mi-septembre ; ils vivent rarement plus de deux semaines. Les parades, l'accouplement et la ponte commencent, lorsqu'il fait beau, peu après l'éclosion. Lorsqu'il fait froid ou qu'il pleut, ces insectes restent immobiles sur des plantes, les ailes collées les unes contre les autres. L'accouplement se produit aux heures chaudes sur une feuille et ne dure généralement que quelques minutes. Le ♂ rase en volant la surface de l'eau pour délimiter son territoire. Immédiatement après l'accouplement, la ♀ dépose environ 300 œufs sous l'eau, sur les tiges et les feuilles de diverses plantes aquatiques. Les larves passent deux hivers sous l'eau avant de se transformer en imagos.
Nourriture : Insectes et autres petits invertébrés.

♂

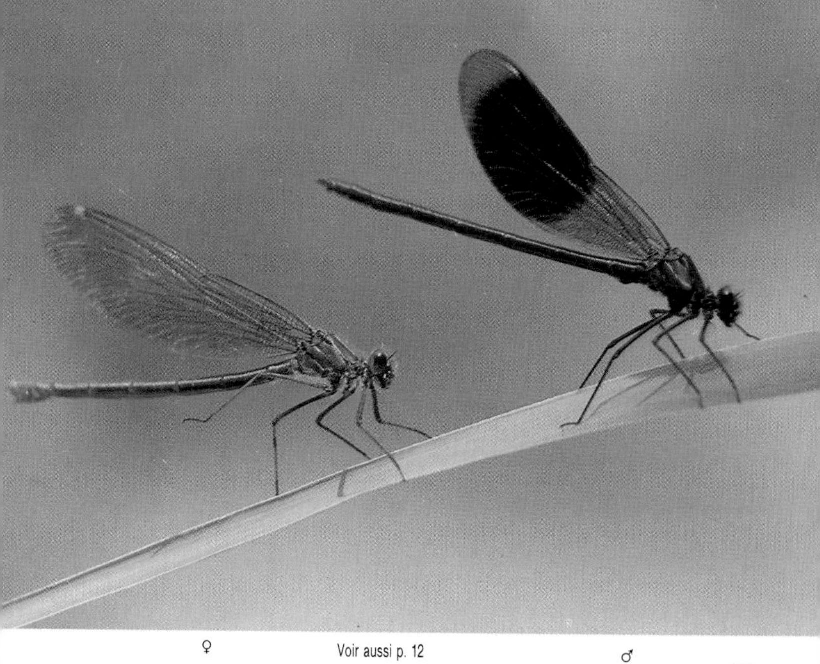

♀ Voir aussi p. 12 ♂

Lestes sponsa (Hans.) La Fiancée

Caractéristiques : 25 à 33 mm de long ; envergure : 40 à 45 mm. Représentant typique des Lestidae dont 8 espèces difficiles à identifier vivent en Europe. Au repos, les ailes de tous les Lestidae sont à moitié ouvertes. Le dos des ♂ est vert foncé métallisé, celui des ♀ est cuivré. Chez tous les ♂, les deux premiers et les deux derniers segments abdominaux sont poudrés de bleu. Ces insectes sont très difficiles à voir dans leur environnement naturel, car leurs ailes sont presque transparentes et leur abdomen très mince.

Habitat : Mares, étangs et marais ; conditions écologiques très variées : un petit point d'eau avec des joncs ou des roseaux suffit pour attirer en été les premiers *Lestes sponsa*. Insectes sociaux qui, lorsqu'il fait chaud, se rencontrent parfois par centaines, volant au-dessus de l'eau ou posés dans la végétation sur les rives.

Distribution : Se rencontre surtout en Europe centrale et septentrionale, mais aussi localement dans la région méditerranéenne ; jusqu'à 2 500 m d'altitude.

Fréquence : C'est l'un des odonates les plus communs de nos régions. Son habitat n'ayant pas besoin de répondre à des conditions particulières, cette espèce s'adapte bien aux modifications de l'environnement. Dès qu'une nouvelle petite mare apparaît, elle s'y installe et y pond des œufs lorsque les premières plantes aquatiques poussent.

Reproduction : Les Lestidae passent l'hiver dans la végétation poussant au bord de l'eau ; la rosée y est tellement forte que, le matin, ils sont parfois entièrement recouverts de gouttelettes. Ce n'est que vers 9 h ou 10 h du matin, lorsque le soleil est déjà relativement haut, qu'ils commencent à remuer. Ils sont en pleine activité vers midi ; l'accouplement et la ponte ont lieu à ce moment. Le ♂ s'approche de la ♀ et la saisit par le cou avec ses cerques. Le système de pinces est caractéristique de chaque espèce. Lorsqu'un ♂ s'accroche à une ♀ d'une autre espèce, ce qui se produit souvent, la ♀ refuse généralement de s'accoupler. Mais dès que le ♂ est bien accroché, il transfère ses spermes de l'orifice génital jusqu'à l'appareil fécondateur se trouvant sur le deuxième segment abdominal ; la ♀ recourbe alors son abdomen jusqu'à ce qu'il atteigne l'appareil fécondateur du ♂, le corps des deux insectes formant ainsi un cercle. Ce n'est qu'à ce moment-là que le sperme du ♂ avec lequel la ♀ s'était précédemment accouplée est évacué et remplacé par celui du nouveau ♂. Puis le cercle s'ouvre et le couple vole en tandem. Il reste dans cette position même pendant la ponte des œufs. D'où le nom latin *sponsa* qui signifie fiancée. Les œufs, généralement au nombre de 2, parfois 3, sont déposés dans une plante. Avec son ovipositeur la ♀ fend la tige ou la feuille d'une plante aquatique pour y mettre les œufs en sécurité. La ponte commence au-dessus de l'eau ; les insectes descendent lentement dans l'eau à reculons. Ils peuvent rester sous l'eau pendant une demi-heure. Les œufs se développent le printemps suivant. Les larves, comme celles des Agrions, ne bougent presque pas. Parfois, elles remontent à la surface, puis redescendent lentement. Lorsqu'elles ont grandi, elles se promènent au fond de l'eau. Elles deviennent adultes au bout de 6 à 8 semaines. Elles sortent alors de l'eau et abandonnent l'enveloppe larvaire. Il y a 13 stades différents entre l'œuf et la libellule.

Nourriture : Se nourrissent de petits insectes trouvés sur les rives. Les larves qui vivent dans l'eau se nourrissent de petits crustacés et de petits insectes.

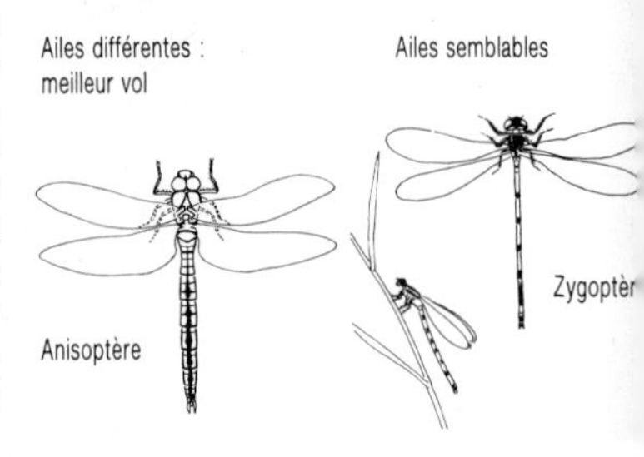

♂

Libellules

♀

Lestes viridis (Lind.)
L'Agrion vert

Caractéristiques : 30 à 40 mm de long ; envergure : environ 6 cm. Les deux sexes sont de la même couleur : dos vert métallique, sans pruinosité.
Habitat : Eaux courantes, bordées d'arbustes et d'arbres dont les branches pendent au-dessus des flots.
Distribution : Espèce thermophile qui se rencontre surtout en Europe méridionale, en Afrique du Nord et en Asie Mineure. En France cette espèce est plutôt méridionale.
Fréquence : Se rencontre souvent en grand nombre sur les rives convenant à la ponte des œufs.
Reproduction : Les œufs sont insérés dans l'écorce des branches qui pendent au-dessus de l'eau.
Nourriture : Les adultes attrapent les mouches qui volent ; les larves se nourrissent dans l'eau.

Lestes barbarus (F.)
L'Agrion sauvage

Caractéristiques : 26 à 34 mm de long ; envergure : jusqu'à 5 cm. Corps brun foncé métallisé ailes transparentes. Tache bicolore caractéristique sur les ailes (blanche à l'extérieur, foncée l'intérieur).
Habitat : Eaux stagnantes (même saumâtres bordées d'une végétation dense.
Distribution : Espèce méditerranéenne qui migre vers certaines régions septentrionales o elle s'installe parfois un an ou deux avant d disparaître.
Fréquence : Espèce commune dans le bassi méditerranéen ; assez répandue en France.
Reproduction : Au moment de la ponte de œufs, le ♂ accompagne la ♀. Les œufs son déposés sur les plantes émergeant de l'eau Eclosion des œufs après l'hiver ; les larves s transforment en libellules en 2 à 3 mois.
Nourriture : Petits insectes.

Pyrrhosoma nymphula (Slz)
La Petite Nymphe au corps de feu

Caractéristiques : 30 mm de long ; envergure : 4,5 cm. Corps robuste, dos rouge foncé, ventre jaune. Tête et pattes noires.
Habitat : Eaux stagnantes ou coulant lentement, petits fossés ou canaux bordés d'une végétation dense. Parfois eaux saumâtres. Lorsque, la journée, les animaux sont au repos, leurs ailes sont légèrement décollées du corps ; par contre, la nuit, lorsqu'ils dorment, elles sont appliquées contre le corps.
Distribution : Dans toute l'Europe, sauf dans l'extrême nord. Se rencontre au Maroc et en Asie Mineure ; en montagne, jusqu'à 1 200 m.
Reproduction : Selon l'altitude, les premiers animaux apparaissent début mai, les derniers début septembre. Même comportement au moment de l'accouplement et de la ponte que les autres zygoptères.

Platycnemis pennipes (Pall.)
L'Agrion à larges patte

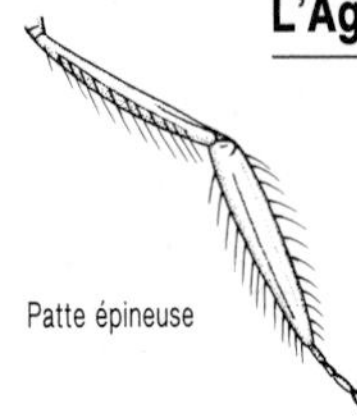
Patte épineuse

Caractéristiques 30 mm de long ; envergure : enviro 4,5 cm. Ressembl aux membres de l famille Coenagriidae mais se distingue faclement à la forme des pattes : tibia des patte postérieures et médianes aplati et recouver d'épines.
Habitat : Lacs, mares et étangs.
Distribution : Toute l'Europe.
Fréquence : Espèce commune en plaine, plu rare en montagne.
Reproduction : Les ♂ volent en zigzag au dessus de l'eau, attirant ainsi l'attention des ♀ Le ♂ reste accouplé à la ♀ au moment de l ponte. Les œufs sont souvent déposés dans l pédoncule des nénuphars jaunes. Les larve hivernent ; les libellules éclosent en été.

♂
♂
Libellules
♂
♂

Erythromma najas (Hans.)
La Grande Naïade

Caractéristiques : 3,5 cm de long ; envergure : 5 cm. Contrairement à la ♀, le mâle a des yeux rouge grenat ; le thorax et l'extrémité de l'abdomen sont bleu pâle.
Habitat : Eaux stagnantes avec une flore aquatique très variée. Les ♂ s'arrêtent volontiers sur les feuilles des nénuphars.
Distribution : Europe et Asie jusqu'au Japon. Rare dans le sud (Pyrénées), mais se rencontre au-delà du cercle polaire.
Fréquence : Assez abondante en France.
Reproduction : Vole de fin avril à fin août. Le couple plonge jusqu'à 60 cm sous l'eau et dépose les œufs en zigzag dans la tige d'une plante. Le ♂ émerge le premier et attend la ♀ pour s'accoupler à nouveau et chercher un autre endroit pour déposer les œufs. Les larves ne se développent que dans les eaux stagnantes. Elles évitent les marécages acides. Le développement dure un an.
Nourriture : Les larves attrapent dans l'eau de petits insectes et d'autres petits animaux.

Erythromma viridulum Chp.
La Petite Naïade

Caractéristiques : 3 cm de long ; envergure 4 cm. Ressemble à *E. najas*, mais ses yeux son moins rouges. Abdomen du ♂ et de la ♀ ver foncé métallisé. Contrairement à *E. najas*, le ♂ dont l'extrémité de l'abdomen est égalemen bleue porte, sur le dos, un dessin en forme d croix.
Habitat : Eaux stagnantes (même saumâtres) de préférence, étangs et bras morts avec d vieux troncs d'arbres ; étangs couverts de nénuphars.
Distribution : Espèce essentiellement méditerranéenne qui atteint l'Afrique du Nord, se rencontre en France méridionale à basse altitude et qui occupe le bassin oriental de la Méditerranée. :
Fréquence : Est localement abondante.
Reproduction : Comme *E. Najas* ; vole de mi-ma à début septembre ; peut être très gênée par l mauvais temps.

Ischnura elegans (Lind.)
L'Agrion élégant

Caractéristiques : 3 cm de long, envergure : 4 cm. Corps noir, ventre et extrémité du corps bleu. Se distingue des *Erythromma* par les yeux noirs en haut et bleus en bas et par une petite tache ronde (tache post-oculaire) à côté de chaque œil.
Habitat : Eaux stagnantes, même saumâtres, parfois dans les rizières.
Distribution : Toute l'Europe, va à l'est jusqu'au Japon ; Afrique du Nord et îles de la Méditerranée. En montagne, jusqu'à 1 000 m d'altitude.
Fréquence : Espèce commune partout en France.
Reproduction : La ♀ est toujours seule au moment de la ponte. Sinon, même comportement que les autres zygoptères. Dans le sud, il y a deux, voire trois générations par an.

Ischnura pumilio (Chp.)
L'Agrion nain

Caractéristiques : 3 cm de long ; envergure 3,5 cm. Ressemble à *I. elegans*. Comme chez l plupart des libellules, le corps change de couleur une ou plusieurs fois. Chez *I. Pumilio*, il peu passer du rouge-orange au vert pâle ou ver olive. Les ♂ des deux espèces ont une tach noire-blanche sur les ailes.
Habitat : C'est une des premières espèces à occuper les eaux stagnantes ; parfois eau courantes ; peut se reproduire dans les rizières
Distribution : Sporadique en Europe ; n'exist pas dans le nord. A l'est, jusqu'en Asie Mineur et en Sibérie.
Fréquence : Apparition épisodique. En France peut être localement commune.
Reproduction : Vole d'avril à octobre, suivant l latitude. Dans le sud, 2 générations par an. Ce animaux ne sont actifs que lorsqu'il y a du solei Accouplement et ponte comme pour *I. elegans*

Cordulia aenea (L.)
La Libellule cuivrée

Caractéristiques : 5 cm de long, envergure : jusqu'à 7,5 cm. Ce représentant des anisoptères se reconnaît aux ailes de forme différente : les ailes postérieures s'élargissent vers la base. Au repos, les ailes sont toujours étalées. Yeux verts, corps couleur cuivre métallisé : caractéristique des membres de la famille des Corduliidae.
Habitat : Eaux stagnantes, même dans les marais. En montagne, jusqu'1 800 m environ.
Distribution : Europe, Algérie et Asie, jusqu'au nord du cercle polaire.
Fréquence : Espèce commune en France.
Reproduction : Pendant l'accouplement, le couple vole, puis se suspend aux branches. Les œufs sont pondus dans des endroits bien cachés. La ♀ virevolte, montant et descendant, et laisse tomber les œufs dans l'eau. Les larves hivernent deux ou trois fois.

Coenagrion hastulatum (Chp.)
L'Agrion porte-hache

Caractéristiques : 3 cm de long ; envergure : 4 cm. Sur le deuxième segment du corps du ♂, dessin en forme de hallebarde.
Habitat : Eaux stagnantes et acides, notamment tourbières.
Distribution : Au sud, uniquement dans les montagnes (Alpes, Pyrénées, etc.) ; Europe du Nord ; se rencontre au-delà du cercle polaire. A l'est, jusqu'en Sibérie ; en montagne, jusqu'à 1 800 m.
Fréquence : Espèce commune dans ses biotopes.
Reproduction : Vole de fin mai à fin août. Le transfert des spermes se fait en position assise, lorsque le ♂ a attrapé la ♀. Lorsque le cercle s'ouvre, le couple reste ensemble. La ♀ dépose ses œufs dans les plantes aquatiques. Elle plonge alors jusqu'à 50 cm sous l'eau, le ♂ restant collé à la ♀. Les œufs et les larves se développent la même année. Le développement de la larve jusqu'à la fin de l'hiver dépend de la température de l'eau. Il peut durer 1 ou 2 ans.

Coenagrion puella (L.)
La Jouvencelle

Caractéristiques : 3,4 cm de long, envergure : 5 cm. Dessin en fer à cheval sur le deuxième segment abdominal du ♂. Espèce difficile à reconnaître, car il existe en Europe douze autres espèces de Coenagriidae.
Habitat : Eaux stagnantes, sauf marécages.
Distribution : Nombreuses régions d'Europe. Au nord, jusqu'au centre de la Suède ; au sud, jusqu'au nord-ouest de l'Afrique ; à l'est, jusqu'à Leningrad. Jusqu'à 1 800 m.
Fréquence : Espèce très commune, il s'agit sans doute de l'espèce de *Coenagrion* la plus commune en France.
Reproduction : Accouplement de mai à août près des étendues d'eaux. Pendant la ponte, le ♂ se tient généralement à la verticale sur le cou de la ♀. Les œufs ne sont déposés que lorsqu'il y a du soleil sur les myriophylles, les potamots et d'autres plantes aquatiques. Lorsqu'il fait beau, le développement de l'œuf à la libellule adulte dure 3 mois.

Coenagrion pulchellum (Lind.)
L'Agrion joli

Caractéristiques : 3,5 cm de long ; envergure : 5 cm. Sur le deuxième segment du corps du ♂, dessin représentant une chauve-souris.
Habitat : Étangs et mares ; de préférence là où il y a des nénuphars et des joncs.
Dispersion : Dans toute l'Europe ; à l'est, jusqu'en Sibérie. Ne se rencontre pas au nord du cercle polaire, ni dans l'extrême sud. En montagne, jusqu'à 1 000 m.
Fréquence : Espèce courante.
Reproduction : Vole d'avril à août, suivant la localité. Cette gracieuse libellule vit dans les mêmes habitats que *C. puella* qui est beaucoup plus commun, mais ces deux espèces ne s'accouplent que très rarement, les ♂ n'ayant pas les mêmes pinces. Les tentatives sont toutefois assez fréquentes, mais échouent le plus souvent. Œufs déposés en tandem dans les plantes aquatiques. Les animaux vont parfois sous l'eau. Le développement dure un an.

Gomphus vulgatissimus (L.) La Libellule commune

Caractéristiques : Jusqu'à 5 cm de long ; envergure : 7 cm. Espèce difficile à reconnaître car il existe plusieurs espèces semblables ; autrefois, c'était l'espèce la plus courante des Gomphidae.

Habitat : Ruisseaux, rivières, lacs et fossés restés naturels ; également lacs dans les forêts. Les Gomphidae parcourent de longues distances et restent parfois loin des étendues d'eau.

Distribution : Europe. Au sud, en Espagne et en Italie ; à l'est, jusqu'au Caucase. En montagne, jusqu'à 700 m.

Fréquence : Espèce moins commune à cause de la pollution des eaux, mais encore courante localement.

Reproduction : Vole de début mai à fin juillet. Ne vit pas plus de 4 semaines. Lorsqu'ils volent ou lorsqu'ils sont posés sur une branche ou sur une pierre dans l'eau, ils ne sont guère impressionnants, mais, en cas de danger, ils peuvent s'envoler très rapidement. La ♀ pond ses œufs près des berges ; elle soulève l'abdomen et éjecte un grand nombre d'œufs. Puis elle s'envole à 20-30 cm au-dessus de l'eau. Son abdomen touche de temps en temps l'eau et les œufs tombent lentement au fond. Les œufs et les larves se développent sous l'eau. Les larves préfèrent les zones boueuses où elles peuvent s'enfouir ; en été l'oxygène y devient souvent rare ce qui, curieusement, ne gêne pas les larves. Elles hivernent trois ou quatre fois avant de se transformer en imagos.

Nourriture : Les larves et les libellules attrapent parfois des libellules plus petites, par exemple des Coenagriidae.

Généralités : La ♀ pouvant pondre jusqu'à 500 œufs, les eaux doivent être très riches en substances nutritives afin que la plupart des œufs puissent atteindre le stade d'imago.

Ophiogomphus serpentinus (Chp.) La Libellule-Serpent

Caractéristiques : 5 à 5,5 cm de long ; envergure : 7 cm. Espèce robuste et lourde, jaune-verte. ♀ et ♂ identiques.

Habitat : Dans les forêts, ruisseaux et rivières propres à fond sablonneux. Ces jolies libellules sont faciles à observer car elles ne sont pas aussi craintives que les autres espèces. Elles s'accouplent sur les chemins forestiers sablonneux et ensoleillés. Elles ne retournent près de l'eau que pour pondre.

Distribution : Bords de la Loire, du Rhône et dans l'Est ; Europe centrale. Ne se rencontre pas dans les îles britanniques.

Fréquence : Apparaît régulièrement dans l'est de l'Europe centrale ; sinon espèce rare. En montagne, jusqu'à 1 000 m. Espèce menacée comme toutes celles qui vivent près des eaux courantes.

Reproduction : Les larves vivent au fond des ruisseaux, là où il y a du sable et pas de végétation, jamais dans la boue. Dans les rivières, seulement là où le courant est fort. Le développement dure 3 à 4 ans.

Gomphus pulchellus S.L. La Libellule jolie

Caractéristiques : 4,5 à 5 cm de long ; envergure : 6 à 7 cm. Corps moins contrasté que chez les autres espèces semblables. Tête verte. Abdomen recouvert de dessins jaunes-noirs. Silhouette fine.

Habitat : Grands lacs profonds avec peu de plantes aquatiques. Les animaux se reposent sur les berges, aux endroits ensoleillés.

Distribution : Europe de l'Ouest et du Sud-Ouest : France, Espagne surtout.

Fréquence : Assez courante dans les biotopes lui convenant.

Reproduction : Vole de mai à juillet. Les œufs sont déposés à la surface de l'eau. Les larves se développent dans la boue, au fond des lacs. La libellule apparaît au bout de 4 à 5 ans.

Nourriture : Les larves se nourrissent de petits animaux aquatiques : crustacés, acariens, insectes aquatiques.

♂

Libellules

♂

Somatochlora metallica (Lind.)
La Libellule métallique

Caractéristiques : 5 à 6 cm de long ; envergure : 7 cm. Se caractérise par l'éclat métallique de son corps et ses yeux verts.
Habitat : Eaux stagnantes ou coulant lentement dans les régions boisées, ruisseaux et lacs marécageux. Ces libellules parcourent de longues distances pour trouver de la nourriture.
Distribution : Europe du Nord ; se rencontre au-delà du cercle polaire. En Europe centrale, surtout dans les montagnes de hauteur moyenne et dans les régions du nord. Se rencontre jusqu'en Asie. En montagne, jusqu'à 1 400 m.
Fréquence : Espèce commune en Europe centrale, répandue en France.
Reproduction : Vole de fin mai à mi-septembre. Ne vit pas plus de 2 mois. Grâce à son ovipositeur extrêmement long et dirigé vers le bas, la ♀ dépose ses œufs près des berges, aux endroits peu profonds. Les larves éclosent au bout de 4 à 6 semaines et hivernent deux fois.

Cordulegaster boltonii (Don.)
La Libellule annelée

Caractéristiques : 8 cm de long ; envergure : 10 cm. Sur les segments médians de l'abdomen, deux raies transversales jaunes caractéristiques.
Habitat : Les larves vivent dans les petits ruisseaux de montagne au bord desquels volent les libellules. Les adultes ne s'éloignent guère de leurs eaux d'origine.
Distribution : Dans de nombreuses régions d'Europe, Afrique du Nord. En Europe du Sud, les animaux prennent d'autres couleurs. En montagne, jusqu'à 1 500 m. Espèce localement commune en France.
Reproduction : Vole de juin à fin août. La ♀ voltige au-dessus de l'eau, l'abdomen presque à la verticale. Elle dépose ses œufs dans l'eau grâce à son ovipositeur très long. Les larves se développent pendant plusieurs années.
Nourriture : Les ♂ font des va-et-vient le long des ruisseaux, mais se posent souvent. Ils se nourrissent de petits insectes volants.

Somatochlora flavomaculata (Lind.)
La Libellule à taches jaunes

Caractéristiques : 5 cm de long ; envergure : jusqu'à 7 cm. De chaque côté de l'abdomen taches jaune citron devenant ensuite noires et brunes. Comme chez d'autres membres de la même famille, taches jaunes sur le ventre et sur la tête.
Habitat : Prairies marécageuses, lisières des forêts humides, fossés fermés ; jamais étendues d'eau découvertes. Vole au-dessus des joncs et dans les clairières.
Distribution : En Europe centrale, surtout dans les vallées. Au nord, jusqu'au cercle polaire ; à l'ouest, jusqu'en France.
Fréquence : Espèce autrefois courante qui a souffert de l'assèchement des sols. En France localement commune.
Reproduction : Vole de juin à septembre. Les œufs restent dans la boue pendant 4 à 5 semaines. Ils peuvent survivre à plusieurs semaines de sécheresse. Les libellules apparaissent la troisième année.

Cordulegaster bidentatus S.L.
La Rare Libellule annelée

Caractéristiques : 8 cm de long ; envergure : 10 cm. Ressemble à *C. boltonii*, mais n'a qu'une raie transversale sur les anneaux médians de l'abdomen. Triangle de l'occiput noir.
Habitat : Ruisseaux et sources riches en substances nutritives.
Distribution : En Europe centrale, seulement dans quelques régions : Forêt Noire, Vosges, Alpes, Jura franconien, etc. Aire de dispersion fermée dans le bassin méditerranéen de l'Espagne à la Roumanie. En France cette espèce est surtout présente en montagne.
Reproduction : Vole de fin mai à fin juillet. Comportement, accouplement et ponte comme chez *C. boltonii*. Le développement jusqu'à l'imago dure 3 à 5 ans.
Généralités : Vit parfois dans le même biotope que *C. boltonii*, mais se rencontre plus souvent près des sources des cours d'eaux.

♂

♂

♂

♂

Anax imperator Lh L'Anax empereur

Caractéristiques : 7 à 8 cm de long ; envergure : 10 à 11 cm ! C'est l'une des plus grandes libellules de nos régions. Abdomen du ♂ bleu ciel avec des dessins noirs ; celui de la ♀ est bleu vert avec de grands dessins bruns. Ailes légèrement brunes ou jaunes.
Habitat : L'Anax empereur vit près des étangs, des mares et des lacs riches en végétation. Évite les eaux courantes. C'est un excellent voilier que l'on rencontre souvent loin des points d'eau ; parfois même près des côtes.
Distribution : Presque toute l'Europe. Répandu en France. Au nord, jusqu'au sud de l'Angleterre et de la Scandinavie et jusqu'en Pologne. A l'est, jusqu'au Turkestan et, en Afrique, jusqu'au cap de Bonne-Espérance. Au sud du Sahara, sous-espèce *mauricianus*. L'Anax empereur préfère la plaine ; en montagne, elle n'apparaît que très rarement à 1 000 m.
Fréquence : Animal qui se rencontre toujours seul. Mais cette espèce étant relativement répandue en plaine, on la rencontre toujours dans les habitats lui convenant, notamment près des mares naturelles et artificielles dans les jardin lesquelles constituent un nouvel habitat pour d nombreuses espèces d'odonates, surtout pou l'Anax empereur.
Reproduction : Vole de mi-juin à mi-août. La ♀ dépose toute seule les œufs dans les débr végétaux flottant à la surface de l'eau. Elle s pose sur la plante, enfonce l'abdomen sous substrat et, à l'aide de sa tarière, y insère le œufs qui se développent en trois semaines. Un partie des larves hivernent une fois, les autre deux fois. Le développement dure 1 à 2 ans.
Nourriture : Les larves se nourrissent d'insecte aquatiques, de leurs larves et également d'aca riens, etc.

Aeshna cyanea (Müll.) L'Aeschne bleu et vert

Caractéristiques : 7 à 8 cm de long ; envergure : 10 à 11 cm. Tête, thorax et abdomen ornés de taches bleues et vertes brillantes. Lorsqu'ils sont posés, ces animaux sont difficiles à voir malgré leurs couleurs vives et brillantes. Leur corps grand et robuste en font d'excellents voiliers. Aussi se rencontrent-ils souvent loin des points d'eau. En été, on en voit même certains voler au-dessus des voitures dans les villes.
Habitat : Pratiquement partout où il y a de l'eau.
Distribution : Dans toute l'Europe. Au nord, jusqu'à la frontière polonaise ; au sud, jusqu'en Algérie. A l'est, jusqu'en Asie Mineure. En montagne, jusqu'à 1 400 m.
Fréquence : Animal solitaire qui défend bien son territoire. L'Aeschne bleue se rencontre toujours seule ou, parfois, en petit nombre. Avec l'*A. mixta*, c'est l'un des membres les plus communs dans nos régions de la famille des Aeshnidae.
Reproduction : Vole de mi-juin à début novembre. L'Aeschne bleue n'est pas aussi sensible au froid que les zygoptères. Aussi l'aperçoit-c encore souvent le soir. N'a pas peur de l'homm et rentre parfois dans les habitations. En l'attr pant avec précaution, on peut la remettre e liberté. Dès que l'on creuse une mare dans u jardin, les Aeschnes bleues arrivent et ne ta dent pas à y déposer leurs œufs. Deux ans plu tard, les libellules adultes quittent l'envelopp larvaire.
Nourriture : Les larves attrapent dans l'eau c petits invertébrés. Les adultes poursuivent dar l'air les moustiques, les taons, les papillons d'autres insectes volants.

♂

Libellules

♂

Aeshna grandis (L.)
La Grande Aeschne

Caractéristiques : 7 à 8 cm de long ; envergure : 10 cm. Ailes brunes, corps brun rouge orné, sur les côtés, de taches jaunes et, chez le ♂ de taches bleues brillantes.
Habitat : Eaux stagnantes, marécages, roselières. Plane presque sans bouger les ailes ; vole rarement aussi vite que les autres odonates.
Distribution : Au nord, au-delà du cercle polaire ; relativement rare en France ; à l'est, jusqu'en Sibérie. Dans les Alpes, jusqu'à 1 400 m.
Reproduction : Vole de fin juin à fin septembre. Les ♂ gardent un territoire bien déterminé et poursuivent et expulsent tous ceux qui s'y aventurent. La ♀ se sépare du ♂ après l'accouplement et dépose ses œufs dans les débris végétaux : troncs d'arbres, branches mortes, massettes, laîches et autres plantes. Les œufs et les larves hivernent ; le développement dure deux ans.

Aeshna juncea (L.)
L'Aeschne des joncs

Caractéristiques : 7 à 8 cm de long ; envergure 10 cm. Ressemble à l'Aeschne bleue, mais tou tes les taches ornant l'abdomen sont bleues.
Habitat : Au sud, presque exclusivement dan les montagnes ; au nord également en plaine Marécages, eaux stagnantes avec des roseau ou des joncs.
Distribution : France, Espagne, Europe du Nor et de l'Est, Asie, Amérique du Nord ; au nord, s rencontre au-delà du cercle polaire. Dans le Alpes, jusqu'à 2 000 m ; y vient parfois se repro duire.
Fréquence : Espèce d'odonate la plus courant en montagne et dans certaines régions du Norc
Reproduction : Vole de juin à octobre. Les ♀ déposent leurs œufs dans la sphaigne, dans le branches mortes, dans les racines, etc., dar l'eau. Les petites larves éclosent au printemp suivant. Selon le temps, le développement jus qu'à l'imago dure 3 à 4 ans.

Aeshna mixta Lat.
L'Aeschne de Latreille

Caractéristiques : 6 cm de long ; envergure : 8 cm. Grande différence entre les deux sexes : chez le ♂, grandes taches bleues brillantes et minuscules taches jaunes sur l'abdomen foncé ; chez la ♀, taches brun-jaune sur le corps brun. Parfois, certaines ♀ ont les mêmes dessins que les ♂.
Habitat : Étangs et lacs ; parfois marécages, eaux saumâtres. Ce sont d'excellents voiliers qui s'éloignent souvent loin de l'eau pour chasser les insectes.
Distribution : Surtout en Europe du Sud ; au nord, jusqu'au sud de l'Angleterre et au Danemark ; à l'est, jusqu'au Japon.
Fréquence : Espèce commune en France.
Reproduction : Vole de fin juillet début août à novembre. Les larves éclosent l'année suivante ; elles hivernent une fois et se transforment en libellules l'année suivante.

Aeshna subarctica Wlk.
L'Aeschne subarctique

Caractéristiques : 7 à 8 cm de long ; envergure 10 cm. Tellement difficile à distinguer de *A juncea* qu'elle n'a été découverte en Europ qu'en 1927. Dessins bleus sur le coprs plu pâles ; sur le thorax, bandes latérales bleu pâl (jaunes chez *A. juncea*).
Habitat : Marais en montagne.
Distribution : Espèce du nord. Très répandue e Europe du Nord et en Amérique du Nord, su tout au nord du cercle polaire. Dans le sud d l'Europe centrale, uniquement en altitude. E Allemagne du Nord, également en plaine.
Fréquence : Apparition isolée. Espèce menacé du fait de la destruction de nombreux marais d montagne.
Reproduction : Vole de mi-juillet à mi-septem bre. Même comportement biologique qu l'Aeschne des joncs. Œufs déposés apparem ment uniquement dans la sphaigne. Le dévelop pement dure 3 à 4 ans.

Voir aussi p. 270 et 271

Libellula depressa L. La Libellule déprimée ; la Sylvie

Caractéristiques : 4 cm de long ; envergure : 8 cm. Abdomen gris-bleu, très large, surtout chez les ♂ (6 à 8 mm) ; presque aussi large chez les ♀, mais généralement brun ou brun-jaune. Tache brun foncé sur la base des ailes.

Habitat : Eaux stagnantes, surtout petites mares. Avant d'arriver à maturité sexuelle, la Libellule déprimée s'en éloigne et est ainsi une des premières libellules à apparaître près des mares nouvellement formées dans les jardins. Mais n'apparaît que près des eaux lui convenant, parfois près des mares propres dont le fond est en béton. Se pose de préférence sur les branches pendant au-dessus de l'eau d'où elle s'envole pour chasser et où le ♂ attend la ♀.

Distribution : Europe et Asie Mineure. Évite les hautes montagnes. Jusqu'à 1 000 m dans les montagnes.

Fréquence : Espèce répandue et relativement courante en plaine.

Reproduction : Vole de mai à début août. C'est l'une des premières libellules qui apparaît. Arrive à maturité sexuelle seulement quelques jou après l'éclosion. L'accouplement a toujours lie en vol et dure de quelques secondes à un minute maximum. Puis le couple se sépar Pendant la ponte, le ♂ vole au-dessus de la ♀ et chasse les autres ♂. Mais les ♀ s'acco plent à nouveau très rapidement. Elles con nuent à bouger pendant la ponte. Ainsi les œu sont dispersés dans de nombreux endroits. L concurrence n'est donc pas aussi dure pour le petites larves que si elles étaient obligées toute de chasser dans le même étang. En cas d'ass chement, les larves s'enfouissent dans la bou et tombent en léthargie. Elles peuvent surviv ainsi pendant 6 semaines. Le développeme jusqu'à l'imago dure 2 ans.

Libellula quadrimaculata L. La Libellule à quatre taches ; la Françoise

Caractéristiques : 4 à 5 cm de long ; envergure : 8 cm. A deux taches sombres sur chaque aile, donc huit en tout. Partie supérieure intérieure de l'aile jaune fumé.

Habitat : Eaux stagnantes ; de préférence lacs marécageux et marais en montagne.

Distribution : Dans tout l'hémisphère Nord, en Europe, en Asie et en Amérique du Nord. En Europe, se rencontre au-delà du cercle polaire ; en montagne jusqu'à plus de 1 000 m. Les Libellules à quatres taches se regroupent en grand nombre pour effectuer de longues migrations.

Fréquence : C'est l'une des espèces les plus courantes et les plus répandues en Europe.

Reproduction : Vole de début mai à mi-août. Pas de conflits territoriaux comme chez les autre odonates. Ces animaux volent en zigzag à 40-50 cm de haut, à la recherche de moustiques et d'autres proies comestibles. Ils se reposent et se réchauffent au soleil sur les branches et les joncs d'où ils observent les berges. Lorsqu'il fait froid, ils restent cachés comme les autres odonates. Ces libellules ne sont pas très actives a petit matin. Les premières apparaissent ve 10 h. L'accouplement a lieu en vol et ne dure qu 30 secondes environ. La ponte a lieu presqu aussitôt. Tout en volant, la ♀ touche ave l'extrémité de son abdomen la surface de l'ea et dépose à chaque fois quelques œufs q tombent ensuite au fond, protégés par un enveloppe gélatineuse. Comme chez la Libellu déprimée, le ♂ surveille ce qui se passe. Mêm si ces libellules préfèrent les eaux riches en flo sous-marine, elles déposent toujours les œu à la surface de l'eau. Les jours suivants, l'env loppe gélatineuse est recouverte par une alg verte, si bien que les œufs sont presque invis bles. Cette algue n'empêche nullement la larv de se développer.

♂ ♀

♂

Orthetrum brunneum (Fonsc.)
La Libellule brune

Caractéristiques : 4 à 5 cm de long ; envergure : 7 cm. Abdomen bleu chez le ♂, brun chez la ♀ ; thorax brun, recouvert d'un duvet bleu chez les ♂.
Habitat : Eaux stagnantes et courantes, par exemple ruisseaux, fossés et canaux ; ne se rencontre jamais dans les marais. De préférence là où des prairies ou des zones découvertes arrivent jusqu'aux rives.
Distribution : Espèce thermophile, se rencontrant surtout dans le bassin méditerranéen. Répandue en France.
Fréquence : Espèce commune en France occidentale, centrale et méridionale.
Reproduction : Vole de juin à juillet. L'accouplement a lieu aux heures chaudes de la mi-journée ; il ne se produit pas en vol. La ♀ commence à pondre immédiatement après ; elle touche avec l'abdomen la surface de l'eau et dépose les œufs sous la surveillance du ♂. De préférence, eaux peu profondes. Les larves mettent 2 à 3 ans pour se développer.

Orthetrum coerulescens (F.)
La Libellule bleue

Caractéristiques : 4 à 4,5 cm de long ; envergure : 6 à 7 cm. L'abdomen est brun chez les ♂, bleu brillant chez les ♀. Plus petit que les autres espèces d'*Orthetrum.*
Habitat : Petits cours d'eau coulant lentement. Évite les étendues d'eau trop importantes. Se repose généralement par terre ou dans la végétation. En cas de danger, s'envole en zigzag rapidement en rasant le sol ou la surface de l'eau.
Distribution : Dans toute l'Europe jusqu'au sud de l'Angleterre et de la Scandinavie. En montagne, jusqu'à 700 m seulement. Espèce qui n'est pas bien connue dans le Sud et l'Est, car souvent confondue avec d'autres espèces. Répandue en France.
Fréquence : Nulle part très courante.
Reproduction : Vole de juin à août. Les animaux se posent pous s'accoupler. La ♀ s'envole ensuite le long de la rive et dépose ses œufs dans l'eau. Le ♂ la surveille et chasse les autres ♂. Le développement dure 2 ans.

Orthetrum cancellatum (L.)
La Libellule à treillis

Caractéristiques : 5 cm de long ; envergure jusqu'à 9 cm. Abdomen relativement gros, recouvert au milieu d'une couche de cire bleuâtre. Les jeunes animaux sont jaunâtres ; leur abdomen est orné de deux bandes longitudinales.
Habitat : Lacs, eaux mortes et étangs.
Distribution : Dans toute l'Europe ; à l'est, jusqu'en Asie Mineure et au Caucase.
Fréquence : Espèce généralement abondante.
Reproduction : Vole de fin mai à septembre. Les ♂ aiment bien se reposer sur le sable, rarement sur les plantes, mais dès qu'ils sont dérangés, ils s'envolent au-dessus de l'eau. Ils volent bas, souvent seulement à quelques centimètres au-dessus de l'eau ou du sol. Le ♂ attrape une ♀ en vol, mais ils se posent pour s'accoupler. La ♀ dépose les œufs dans l'eau au-dessus des plantes sous la surveillance du ♂. Les larves éclosent au bout de 3 semaines ; leur développement dure 3 ans.

Sympetrum danae (Slz)
La Libellule noire

Caractéristiques : 3 cm de long ; envergure 5 cm. Abdomen noir chez les ♂. Les ♀ sont brunes, les jeunes jaunâtres. De chaque côté du thorax, taches jaunes brillantes qui se voient bien même chez les animaux décolorés.
Habitat : Rives marécageuses des lacs, étangs et marais. Surtout marais en montagne.
Distribution : Europe, Asie et Amérique du Nord. Évite les régions chaudes du sud. Dans les Alpes jusqu'au 2 000 m. En France, uniquement en altitude.
Fréquence : Très variable. En montagne, parfois très courante ; sinon, relativement rare.
Reproduction : Vole de juillet à début novembre. Lors de la ponte, les animaux restent accouplés. Les larves demeurent près de la surface de l'eau où les variations de température sont très fortes. Les adultes apparaissent l'année suivante.

♂
♂
Libellules
♂
♂

Sympetrum vulgatum (L.)
La Libellule rouge de Linné

Caractéristiques : 4 cm de long ; envergure : 6 cm. Abdomen rouge foncé chez le ♂. ♀ brunes, parfois rouge foncé. La ♀ se reconnaît à son ovipositeur qui part du corps à la verticale.
Habitat : Eaux stagnantes : mares, fossés, lacs ; également, ruisseaux coulant lentement. S'éloigne souvent loin de l'eau pour chasser, mais y retourne pour s'accoupler et pondre.
Distribution : Europe centrale et Europe du Nord. France, Sibérie, Chine. Italie du Nord, Yougoslavie du Nord, Asie. En montagne, jusqu'à 1 200 m.
Fréquence : Espèce migratrice commune en France.
Reproduction : Vole de juillet à octobre. L'accouplement commence en vol et se termine posé. La ♀ lâche les œufs de 10 à 80 cm au-dessus de l'eau.

Sympetrum sanguineum (Müll.)
La Libellule rouge de Müller

Caractéristiques : 4 cm de long ; envergure 5 6 cm. ♂ rouge sang, ♀ brunes, parfois ro ges ; les jeunes sont toujours clairs.
Habitat : Petites étendues d'eau. Près d mares en plaine.
Distribution : Dans toute l'Europe ; égaleme en Afrique du Nord et en Asie Mineure ; en As jusqu'à l'Amour.
Fréquence : Espèce courante en France.
Reproduction : Vole de juillet à mi-octobre. L œufs sont déposés dans l'eau ou sur le s humide près des berges. Le ♂ et la ♀ reste accouplés, puis se séparent, la ♀ continua seule. Les œufs pondus tôt dans l'année développent en larves, lesquelles hivernent. L œufs pondus plus tard hivernent. Les libellul éclosent l'année suivante.

Sympetrum flaveolum (L.)
L'Éléonore

Caractéristiques : 3,5 cm de long ; envergure 5 à 6 cm. Abdomen brun-rouge chez les ♂, brun-jaune chez les ♀. Sur les ailes, taches jaunes plus ou moins grandes, mais toujours plus grandes sur les ailes postérieures que sur les ailes antérieures.
Habitat : A moins besoin d'être près de l'eau que les autres espèces. Vole souvent au-dessus des marécages, près des étangs ou des ruisseaux, ou loin de l'eau. Ne recherche l'eau que pour pondre.
Distribution : Europe et Asie jusqu'au Kamchatka.
Fréquence : Abondant localement en altitude en France.
Reproduction : Vole de fin juin à fin septembre. Les œufs qui ne sont pas protégés par une enveloppe gélatineuse tombent au fond de l'eau où ils se développent rapidement lorsque les conditions extérieures sont favorables. Les œufs pondus plus tard hivernent ; les libellules apparaissent l'année suivante.

Sympetrum pedemontanum (All.)
La Piémontaise

Caractéristiques : 3 cm de long ; envergu 5 cm. Abdomen rouge chez le ♂, brun chez ♀. Larges bandes noires sur les ailes.
Habitat : Vole au-dessus des prés marécage ou des prés secs près desquels se trouvent d étendues d'eau appropriées. Ne recherche l'e libre que pour pondre.
Distribution : Europe centrale. Au sud, da certaines régions d'Espagne, de l'Italie du No de la France, de la Corse, de Roumanie ; à l'e jusqu'au Japon. Au nord, jusqu'à la Baltique.
Fréquence : Espèce peu connue qui peut ê répandue en France.
Reproduction : Vole de mi-juillet à début oc bre. Se rencontre souvent en plein été a heures chaudes et, lorsqu'il fait beau, automne. Œufs protégés par une envelop gélatineuse, souvent déposés en tas, qui hive nent ; leur développement dure 2 mois envir

Perla bipunctata Pct La Grande Perle

Caractéristiques : 2 à 3 cm de long. Difficile à identifier comme la majorité des 120 espèces de plécoptères vivant en Europe. Dimensions caractéristiques des ailes : les ailes antérieures sont toujours plus petites et plus étroites que les ailes postérieures et, avec les cerques, donnent aux perles un aspect caractéristique. Contrairement aux odonates, leurs antennes sont longues et fines. Au repos, les ailes des perles sont repliées sur l'abdomen. Cette caractéristique, ainsi que les cerques et les nervures des ailes, permettent la distinction des perles des trichoptères, des éphéméroptères et des névroptères.
Habitat : Toutes les larves de plécoptères vivent dans les eaux courantes où elles constituent une importante partie de la nourriture des poissons. Les adultes restent également près de l'eau et sont poursuivis par les poissons et les oiseaux juste au-dessus de l'eau. Ils apparaissent souvent en essaims importants.
Distribution : Il existe environ 3 000 espèces de plécoptères dans le monde. *P. bipunctata* se rencontre dans les montagnes de moyen altitude d'Europe et y apparaît dans tous l ruisseaux. D'autres espèces sont très exigea tes quant à la qualité de l'eau.
Fréquence : Espèce commune.
Reproduction : Vole de mai à juillet. L'acco plement a lieu sur les berges. La ♀ dépo ensuite les œufs à la surface de l'eau : e plonge rapidement l'abdomen dans l'eau et dépose de petits paquets d'œufs qui desce dent ensuite dans le fond. Les larves reste collées près des pierres et ne se font p emporter par le courant grâce à leur cor aplati. En ceci, elles ressemblent à certain larves d'éphéméroptères qui, contrairement a plécoptères, n'ont que deux ou trois cerque
Nourriture : Les larves se nourrissent de petit algues ; toutefois, les larves de certaines esp ces sont carnivores.
Généralités : Le développement dure 1 an ou à 3 ans chez certaines espèces.

Forficula auricularia L. Le Perce-Oreille commun

Caractéristiques : 10 à 15 mm de long. Les ailes des forficules sont très courtes, si bien que ces animaux volent peu. Les gros cerques sont transformés en pinces fortement recourbées chez le ♂, moins chez la ♀. Seulement 19 des 1 300 espèces de dermaptères vivant dans le monde se rencontrent en France.
Habitat : Les dermaptères vivent près de la surface du sol et sur le sol. C'est là qu'ils hivernent. Ils peuvent résister à des températures très basses. Toutefois, on ne les rencontre pas dans les régions froides. C'est dans les habitations qu'ils se sentent le mieux, surtout dans les pots de fleurs. Mais ils ne provoquent aucun dégât, se nourrissant plus de détritus organiques et de petits insectes que des plantes elles-mêmes.
Distribution : Le Perce-Oreille commun est courant dans toute l'Europe.
Fréquence : Espèce banale.
Reproduction : La manière dont la ♀ s'occupe de ses petits est pratiquement unique dans le monde des insectes. Au printemps et en automne, elle dépose dans le sol 20 à 40 œu qu'elle surveille en permanence. Les larves c éclosent au bout de 5 à 6 semaines restent da le nid jusqu'à la deuxième mue, puis elles r montent à la surface. Mais leur mère continue s'en occuper. Lors des mues suivantes, l animaux se transforment peu : les pet Perce-Oreille ressemblent beaucoup à leu parents. En automne, ils deviennent adultes. s'accouplent avant d'hiverner. Les ♀ qui pc dent à la fin de l'automne surveillent les œu jusqu'au printemps lorsqu'ils commencent à développer. On a essayé d'enlever à la ♀ s œufs et de les disperser ; celle-ci essaye alc de les retrouver et de les regrouper.
Nourriture : Les dermaptères sont omnivor Ce sont des animaux utiles dont l'Homme devrait pas avoir peur. Ils ne mangent pas se lement les cadavres d'animaux, mais chasse également d'autres insectes.

Larve
Perles
Forficules

Mantis religiosa (L.)
La Mante religieuse

Caractéristiques : 4 à 6 cm de long. Caractérisée par son long cou (pronotum) et par les pattes antérieures ravisseuses, tout à fait adaptées à la capture des proies. Les Mantes religieuses sont vertes ou brunes. Elles se camouflent bien grâce à la forme et à la position de leur corps.
Habitat : Prés secs et chauds avec quelques buissons.
Distribution : Se rencontre surtout dans le bassin méditerranéen. En France c'est une espèce commune dans le Sud, elle se raréfie à mesure qu'on va vers le Nord.
Fréquence : Localement très commune.
Reproduction : L'accouplement a lieu en été ; la ♀ est nettement plus grande que le ♂. Les juvéniles ressemblent beaucoup aux adultes. La ♀ pond une centaine d'œufs qui sont accrochés à une branche. Dès l'éclosion, les animaux se dispersent rapidement.
Nourriture : Insectes. Les mantes religieuses se camouflent tellement bien que parfois leurs victimes leur marchent dessus.

Clonopsis gallica (Chp.)
Le Bâtonnet vivant

Caractéristiques : 8 cm de long. Corps très long et étroit pourvu de pattes extrêmement fines. Corps brun. De par sa forme et sa couleur, ressemble à une branche morte. Insecte très difficile à repérer à cause de ce mimétisme.
Habitat : Les Phasmidae n'existent pas dans nos régions, mais sont souvent élevés en laboratoire. En été, ils peuvent être mis en liberté, mais ils ne résistent pas aux hivers froids.
Distribution : Toute la région méditerranéenne.
Reproduction : Reproduction parthénogénétique, c'est-à-dire sans fécondation. Les ♂ sont extrêmement rares.
Généralités : L'ordre des Phasmidae comprend environ 2 000 espèces, répandues dans le monde entier. La plupart des espèces miment une feuille, une brindille ou une fleur particulière.

Empusa pennata (Thbg)
Le Diablotin

Caractéristiques : Environ 7 cm. Ressemble à la Mante religieuse, mais son corps est plus allongé et plus mince. Couleur verte ou brunâtre. Yeux ovales.
Habitat : Surfaces sèches avec quelques buissons. Ces insectes sont tellement bien confondus avec leur support que seuls les spécialistes les découvrent.
Distribution : Dans tout le bassin méditerranéen, France méridionale.
Fréquence : Relativement courante dans les biotopes lui convenant.
Reproduction : Comme chez les Mantes religieuses, les œufs sont protégés par une oothèque. Cette capsule mesure 1 cm de long et renferme 25 à 40 œufs qui hivernent dans l'oothèque. Les juvéniles éclosent au printemps et leurs pattes ravisseuses sont déjà formées après la première mue. Ils arrivent à maturité sexuelle après 4 ou 5 mues.
Nourriture : Petits insectes et invertébrés. Guettent leurs proies en restant immobiles.

Bacillus rossia (Rossi)
Le Bâton du Diable

Caractéristiques : Jusqu'à 8 cm de long. Ressemble un peu à l'espèce précédente mais est toujours vert brillant. Mime une petite branche. Cette espèce a tellement bien adapté son comportement qu'on ne la rencontre jamais sur un buisson sec ou sur des branches rougeâtres, car elle y serait alors trop visible.
Habitat : Biotopes secs avec de nombreux buissons.
Distribution : Bassin méditerranéen.
Fréquence : Espèce commune dans le Midi de la France.
Reproduction : Également parthénogénétique, la ♀ pond des œufs d'où sortent des juvéniles entièrement à son image. Les œufs des Phasmidae sont ovales et pourvus d'une petite calotte que les jeunes soulèvent lorsqu'ils sortent. Ceux-ci sont des vrais modèles réduits de leurs parents.

Voir aussi p. 272 et 273

Blatta orientalis (L.)
Le Cafard

Caractéristiques : 20 à 25 mm. Brun foncé avec les pattes rousses, pronotum unicolore. ♂ : élytres bruns avec nervures ferrugineuses, tronqués à leur extrémité. ♀ : élytres lobiformes, concolores.

Habitat : Jusqu'à récemment, cette espèce était très connue dans la plupart des villes, où on la rencontrait dans les hôtels, les boulangeries, les entrepôts de denrées alimentaires, les caves. L'amélioration des conditions d'hygiène dans la vie urbaine a momentanément fait régresser cette espèce.

Distribution : Cosmopolite.

Fréquence : Espèce devenue rare dans les pays européens, mais peut pulluler localement.

Reproduction : La ♀ dépose son oothèque dans un endroit obscur ; celle-ci mesure 7 à 10 mm de long, elle est carénée et contient 16 œufs en moyenne. Après sept à dix semaines d'incubation, ceux-ci éclosent ; la vie larvaire dure six à huit mois, et comprend six à sept mues.

Blattella germanica (L.)
La Blatte germanique

Caractéristiques : 1 cm de long. Pattes robustes, très longues et pourvues d'épines, qui permettent aux Blattes germaniques de courir très vite. Bien que les animaux des deux sexes aient des ailes biens développés, ils ne volent que rarement. En cas de danger, ils disparaissent dans les anfractuosités des murs.

Habitat : Presque uniquement dans les habitations où il fait chaud et sec toute l'année.

Distribution : Originaire sans doute du sud de l'Asie. Aujourd'hui, cosmopolite.

Fréquence : Comme chez toutes les blattes, l'accouplement est précédé par une danse rituelle : le ♂ excite la ♀ avec ses antennes jusqu'à ce qu'elle soit prête à s'accoupler. Après l'accouplement, la ♀ pond une trentaine d'œufs dans une oothèque qu'elle traîne jusqu'à l'écolosion des œufs. Pendant leur vie, les ♀ construisent 3 à 4 oothèques.

Ectobius lapponicus (L.)
La Blatte lapone

Caractéristiques : 1 cm de long. Petite blatte très vive, pourvue d'antennes très longues qui lui permettent de s'orienter dans les anfractuosités et les fissures du sol et des arbres et de trouver de la nourriture. Les ailes des ♂ et des ♀ sont bien développées et les adultes sont tout à fait capables de voler.

Habitat : Vit dans le sol sous les arbres, les buissons, les fougères, les myrtilles, et autres plantes basses. Étant d'excellents volateurs, ces animaux peuvent coloniser rapidement de nouveaux habitats.

Distribution : En Europe, de l'Italie du Nord jusqu'en Laponie ; à l'est, jusqu'en Sibérie.

Fréquence : Espèce courante en France.

Reproduction : Espèce diurne contrairement aux autres blattes. Les ♀ construisent un cocon qui mesure quelques millimètres et qui renferme une vingtaine d'œufs. Le dessin apparaissant sur le cocon diffère d'une espèce à l'autre. Chez *Ectobius lapponicus*, il se compose de raies transversales.

Periplaneta americana (L.)
La Blatte américaine

Caractéristiques : 2 à 4 cm de long. Grand pronotum, pattes robustes, longues antennes et grandes ailes permettant à ces animaux de bien voler. Les ailes du ♂ sont plus petites que celles de la ♀. Mais ils n'aiment pas voler et préfèrent s'enfuir en courant.

Habitat : Seulement dans les bâtiments chauds et secs.

Distribution : Originaire du sud de l'Asie et nord d'Amérique, actuellement cosmopolite.

Fréquence : Espèce répandue dans les villes surtout dans les bâtiments ouverts où ces animaux continuent de se reproduire malgré toutes les tentatives faites pour les exterminer.

Reproduction : La ♀ enfouit et cache l'oothèque dans le sol ou la dissimule dans des fentes Les juvéniles peuvent courir juste après l'éclosion et se cacher s'ils reçoivent un rayon de lumière.

Blattes

Reticulitermes flavipes (Koll.) Le Termite à pattes jaunes

Caractéristiques : 1 cm de long. Ressemble à une fourmi, bien que n'y étant pas apparenté. Les termites appartiennent à l'ordre des dictyoptères, sous ordre des isoptères.
Habitat : Originaire d'Amérique ; aujourd'hui, naturalisé en France, à Hambourg et à Hallein en Autriche. Vit dans les constructions en bois. N'a encore jamais été découvert dans la nature.
Distribution : Local en Europe où on ne trouve que trois espèces d'isoptères. Elles vivent dans le sud, dans les arbres morts et dans les constructions en bois où elles peuvent provoquer des dégâts. *R. lucifugus* s'est rendu tristement célèbre à Venise où il menace de nombreux monuments historiques.
Fréquence : Localisé dans le sud-ouest de la France.
Reproduction : Le système social des isoptères diffère de celui de autres insectes par le fait que, dans toutes les castes, les animaux des deux sexes ont pratiquement la même importance. A la tête de la colonie se trouvent un roi et une reine. Ils sont ailés pour la reproduction, mais perdent leurs ailes après le vol nuptial. Ils creusent alors un trou dans le sol et y fondent un nouvelle colonie. Le roi et la reine peuvent vivr très longtemps. L'abdomen de la ♀ se disten fortement pendant la ponte. La colonie se développe très rapidement ; elle se compose de troi castes : les reproducteurs, les soldats et le ouvriers, ces derniers sont les plus nombreux Ils doivent nourrir les reproducteurs et les soldats. Les soldats doivent défendre la coloni contre ses ennemis. Chez les *R. flavipes*, le juvéniles sont des ouvriers qui peuvent ensuit devenir des reproducteurs ou des soldats. Ce transformations ne sont plus possibles che certains termites très évolués des régions tropicales, et dont le rôle est fixé dès la naissance
Nourriture : Se nourrit de bois. Digère la cellulose grâce aux microbes (flagellés) se trouvan dans leur intestin.

Myrmecophilus acervorum (Pz) Le Myrmécophile social

Caractéristiques : 2 à 3 mm de long. Cette espèce de grillon qui est très petite et qui vit cachée est très peu connue. Les animaux des deux sexes sont aptères. Pattes postérieures robustes ; pattes antérieures plus faibles. Ces grillons s'orientent très bien dans l'obscurité grâce à leurs longues antennes comportant des organes sensoriels très développés.
Habitat : Commensal des fourmis (*Myrmica, Messor*, etc.). Les liens qui unissent cette espèce de grillons et les fourmis ne sont pas encore bien connus ; on ignore s'il s'agit de symbiose ou de parasitisme.
Distribution : Répandu en France, surtout dans le Midi.
Fréquence : Le mâle est très rare en France.
Reproduction : Reproduction parthénogénétique, ce qui est le cas d'un certain nombre d'espèces semblables, venues d'Asie en Europe.

Oecanthus pellucans (Sc.) Le Grillon d'Italie

Caractéristiques : 1 à 1,5 cm. Petit grillon jaunâtre avec de grandes ailes et de longues antennes. Le soir, lorsqu'il fait encore chaud, les ♂ frottent leurs ailes les unes contre les autre (stridulation), émettant ainsi un son très fin mais constant, dont le volume peut se modifier Dès qu'ils sont dérangés, ce son devient plu faible et il est très difficile de savoir d'où il vien et de repérer l'animal.
Habitat : Dans les zones rudérales avec de buissons et des fleurs sauvages. Se pose souvent sur les fleurs.
Distribution : Régions chaudes d'Europe centrale et d'Europe du Sud. Jusqu'en Asie central et en Afrique du Nord.
Fréquence : Espèce commune dans presqu toute la France, surtout dans le Sud.
Reproduction : Les ♀ pondent leurs œufs dan la tige de différentes plantes.
Nourriture : Se nourrit de différentes parties d fleurs.

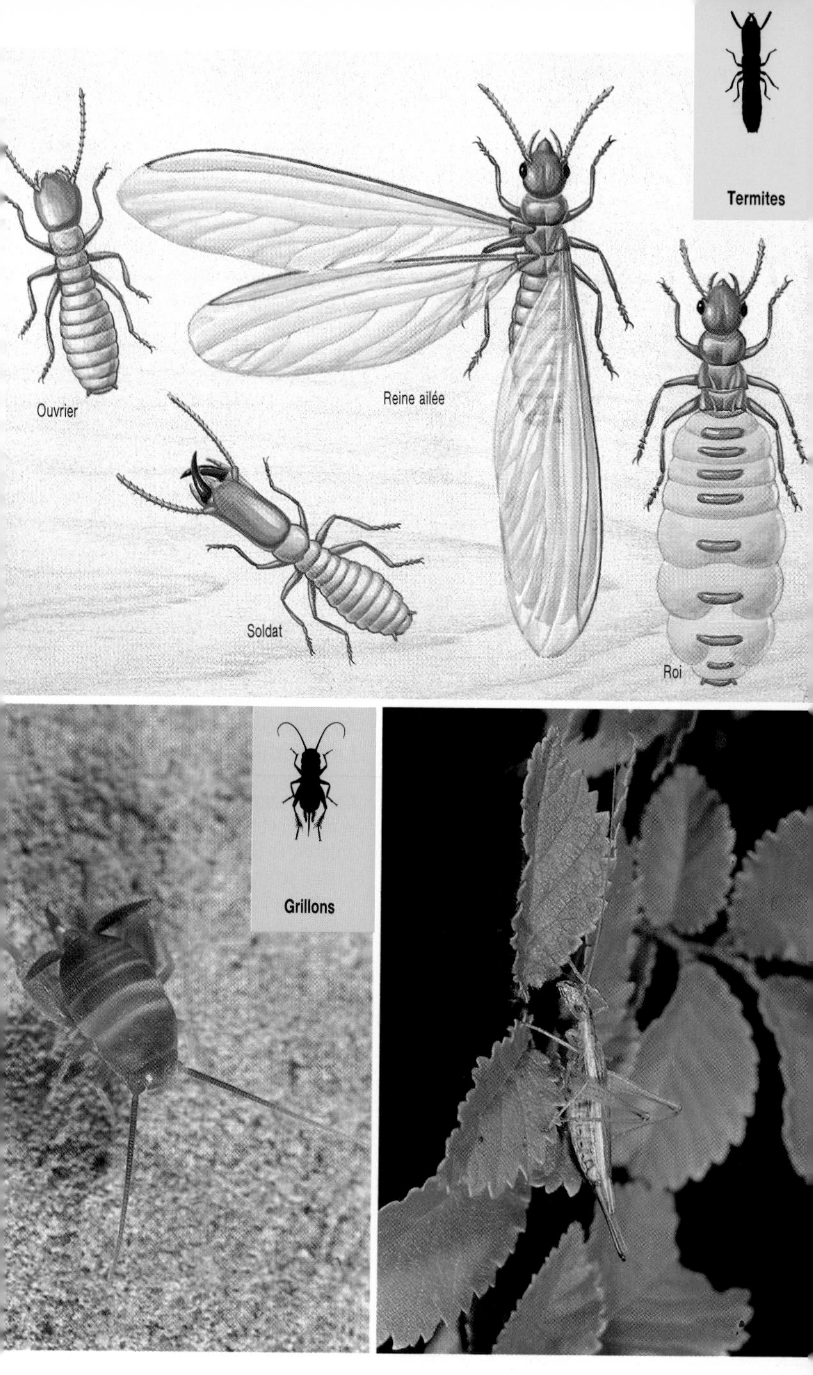
Termites
Ouvrier
Reine ailée
Soldat
Roi
Grillons

Gryllus campestris L.
Le Grillon champêtre

Caractéristiques : 2 à 2,5 cm. Corps trapu, noir, avec des pattes robustes. Ailes bien développées, émettant une stridulation lorsqu'elles sont frottées les unes contre les autres. Seuls les ♂ stridulent.
Habitat : Talus chauds, ensoleillés et secs ou zones rudérales. Du fait de la culture intensive, le Grillon champêtre tend à disparaître.
Distribution : Très répandu en Europe occidentale et en Europe du Sud. Jusqu'en Asie Mineure et en Afrique du Nord.
Fréquence : Espèce autrefois beaucoup plus courante. Encore très répandue aujourd'hui, mais d'abondance variable en fonction des aléas du climat.
Reproduction : De mai à juillet, lorsqu'il fait chaud, on entend le chant continu des ♂ qui attirent les ♀. Les ♂ et les ♀ vivent séparément dans de longues galeries qu'ils creusent eux-mêmes et qui peuvent descendre à 30 à 40 cm sous terre. Les femelles y déposent plusieurs fois des œufs.

Nemobius sylvestris (Bc)
Le Grillon des bois

Caractéristiques : 1 cm de long. Taille moyenne, presque noir, ailes courtes. Avec leurs ailes réduites à des moignons, les ♂ peuvent stridu- ler, mais ne peuvent pas voler.
Habitat : Dans les forêts de feuillus, lorsque le sol est recouvert de nombreuses feuilles.
Distribution : Dans de nombreuses régions d'Europe ; France.
Fréquence : Espèce peu connue bien qu'assez courante. Stridulation souvent trop faible pour être entendue.
Reproduction : Pour attirer la ♀, le ♂ émet un chant fort, puis doux. Lorsqu'une ♀ s'approche, le ♂ la touche avec ses antennes. L'accouplement se produit peu après, si la ♀ reste en place. Après l'accouplement, le ♂ se remet sous la ♀. Les jeunes sortent des œufs la même année ; ils hivernent dans les feuilles. Les juvéniles âgés et les adultes hivernent également, mais ils ne survivent généralement pas, car, au printemps, on ne rencontre que les juvéniles.

Acheta domesticus (L.)
Le Grillon domestique

Caractéristiques : 15 à 20 mm. Plus petit, p gracieux que le Grillon champêtre. Corps cyl drique comme tous les grillons.
Habitat : Lorsque la température est de 31 à 3 on trouve les grillons dans les chaufferies, da les dépôts d'ordures, dans les laboratoires autres installations. Ils ne peuvent survivre da la nature que l'été.
Distribution : Dans toute l'Europe. Ils vivent da la nature en Afrique du Nord. Espèce introdu en Amérique du Nord.
Fréquence : Espèce commune dans les habita lui convenant.
Reproduction : Pendant les chaudes soiré d'été, les ♂ stridulent pendant des heures pc attirer une ♀. Les œufs sont cachés dans anfractuosités des murs.
Nourriture : Omnivore. Miettes de pain, fari vieux fruits, restes de viande, insectes morts
Généralités : Dans les jardins zoologiques, élève les Grillons domestiques pour nourrir animaux insectivores.

Gryllotalpa gryllotalpa (L.)
La Courtilière

Caractéristiques : 5 cm. Corps brunâtre, recc verts de petits poils. Antennes courtes ; pat antérieures transformées en pattes fouisseus Grand pronotum. Les élytres, sont durs courts ; grâce à leurs ailes postérieures t développées, ces animaux peuvent très b voler. Ils viennent parfois en grand nombre à lumière.
Habitat : Sols meubles où ces animaux peuv creuser des galeries. Zones rudérales, s sablonneux, jardins dans lesquels ils ne sont appréciés, car ils attaquent les racines c plantes.
Distribution : Nombreuses régions d'Europe
Fréquence : Espèce commune dans toute France.
Reproduction : En été, on entend souvent u stridulation régulière (trilles). Les ♀ dépos leurs œufs (1 000 environ) dans une galer elles surveillent le nid et les juvéniles pendant certain temps.
Nourriture : racines, insectes, et autres pe animaux du sol.

Tettigonia viridissima (L.) La Grande Sauterelle verte

Caractéristiques : 2 à 3,5 cm. Remarquable par sa taille et sa couleur verte brillante. Longues ailes antérieures, étroites et dures. Longues ailes postérieures, larges et transparentes, colorées en vert. Longues antennes dépassant l'extrémité de l'abdomen. Gros yeux rouges. Vole très bien.
Habitat : Lisières des forêts, prés, jardins, parcs clairs.
Distribution : Dans toute l'Europe ; Asie Mineure et Afrique du Nord.
Fréquence : Espèce autrefois beaucoup plus courante qui aujourd'hui tend à disparaître dans de nombreuses régions à cause de l'agriculture moderne.
Reproduction : Le soir, pour échapper à la rosée, les ♂ montent sur les buissons et les arbres où ils stridulent pendant des heures, plus ou moins selon la température : lorsqu'il fait froid, ils sont plus silencieux. Par leur chant, ils essayent d'attirer les ♀. Chez celles-ci, l'organe auditif se trouve sur les pattes postérieures, sous l'articulation du genou. Ces organes sont tellement sensibles que ces animaux peuvent percevoir les sons deux octaves plus haut que l'Homme ; ils entendent très bien les ultrasons. Avec une patte, les ♀ peuvent localiser n'importe quel son. Les ♂ possèdent également un organe auditif de ce type : ils entendent ainsi leurs rivaux avec lesquels ils se battent en stridulant. L'accouplement dure environ 45 minutes, pendant lesquelles les spermes du ♂ sont transférés à la ♀. A l'aide de sa tarière, la ♀ dépose une centaine d'œufs dans le sol où ils passeront tout l'hiver. Les juvéniles ne sortent que l'année suivante.
Nourriture : Les juvéniles se nourrissent de pucerons ; les juvéniles âgés et les adultes, de mouches, de chenilles, parfois de papillons et d'autres insectes. Ils se nourrissent également de graminées et d'autres plantes basses.
Généralités : On connaît dans le monde 5 000 espèces de Tettigoniidae, une quarantaine seulement vit en Europe.

Tachycines asynamorus Adel. La Sauterelle des serres

Caractéristiques : 1,5 à 2 cm de long. Dos assez bombé. Antennes très longues lui permettant de bien s'orienter et de percevoir tout ce qui peut lui être utile ; 8 cm de long chez le ♂, 7,5 cm chez la ♀. Pattes très fragiles.
Habitat : Espèce liée aux habitations. Se rencontre souvent dans les serres et dans les jardins botaniques où elle trouve la chaleur qui lui convient.
Distribution : En Europe, seulement dans les agglomérations. Espèce originaire de Chine, aujourd'hui presque cosmopolite.
Fréquence : Espèce courante dans certaines régions.
Reproduction : Comme les autres sauterelles.
Nourriture : Se nourrit surtout d'insectes, mais également de jeunes pousses, d'où parfois sa réputation d'être nuisible.

Decticus verrucivorus (L.) La Sauterelle à couteau

Caractéristiques : 2,5 à 4,5 cm de long. Ressemble à la Grande Sauterelle verte, mais elle a un corps plus trapu et plus robuste. Grâce à ses ailes courtes, mais bien développées, elle vole très bien en cas de danger. Coloration différente : brune, verte, brun-vert.
Habitat : Prés secs et humides, bosquets, champs, landes. Espèce peu exigeante.
Distribution : Dans toute l'Europe et en Asie jusqu'en Sibérie.
Fréquence : Espèce généralement courante mais moins commune qu'autrefois.
Reproduction : De juin à septembre. Leur stridulation ne s'entend qu'aux heures chaudes de la journée. Elle est nettement plus forte que celle de la Grande Sauterelle verte.
Nourriture : Insectes, mais également animaux morts et détritus végétaux.
Généralités : Autrefois avaient la réputation d'enlever les verrues, d'où son nom latin.

Juvénile

Meconema thalassinum (DG.)
La Sauterelle des chênes

Caractéristiques : 10 à 15 mm de long. Ressemble en plus petit et en plus pâle à la Grande Sauterelle verte. Très longues antennes ; pattes postérieures longues et très bien adaptées au saut. Appendices caudaux courts comme chez tous les Tettigoniidae, recourbés vers l'intérieur chez le ♂ et servant à maintenir la ♀ pendant l'accouplement. La ♀ possède un long ovipositeur.
Habitat : Espèce liée à la présence des chênes. Pendant les chaudes soirées d'été, elle vole parfois vers les sources de lumière.
Distribution : Dans de nombreuses régions d'Europe à forêts de feuillus.
Fréquence : Ne se rencontre qu'à proximité des chênes.
Reproduction : Comme chez la Grande Sauterelle verte.
Nourriture : Plantes et insectes.

Ephippiger ephippiger Fg
L'Éphippigère des vignes

Caractéristiques : 2 à 3 cm de long. Ressemble à la Sauterelle des serres, mais est rangée dans la famille des Ephippigeridae. Gros pronotum, fortement relevé à l'arrière. Ailes très courtes.
Habitat : Endroits très chauds et très secs ; steppes et prés secs, par exemple.
Distribution : En Europe centrale, seulement dans certaines régions. Plus courante en Europe du Sud et occidentale. Sud de la Russie jusque loin vers l'est.
Fréquence : Répandue dans le sud de la France ; va au nord jusqu'en Belgique.
Reproduction : Les animaux des deux sexes stridulent en été. Parade et accouplement comme chez la Grande Sauterelle verte.
Généralités : Considérée comme une relique de la faune postglaciaire chaude.

Conocephalus dorsalis (Lat.)
La Conocéphale de Latreille

Caractéristiques : 10 à 15 mm de long. Tête pointue et front proéminent. Les ♀ ont un ovipositeur presque droit, aussi long que leur corps. Ailes très réduites qui permettent aux ♂ de striduler en continu, mais non de voler. Ressemble à *Meconema thalassinum*, mais est plus robuste.
Habitat : Aime les endroits humides : prés humides, ruisseaux coulant lentement ; se pose souvent sur les plantes aquatiques.
Distribution : Cette espèce est commune surtout dans le nord, l'est et l'ouest de la France ; Nord de l'Europe.
Fréquence : Localement commune.
Reproduction : Avec leur long ovipositeur, les ♀ déposent les œufs dans la gaine des feuilles.
Nourriture : Plantes, mais également insectes.

Leptophyes punctatissima (Bc)
La Sauterelle de Bosc

Caractéristiques : 10 à 15 mm de long. Cerques du mâle aigus à l'apex. Élytres très courts, surtout chez la femelle. Oviscapte très comprimé, court, à bords très finement denticulés. Espèces verte pignetée de points noirs. Pronotum avec des lignes latérales jaunes plus ou moins marquées.
Habitat : Dans les arbres et les arbustes.
Distribution : Presque toute la France, Europe centrale et méridionale.
Fréquence : Assez abondante.
Reproduction : Éclos en juin et se trouve adulte d'août à octobre, après cinq mues.
Nourriture : Plantes arbustives.

Locusta migratoria L. Le Criquet migrateur

Caractéristiques : 3 à 6 cm de long. Robuste caelifère (ou acridien), excellent volateur, de coloration variable. Des morphes différentes de cette espèce vivent en Afrique où elles forment parfois des nuées très redoutées.
Habitat : Prés, champs, zones découvertes.
Distribution : Dans de nombreuses régions d'Europe du Sud et de l'Est. N'existe pas dans le Nord.
Fréquence : Apparaissait autrefois en masse. Espèce devenue beaucoup plus rare en France.
Reproduction : Déjà dans la Bible, le Criquet migrateur était considéré comme un fléau de Dieu. Il mangeait les récoltes des paysans et formait des nuages qui obscurcissaient complètement le paysage. Ces nuages apparaissaient rarement en Europe à cause du climat tempéré, mais les criquets dévastaient parfois les champs. Migrations irrégulières : pendant toute l'année, les animaux restent dans un endroit (phase solitaire) où les conditions climatiques leur sont favorables, mais qui provoquent une explosion démographique, provoquant à son tour une phase migratrice (phase grégaire) Pour assouvir leur faim, les criquets s'abatten sur les champs de céréales, mais dévoren également tout le reste de la végétation. Si le criquets ne présentent plus un grand danger e Europe, ils sont encore un fléau en Afrique – malgré l'utilisation de produits chimiques – lorsqu'ils surgissent en masse du sud du Sahara.
Généralités : Le Criquet migrateur fait parti des acridiens, lesquels se reconnaissent à leur antennes courtes et presque droites. Ils représentent la plus grande partie de nos orthoptères. Il en existe en Europe une bonne centain d'espèces.

Chorthippus vagans (Evers.) Le Criquet d'Eversmann

Caractéristiques : 12 à 16 mm (♂) et 16-22 mm (♀) de long. Espèce brun testacé avec ou sans large bande médiane claire. Élytres dépassant généralement l'extrémité abdominale.
Habitat : Endroits incultes et surtout dans les bois, dans les clairières et les allées.
Distribution : Presque toute la France, mais plus commun dans le sud. Europe, Sibérie.
Fréquence : Cette espèce peut être localement très abondante.
Reproduction : Adultes d'août à octobre.
Généralités : Cette espèce est proche de la suivante mais a des élytres généralement plus courts.

Chorthippus biguttulus (L.) Le Criquet commun

Caractéristiques : 1,5 à 2 cm de long. Peti caélifère brun doté de pattes sauteuses trè puissantes. Il existe un certain nombre d'espèces très semblables et très communes, asse difficiles à distinguer. Stridule souvent, sa stridulation est produite mécaniquement : les dent stridulatoires se trouvant sur la face interne de pattes postérieures, frottent contre une arêt des élytres. Chante pendant des heures, uniquement lorsqu'il fait chaud.
Habitat : Espèce ubiquiste, prés utilisés d manière extensive, bords des chemins, bosquets.
Distribution : Dans toute l'Europe ; à l'est jusqu'en Sibérie ; au sud, jusqu'en Afrique du Nord
Fréquence : Espèce très commune ; ne se rencontre plus dans les prés gras. Adultes parfoi jusqu'en novembre.
Reproduction : Les individus des deux sexe stridulent. La ♀ cache ses œufs dans le s grâce à son ovipositeur.
Nourriture : Différentes graminées.

Oedipoda caerulescens (L.)
L'Oedipode bleue

Aile postérieure bleue

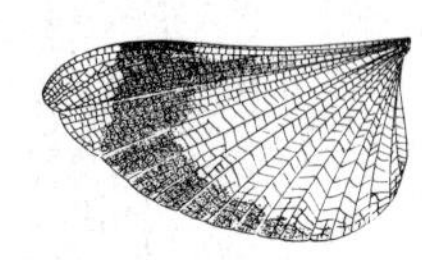

Caractéristiques : 1,5 à 2,8 cm de long. Ailes postérieures bleu turquoise vif bordées de noir. C'est un bel orthoptère de nos régions. Sur les ailes antérieures, deux bandes brunes servant de camouflage : il est difficile de repérer une Oedipode bleue posée par terre.
Habitat : Régions sèches et chaudes à végétation maigre. Friches, champs, landes.
Distribution : Presque toute l'Europe. Ne se rencontre pas en Angleterre ; en Scandinavie, seulement dans le sud. Asie Mineure et Afrique du Nord. Toute la France, de juillet à novembre.
Reproduction : En été, de juillet à septembre. Œufs déposés dans le sol. Les jeunes éclosent le printemps suivant ; ils se reconnaissent à leurs ailes réduites.
Nourriture : Différentes plantes herbacées.

Omocestus viridulus (L.)
Le Criquet vert commun

Caractéristiques : 1,5 à 2,3 cm de long. Un des nombreux caelifères se rencontrant en été dans nos prairies. Aspect variable, tantôt brunâtre, tantôt verdâtre et jaunâtre, selon l'habitat. Cette propriété s'explique par un phénomène biochimique très complexe. Lorsqu'ils ne sont pas bien camouflés, ces animaux sont les victimes de nombreux prédateurs.
Habitat : Surtout prairies humides et clairières, rare dans les biotopes secs. En France, cette espèce est plus commune dans le Nord et les régions montagneuses (jusqu'à 2 000 m).
Fréquence : Souvent commune.
Espèces voisines : En France, on rencontre également *O. ventralis*. Les deux espèces se ressemblent beaucoup, mais *O. ventralis* est plus méridionale ; six autres *Omocestus* vivent en France.
Nourriture : Différentes plantes basses.

Oedipoda germanica (Lat.)
L'Oedipode rouge

Aile postérieure rouge

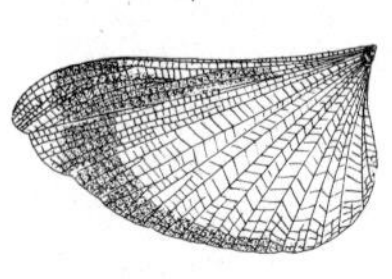

Caractéristiques : 1 à 2,8 cm. Espèce vo sine de la précédent à ailes postérieure rouges. Taches s les ailes antérieure servant également se camoufler. Pour s poser, ce criquet pivote brusquement ava d'atterrir, les ailes rouges n'étant plus visible Plusieurs autres espèces semblables.
Habitat : Zones sèches, chaudes, avec peu d végétation, surtout sur sol calcaire, landes, fr ches, pierriers, etc.
Distribution : Europe centrale et méridionale. E France cette espèce est répandue, mais surto au sud.
Fréquence : Espèce commune dans le Midi, s raréfie vers le Nord.
Reproduction : Comme chez les autres caelifè res.
Nourriture : Plantes herbacées.

Psophus stridulus (L.)
Le Criquet stridulant

Caractéristiques : 2,3 à 3,2 cm de long. En vo rappelle *Oedipoda germanica*. Ailes postérieu res rouges tachées de noir ; pas de bande brunes nettes sur les ailes antérieures.
Habitat : Prés, clairières, surtout en altitud dans les lieux rocailleux.
Distribution : En France, principalement dans le régions montagneuses. Se rencontre à l'Es jusqu'en Sibérie et en Mongolie.
Fréquence : Espèce localement commune.
Reproduction : Le mâle émet en vol une sor de bruit de crécelle. Ce « chant » est un de moyens par lequel le ♂ essaye d'attirer la ♀ Après l'accouplement, la ♀ dépose ses œu par paquets dans le sol. Les juvéniles éclose au printemps suivant.

Criquets

Miramella alpina (Koll.)
Le Criquet alpin

Caractéristiques : 1,5 à 3 cm de long. Ce criquet vit en haut des montagnes, là où le vent souffle presque en permanence. Ailes extrêmement courtes, lui évitant d'être emporté par le vent. Permettent néanmoins au ♂ de striduler. Certaines formes vivant dans des biotopes moins exposés au vent ont des ailes normalement développées.
Habitat : Prés et alpages en montagne.
Distribution : Montagnes d'Europe.
Fréquence : Espèce commune mais localisée. Certaines formes individuelles sont rares.
Reproduction : Comme chez les autres caélifères.
Nourriture : Plantes basses.

Arcyptera fusca (Pall.)
Le Criquet de Pallas

Caractéristiques : 23-39 mm de long. Insecte grand et puissant. Ailes noirâtres dans les deux sexes, beaucoup plus courtes que les élytres chez la ♀. Élytres du ♂ dépassant l'extrémité de l'abdomen, brun noir vers l'apex, avec deux lignes jaunes ; élytres de la ♀ plus courts, tachetés de brun.
Habitat : Se rencontre surtout dans les régions boisées des montagnes vers 1 000 m.
Distribution : Europe, Asie paléarctique. En France partout dans les Alpes, Pyrénées, Jura, Causses.
Fréquence : Localement très commune, surtout en zone subalpine.
Reproduction : Son chant est très fort. La ♀ produit une oothèque ovale, courte et épaisse, contenant 15 à 24 œufs.

Tetrix subulata (L.)
Le Criquet à long corselet

Caractéristiques : 1 cm de long. Petit caélifère. Prothorax relevé à l'arrière en épine. Ailes antérieures très réduites, mais permettant, avec les ailes postérieures bien développées, de bien voler. Ne produit aucun son. S'oriente avec la vue pour trouver un partenaire sexuel.
Habitat : Espèce très répandue dans les prairies, dans les landes, au bord des ruisseaux. S'adapte indifféremment à des biotopes secs ou humides.
Distribution : Dans toute l'Europe ; à l'est, jusqu'en Sibérie et au sud jusqu'en Afrique du Nord. En montagne, jusqu'à 1 000 m.
Fréquence : Espèce courante.
Reproduction : Le ♂ attire la ♀ en battant des ailes. Les juvéniles apparaissent au printemps ; ils se développent en quelques semaines, arrivent à maturité sexuelle et s'accouplent. La même année, les œufs éclosent ; les années favorables, l'imago hiverne.

Myrmeleotettix maculatus (Thbg)
Le Criquet taché

Caractéristiques : 12 à 16 mm de long. Assez difficile à identifier. Ailes bien développées. Antennes renflées en massue, surtout chez le ♂.
Habitat : Sols secs, sablonneux, avec peu de végétation. Landes, gravières abandonnées, chemins creux, lisières ensoleillées.
Distribution : Dans toute l'Europe. Au nord, au-delà du cercle polaire jusqu'en Laponie. A l'est, jusqu'en Sibérie ; au sud-est, jusqu'au nord des Balkans et en Asie Mineure.
Fréquence : Espèce localement abondante en France.
Reproduction : Le ♂ et la ♀ stridulent. Ponte, éclosion et développement des juvéniles comme chez les autres caélifères.
Nourriture : Phytophage : plantes herbacées.

ir aussi p. 13

Sacchiphantes viridis Curt. Le Kermès vert

Caractéristiques : 2 mm. Fait partie des adelgides qui sont classés dans les aphides lesquels appartiennent à l'ordre des Hémiptères. On connaît 850 espèces d'aphides en Europe. Ils ne mesurent que quelques millimètres et leur corps est ovale. Ils sucent les feuilles et les jeunes pousses tendres. Ils se reproduisent extrêmement rapidement et deviennent parfois nuisibles. Les différentes espèces d'aphides ou pucerons se ressemblent beaucoup et sont difficiles à identifier. Une indication importante pour les distinguer est la plante sur laquelle ils vivent : ainsi le Kermès vert ne vit que sur les sapins, le Puceron du rosier sur les rosiers, etc. Les pucerons se caractérisent également pa les galles qu'ils produisent, et par la manièr dont ils pondent (œufs disposés en tas ou e rangées). Certains sont rangés en ligne sur un branche, d'autres envahissent toute la plante Les galles du Kermès vert sont de petits cône en forme d'ananas comportant de nombreuse logettes dans lesquelles vivent les œufs, puis le larves qui restent là jusqu'à leur dernière mue Ces cônes restent en place plusieurs années.
Distribution : Dans toute l'Europe.

Maculolachnus submacula (Wlk) Le Puceron du rosier

Caractéristiques : 3 à 4 mm de long. Cette espèce est brun noisette légèrement luisant, avec des cornicules brun foncé et six rangées de taches.
Habitat : Se rencontre sur l'écorce des branches, des tiges, et sur la surface des racines des rosiers sauvages ou cultivés. Se rencontre généralement en compagnie de fourmis *(Lasius fuliginosus)*.
Distribution : Europe, Asie jusqu'au Kamchatka, Amérique du Nord. Cette espèce, comme d'autres pucerons est souvent introduite avec la plante cultivée qu'elle colonise.
Fréquence : Localement abondante à très abondante. Est la proie des larves de chrysopes et de volucelles.
Reproduction : Espèce parthénogénétique et sexuée.

Aphis sambuci L. Le Puceron du sureau

Caractéristiques : Mesure quelques millimè tres ; gris bleu ou noir ; pattes toujours noire Petits prolongements cylindriques sur le do exsudant un liquide que le puceron utilise pou se défendre : les gouttes collent aux pièce buccales de l'ennemi. Mais ce liquide n'es guère efficace contre les grosses espèce comme les hannetons et les larves de *Drepanep teryx phalaenoides*.
Habitat : Bosquets, parcs et jardins. Vit surtou sur le sureau, parfois sur le plantain et le œillets.
Distribution : Europe.
Fréquence : Espèce répandue et commune.
Reproduction : Les œufs sont cachés dans le interstices des branches de sureau où ils hive nent ; au printemps sortent des ♀ aptères q pondent rapidement sans avoir été fécondée par un ♂. Ce mode de reproduction est trè important pour les aphides : en quelques sema nes ou quelques mois, une seule ♀ peut avo plus de mille petits aptères ou ailés. Les larve ailées quittent la plante et cherchent un nouv habitat. A l'automne apparaissent les ♂ q fécondent la dernière génération de ♀ avar l'hiver. Ainsi la propagation de l'espèce es assurée.

Pucerons

Kermes vermilio Planchon
Le Kermès du chêne vert

Caractéristiques : ♀ presque sphérique de 6 à 7 mm de diamètre, rouge vermillon uniforme, recouverte d'une sécrétion pulvérulente blanche ne masquant pas la coloration foncière. Cette espèce est bisexuée, le ♂ est ailé et a une vie éphémère, il ne peut pas se nourrir car il n'a pas de pièces buccales.
Habitat : Autrefois, cette espèce était très abondante dans les forêts de chênes vert de la région méditerranéenne ; elle subsiste aujourd'hui surtout dans les garrigues difficiles d'accès qui permettent sa survie.
Distribution : Région méditerranéenne, jusqu'en Turquie. Sud de la France.
Fréquence : Localement commune.
Généralités : Cette espèce est connue depuis l'Antiquité, où on s'en servait déjà comme colorant de qualité rouge vermillon vif : c'était le « pourpre de cardinal ». Dissout dans du vinaigre, le rouge du Kermès a été autrefois utilisé en médecine comme astringent, pour les plaies, et contre les problèmes de paupières.

Trialeurodes vaporariorum (West.)
L'Aleurode des serres

Caractéristiques : 1 mm de long. Fait partie des aleurodes dont la principale caractéristique est le puparium, enveloppe de cire en forme de couronne où grandissent les larves. Ressemble vaguement à un papillon, mais n'étale pas ses ailes, lesquelles sont recouvertes, comme le corps, d'une couche de cire blanche ; et de toutes façons, les pièces buccales sont différentes.
Habitat : Serres ; dans le bassin méditerranéen ; également à l'air libre sous les feuilles de différentes plantes.
Distribution : Dans le monde entier.
Fréquence : Espèce commune.
Reproduction : Contrairement à la plupart des aphides la reproduction est sexuée. La reproduction asexuée est rare et irrégulière. Plusieurs œufs sont introduits dans la feuille les uns à côté des autres. Les jeunes larves ont de petites pattes. Plusieurs générations par an. Lorsqu'elles hivernent, les larves restent dans le puparium.

Parthenolecanium persicae (F.)
La Cochenille polyphage

Caractéristiques : Le corps de la ♀ a 7 à 10 m[illegible] de large, il est ovale. Légèrement convexe. Le[illegible] jeunes exemplaires sont jaune foncé, avec de[illegible] raies noires transversales. Les vieux sont un[illegible]formément brun rougeâtre.
Habitat : Cette espèce est très polyphage. El[illegible] peut causer des dégâts aux vignes, aux arbre[illegible] fruitiers, ainsi qu'aux plantes décoratives. O[illegible] rencontre les larves sur les feuilles, les femelle[illegible] sur les tiges.
Distribution : Europe, Asie, Amérique du Nor[illegible] Espèce plutôt méridionale.
Fréquence : Espèce qui peut, comme se[illegible] congénères, être nuisible quand elle pullule.
Reproduction : Les insectes immatures hive[illegible]nent sur des brindilles ou des branches, [illegible] deviennent adultes au printemps. En mai, cha[illegible]que femelle pond au moins 100 œufs. En fin ju[illegible] les œufs éclosent, les jeunes quittent la plac[illegible] sous leur mère pour se placer sous la feuil[illegible] d'une plante où elles s'installent et se nourris[illegible]sent. Sous une brindille ils hiverneront.

Psylla alni (L.)
Le Puceron de l'aulne

Caractéristiques : 5 mm de long. Cet insecte fa[illegible] partie des Psyllidae. ♂ et ♀ ailés. Corps ve[illegible] foncé, élytres blanc hyalin ; les pattes sont ve[illegible] jaunâtre ; l'espèce devient brun rougeâtre e[illegible] automne.
Habitat : L'insecte est actif les jours de temp[illegible] chaud et ensoleillé. La larve se rencontre su[illegible] l'aulne.
Distribution : Espèce répandue en Europe.
Fréquence : Souvent très commun sur les au[illegible]nes en fin juin, début juillet.
Reproduction : Les œufs sont pondus débu[illegible] avril près des bourgeons des aulnes, on rencon[illegible]tre les larves parmi les bourgeons, puis sur le[illegible] feuilles.

Eurygaster testudinaria (Geoff.)
La Punaise-Tortue brune

Caractéristiques : 11 mm de long. Représentant typique des Pentatomidae. Se caractérise surtout par le grand bouclier qui recouvre tout l'abdomen. Brun rougeâtre. Antennes bien développées ; glandes nauséabondes, sécrétant un liquide à odeur désagréable utilisé par les Pentatomidae pour se défendre.
Habitat : Biotopes humides avec des roseaux.
Distribution : Dans toute l'Europe.
Fréquence : Espèce courante.
Reproduction : Une génération par an. On ignore encore si le partenaire est trouvé seulement grâce à l'odorat ou également avec l'ouïe. Les ♀ déposent leurs œufs sur le dessus des feuilles. Les jeunes deviennent adultes après 5 mues. Les juvéniles qui ne sont pas encore entièrement développés ont de petites ailes, mais ressemblent, par leur forme et leur couleur, aux adultes.
Nourriture : Suce la sève de différentes plantes.

Eurygaster maura (L.)
La Punaise des céréales

Caractéristiques : 1 cm de long. Généralement brun, souvent gris clair ou noir. Bouclier protégeant la tête, le pronotum et le dos et qui caractérise les Pentatomidae.
Habitat : Prés secs avec plantes sauvages. Les jeunes vont dans les champs voisins et sucent différentes céréales et d'autres graminées.
Distribution : Europe et Asie ; également Amérique du Nord.
Fréquence : Apparaît régulièrement. Augmente certaines années.
Reproduction : Les ♀ déposent les œufs dans de petits paquets sur le dessus des feuilles. Les jeunes éclosent au bout de quelques semaines. Elles muent 5 fois avant d'être entièrement développées. L'imago hiverne sous les feuilles.
Nourriture : Sève de différentes graminées.

Eurydema oleracea (L.)
La Punaise du chou

Caractéristiques : 8 mm. Couleurs contrastées : points rouges ou orange, parfois blancs, se détachant sur le corps noir aux reflets verts ou bleus. Corps plus clair en été et plus foncé en automne et en hiver, s'éclaircissant de nouveau au printemps suivant.
Habitat : Prairies utilisées de manière extensive avec peu de végétation.
Distribution : Dans toute l'Europe.
Fréquence : Espèce courante.
Reproduction : Au printemps, les imagos sortent de leurs cachettes pour aller sucer la sève des plantes, surtout des choux. Après l'accouplement, les ♀ déposent leurs œufs par petits tas sur le dessus des feuilles. Les jeunes éclosent en juin et vont généralement sur des crucifères. Ils muent 5 fois avant de devenir adultes.
Nourriture : N'est pas inféodée à une plante particulière : elle pique les crucifères, surtout les choux, mais également les ombellifères. Est parfois carnivore.

Pentatoma rufipes (L.)
La Punaise à pattes fauves

Caractéristiques : 15 mm de long. Brun foncé ou brun doré. Pentatomidae typique avec des pattes rouges.
Habitat : Lisières des forêts, parcs et jardins. Sur les buissons et les feuillus.
Distribution : Dans toute l'Europe jusqu'en Asie Mineure et en Sibérie.
Fréquence : Espèce courante, nuisible certaines années lorsqu'elle s'attaque aux fruits.
Reproduction : Contrairement aux autres Pentatomidae, les juvéniles de cette espèce hivernent et non l'imago. Les juvéniles sont jaunes et parsemés de taches noires. Ils deviennent adultes au début de l'été. En août, après l'accouplement, la ♀ dépose ses œufs sur les feuilles.
Nourriture : Provoque parfois des dégâts en suçant la sève des arbres, mais se nourrit souvent de petites mouches ou d'insectes morts.

Palomena prasina (L.)
La Punaise verte

Caractéristiques : 10 à 14 mm de long. Grande punaise verte brillante. Espèce difficile à identifier. Couleur variant en fonction de l'environnement et de la nourriture. Les punaises sont généralement plus foncées en automne et en hiver qu'au printemps et en été.
Habitat : Prés, bords des chemins, lisières des forêts ; jardins. Vit sur les buissons, les arbres et les ombellifères.
Distribution : Surtout en Europe centrale et méridionale. Toute la France.
Fréquence : Espèce localement abondante en France.
Reproduction : Ponte et soins à la progéniture comme chez les autres Pentatomidae.
Nourriture : Sucs végétaux et animaux.
Généralités : En cas de danger, secrète un liquide à odeur désagréable qui provoque des allergies chez certaines personnes.

Picromerus bidens (L.)
La Punaise rousse

Caractéristiques : 10 à 15 mm. Deux points rouges sur le bouclier qui a une forme caractéristique. Antennes très longues permettant à ces insectes de détecter leurs proies.
Habitat : Forêts de feuillus et forêts mixtes ; jardins.
Distribution : Zone paléarctique : Europe, Asie du Nord.
Fréquence : Se rencontre régulièrement.
Reproduction : Les ♀ fécondées déposent leurs œufs sur le dessus des feuilles où ils hivernent. Les juvéniles éclosent au printemps suivant. Ils muent 5 fois avant de devenir adultes. Se rencontrent en juillet ou en août dans les forêts où elles mangent les pucerons.
Nourriture : Les juvéniles et les adultes sont des prédateurs qui sucent les larves d'insectes.
Généralités : Une seule génération par an comme chez la plupart des hétéroptères. On ignore si l'imago hiverne lui aussi.

Graphosoma lineatum (L.)
Le Pentatome rayé

Caractéristiques : 1 cm. Peut-être le plus be des Pentatomidae de nos régions. Raies noir et rouges.
Habitat : Endroits chauds et ensoleillés. Pré talus exposés au sud. De préférence sur l ombellifères.
Distribution : Europe méridionale principal ment.
Fréquence : Espèce très commune au sud de Loire.
Reproduction : Accouplement précédé par u parade rituelle. Après l'accouplement, le coup se sépare ; la ♀ dépose ses œufs par peti paquets sur les feuilles. Elle surveille les jeun pendant un certain temps après l'éclosion. L petits ressemblent à leurs parents, mais leu ailes sont très réduites. Ils muent 5 fois avant devenir adultes.
Nourriture : Sève des plantes, activité parfo prédatrice.

Elasmucha grisea (L.)
La Punaise grisâtre

Caractéristiques : 1 cm. Comme les Pentaton dae, les Acanthosomidae ont également un pe bouclier sur le dos (scutellum) derrière le pron tum ; scutellum, reste du corps et pattes bru avec des dessins plus foncés. D'où un fo contraste avec les ailes vertes brillantes.
Habitat : Sur les aulnes et les bouleaux.
Distribution : Dans de nombreuses régio d'Europe.
Fréquence : Se rencontre régulièrement ; e pèce très courante dans certaines régions.
Reproduction : Avant l'accouplement qui produit au début de l'été, les partenaires éme tent des sons particuliers qui les préparent s'accoupler. La ♀ dépose un petit tas de 30 40 œufs sur le dessus d'une feuille ; elle protège avec son corps jusqu'à ce que l jeunes éclosent. La ♀ s'occupe des juvénil pendant 2 à 3 semaines au moins ; même apr la 2e mue, les juvéniles reviennent près de le mère.
Nourriture : Sève des bouleaux et des aulnes

r aussi p. 16

Coreus marginatus (L.)
La Punaise brune

Caractéristiques : 10 à 14 mm. Rappelle les Pentatomidae, mais le scutellum est plus petit et l'abdomen très dilaté est entouré par un large bord. Espèce la plus fréquente dans nos régions parmi les Coreidae ou punaises des citrouilles.
Habitat : Lisières des forêts, clairières, fossés humides, endroits inondés où pousse de l'oseille et du séneçon.
Distribution : Europe. A l'est, jusqu'en Asie Mineure.
Fréquence : Espèce parfois courante.
Reproduction : Les animaux arrivent à maturité sexuelle entre mai et juin. Les juvéniles se développent jusqu'à l'hiver, mais ne peuvent pas encore se reproduire.
Nourriture : Sucs végétaux. Surtout les oseilles, les patiences, etc.
Généralités : Se rencontre surtout sous les tropiques où elle provoque parfois des dégâts.

Corizus hyoscyami (L.)
La Punaise de la jusquiame

Caractéristiques : 1 cm de long. Jolie punais ressemblant aux coréides. Pronotum, élytres e extrémité du scutellum s'appuyant directemen sur le pronotum orange brillant. Grandes tache noires sur les élytres et le pronotum. Extrémité des antennes (et fémurs) claviformes, sino filiformes. Les Corisidae se reconnaissent à position de la glande odoriférante qui se trouv entre la hanche médiane et la hanche posté rieure ; chez les Coreidae, elle se trouve à l'exté rieur et a la forme d'une oreille.
Habitat : Prés secs et prairies utilisés de ma nière extensive, bords des chemins ou talus ; s rencontre souvent sur les ombellifères, les no setiers, les chênes ou les molènes.
Distribution : Dans presque toute l'Europe.
Fréquence : Parfois abondante.
Reproduction : Les ♀ pondent fin juin, débu juillet. Les larves hivernent.

Nabis rugosus (L.)
La Punaise des prés

Caractéristiques : 7 mm de long. Corps de taille moyenne, étroit ; longues pattes. Rostre composé. Comme chez la plupart des nabides, les ailes de *N. rugosus* sont généralement réduites à des moignons.
Habitat : Prés cultivés de manière extensive, zones rudérales, bords des chemins, talus.
Distribution : Nombreuses régions de la zone paléarctique : dans toute l'Europe et dans les régions tempérées d'Asie.
Fréquence : Espèce courante.
Reproduction : De mai à juin, la ♀ pond des œufs dans l'herbe. Les juvéniles qui ressemblent à des fourmis se développent jusqu'à l'automne. L'imago hiverne sur le sol, protégé par la végétation.
Nourriture : Tous les nabides sont des prédateurs : ils s'approchent lentement de leur proie et l'attrapent brusquement. Petits insectes, parfois d'autres *Nabis*. La proie est sucée grâce au long rostre.

Himacerus apterus (F.)
La Punaise aptère

Caractéristiques : 1 cm de long ; un peu plu grande que *N. rugosus*. Plus robuste. Aile toujours très courtes. Les jeunes ressemblar beaucoup aux adultes et les ailes étant raremen bien développées, la ligne très nette séparant l scutellum des ailes permet de reconnaître le adultes. Ceci est vrai pour tous les hétéroptère Rostre très visible, recourbé en forme de fau
Habitat : Forêts de feuillus, forêts mixtes, forêt de conifères.
Distribution : Régions tempérées d'Europe. A nord, jusqu'à la hauteur de la Lituanie.
Fréquence : Espèce commune.
Reproduction : Les œufs hivernent ; les larve sortent en mai ou juin et se développent jus qu'en août.
Nourriture : Espèce prédatrice comme tous le nabides. Surtout pucerons et petits invertébré qui sont sucés, une fois morts.

Punaises

Coranus subapterus (DG.)
La Punaise des bruyères

Caractéristiques : 10 à 12 mm de long. Ressemble à *Nabis apterus*. Brun, de taille moyenne (environ 1 cm), ailes très courtes, pattes velues, longues antennes. Groupe caractérisé par le rostre divisé en trois — en quatre chez les nabides. Court très vite. Il existe plusieurs espèces de *Coranus*.
Habitat : Surtout dans les bruyères, également dans les dunes. Difficile à voir, car l'insecte est très vif.
Distribution : Europe. Au nord, jusqu'au centre de la Scandinavie.
Fréquence : Espèce courante dans les biotopes lui convenant.
Reproduction : Les œufs hivernent ; les jeunes sortent au printemps et se développent jusqu'en juin ou juillet. On rencontre des imagos jusqu'en octobre.
Nourriture : Araignées et insectes.
Généralités : Présente deux formes : à ailes courtes (brachyptère) et à ailes longues (macroptère).

Lygaeus equestris (L.)
La Punaise écuyère

Caractéristiques : 11 mm de long. Dessins rouges et blancs ; ailes bien développées, longues pattes puissantes. Ressemble à *Rhinocoris iracundus*, mais appartient à la famille des Lygaeidae qui regroupe plus de 100 espèces en Europe, généralement difficiles à identifier.
Habitat : Prés secs, forêts claires, zones rudérales, buissons. Se rencontre souvent sur le dompte-venin *(Cynanchum vincetoxicum)* et sur d'autres plantes toxiques.
Distribution : Surtout dans les régions chaudes.
Fréquence : Espèce courante, surtout dans le sud.
Reproduction : tous les lygaeides émettent des sons qui sont si doux qu'on a du mal à les percevoir. Ce chant qui retentit avant l'accouplement n'est « compris » que par le partenaire de l'espèce correspondante.
Nourriture : Sucs végétaux.

Rhinocoris iracundus (Sc.)
Le Réduve irascible

Caractéristiques : 13 à 18 mm de long. Gra réduve robuste, noir et rouge. Même si c punaises ne sucent pas le sang, elles peuve piquer lorsqu'on les attrape à la main. Dess rouges et noirs très variables. Il existe de tr nombreuses espèces, toutes dotées d'ailes bi développées.
Habitat : Prés cultivés de manière extensiv espèce courante dans certaines régions.
Distribution : Europe, sauf en Angleterre et Irlande.
Fréquence : Apparaît de manière irrégulièr parfois en grand nombre. Relativement cc rante dans les régions sèches.
Reproduction : Les œufs hivernent ; les juvé les sortent au printemps, muent cinq fois et sc matures en été.
Généralités : Même famille que le Réduve a nelé.

Rhinocoris annulatus (L.)
Le Réduve annelé

Caractéristiques : 16 mm de long. Représenta caractéristique des réduvides, orné de dess rouges et noirs.
Habitat : Terrains buissonneux, prés et lisièr des forêts.
Distribution : Europe.
Fréquence : Espèce localement commune.
Reproduction : Les adultes apparaissent en é Les ♀ déposent leurs œufs par paquets sur feuilles. Les juvéniles ressemblent beauco aux adultes, mais sont très bien camouflés, qui est important, car ce sont des prédateu qui ne doivent pas être découverts par le proies. Comme tous les réduvides, ils stridule en frottant leur rostre muni de petites der contre un sillon strié du prosternum. Les jeur peuvent également striduler en cas de dang par exemple lorsqu'ils sont attrapés par homme.
Nourriture : Les jeunes et les adultes se nourr sent d'insectes et d'araignées, surtout de mc ches, parfois d'autres réduvides.

Lygaeus saxatalis (Sc.) La Punaise à damier

Caractéristiques : 1 cm de long. Jolie punaise ; pattes marcheuses bien développées ; ailes fonctionnelles. Antérieures noires et rouges comme la tête, le pronotum et le scutellum. Ailes postérieures noires.
Habitat : Endroits chauds et ensoleillés, pâturages, au bord des champs, lisières des forêts. Evite les zones cultivées de manière intensive.
Distribution : Surtout dans les régions chaudes d'Europe ; n'existe pas en Angleterre, ni dans la majeure partie de la Fennoscandie.
Fréquence : Espèce localement courante, mais devenue plutôt rare.
Nourriture : Sucs végétaux.
Généralités : Les ennemis de ces punaises sont attirés par leurs couleurs vives, mais les évitent après y avoir goûté une fois. Les oiseaux les rejettent avec dégoût.

Pyrrhocoris apterus (L.) Le Gendarme

Caractéristiques : 1 cm de long. Un des nombreux hétéroptères présentant des dessins rouges et noirs. Fait partie de la famille de pyrrhocorides. C'est l'espèce la plus courante et la plus grande parmi la centaine d'espèces proches existant dans le monde entier. En Europe existe à la fois la forme brachyptère et la macroptère. Chez les adultes brachyptères, la ligne séparant le scutellum et les ailes est plus nette que chez les juvéniles.
Habitat : Parcs, allées bordées d'acacias ou de marronniers. Sous les vieux tilleuls.
Distribution : Espèce très commune. Europe, Asie, Afrique du Nord, Amérique centrale.
Fréquence : Insecte social apparaissant souvent en grand nombre.
Reproduction : L'accouplement et la ponte ont lieu au printemps, lorsque les adultes sortent de leurs quartiers d'hiver. Les premiers imagos apparaissent en août.
Nourriture : Sucs des graines de tilleuls et autres végétaux.

Gastrodes abietum Berg. La Punaise des sapins

Caractéristiques : 7 mm de long. Noirâtre brunâtre. Fait partie des lygaeides, famille r présentée par plus d'une centaine d'espèces Europe. Les adultes ont des ailes très bi développées, mais préfèrent marcher.
Habitat : Forêts d'épicéas, surtout dans montagnes de moyenne altitude et dans forêts en montagne. Egalement en plaine, da les monocultures d'épicéas.
Distribution : En Europe, dans les zones conifères et en montagne. Se rencontre égal ment en dehors de l'Europe.
Fréquence : Espèce courante dans certain régions ; se rencontre régulièrement.
Reproduction : Comme chez les autres hétérc tères. Les imagos hivernent dans les côn d'épicéas.
Nourriture : Sucent la nuit les sucs des côn d'épicéas.
Généralités : *Rhyparochromus pini* est pl grand et plus foncé et vit sur les pins.

Cimex lectularius (L.) La Punaise des lits

Caractéristiques : 3 à 8 mm de long. Parasite l'Homme autrefois fréquent, aujourd'hui en for diminution grâce aux progrès de l'hygièr Ressemble peu aux autres punaises avec s corps gros et ses ailes très courtes.
Habitat : Habitations et étables ; la nuit, suce sang des hommes, mais aussi des chiens, d bovins, des ovins et d'autres animaux domes ques.
Distribution : Dans le monde entier.
Fréquence : Variable. Espèce très courar lorsque les conditions d'hygiène défectueus lui permettent de s'installer.
Reproduction : Les ♀ pondent entre 100 200 œufs ; elles ont alors bu tellement de sa que leur poids a doublé. Pas de cycle annuel, c le développement se poursuit en hiver dans habitations chauffées. Les ♀ peuvent pond toute l'année et chaque mois on trouve d larves à des stades de développement différe Se cachent le jour sous les tapis et dans fentes des murs. La nuit, cherchent leurs proie humaines ou animales, en train de dormir.

Myrmecoris gracilis (Sahl.)
La Punaise-Fourmi

Caractéristiques : 4 à 6 mm. Punaise reconnaissable comme telle uniquement grâce à son rostre. Ressemble tellement par son aspect, par sa façon de se déplacer et par son odeur à une fourmi que même les fourmis s'y trompent.
Habitat : Forêts mixtes de feuillus.
Distribution : Dans de nombreuses régions d'Europe.
Fréquence : Espèce courante.
Reproduction : Les œufs hivernent près de la surface du sol. Au printemps éclosent les jeunes qui ressemblent beaucoup à leurs parents. Les juvéniles et les adultes vivent toujours en association avec les fourmis.
Nourriture : Se nourrit uniquement de pucerons. Les fourmis gardant soigneusement leurs colonies de pucerons, cette ressemblance avec les fourmis s'explique par le désir de passer inaperçus. La plupart des autres insectes doués de mimétisme contrefont généralement un insecte capable de se défendre pour se protéger contre leurs ennemis.

Anthocoris nemorum (L.)
La Punaise des peupliers

Caractéristiques : 5 mm de long. Petite punaise à la fois claire et foncée dont les ailes et les antennes sont également ornées de dessins clairs et foncés.
Habitat : Forêts, clairières, cultures fruitières, jardins et parcs. Se rencontre presque partout.
Distribution : Europe ; également Afrique du Nord, Asie Mineure et Asie du Nord.
Fréquence : Une des punaises courantes.
Reproduction : Généralement 2, parfois 3 générations par an. Les ♀ qui hivernent déposent leurs œufs dans les feuilles. Les jeunes arrivent à maturité sexuelle en quelques semaines et pondent. Les jeunes se développent jusqu'à l'automne, mais seules les ♀ fécondées survivent à l'hiver. Les ♂ meurent à la fin de l'automne.
Nourriture : Insectes utiles qui se nourrissent d'insectes et d'autres invertébrés, comme *Metatetranychus*, araignée qui cause des dégâts importants dans les cultures fruitières. S'attaquent également à des proies plus grandes qu'eux (voir photo).

Dolycoris baccarum (L.)
Le Pentatome des baies

Caractéristiques : 1 cm de long. Ressemble e plus petit à la Punaise à pattes fauves, mais es généralement plus claire et l'extrémité du scu tellum est clair et non pas rouge. Mais ceci n suffit pas pour l'identifier, car ces animau changent souvent de couleur.
Habitat : Forêts de feuillus mixtes, lisières de forêts et clairières ; souvent dans les jardins o elle suce les baies.
Distribution : Europe.
Fréquence : Espèce très commune.
Reproduction : Les imagos hivernent, mai n'arrivent à maturité sexuelle qu'au printemps Au début de l'été, les ♀ déposent leurs œuf par petits paquets. Les jeunes muent cinq foi et ne sont entièrement développés qu'à l'au tomne.
Nourriture : Suce les baies en y laissant un goû pénétrant qui les rend fétides.

Geocoris grylloides (L.)
La Punaise-Grillon

Caractéristiques : 5 mm de long. Corps petit ramassé, noir ; élytres et pronotum bordés d blanc. Ressemble à un grillon que, de tout évidence, elle imite.
Habitat : Sols sablonneux, landes, zones e friches, prés secs, au bord des routes. Repré sentant caractéristique des lygaeides.
Distribution : Régions tempérées d'Europe. N se rencontre pas dans le sud, en Espagne, dan les Balkans, ni en Grande-Bretagne et e Scandinavie.
Fréquence : Espèce commune, mais localisée
Reproduction : Les imagos hivernent. En un été une génération peut atteindre le stade d l'imago.
Nourriture : Les juvéniles et les adultes sucen la sève de différentes plantes sauvages.
Généralités : Ressemble aux grillons, non seu lement par son aspect, mais également par so comportement.

Punaises

Aelia acuminata (L.)
La Punaise nez-de-rat

Caractéristiques : 9 mm de long. Punaise commune dans les graminées qui se reconnaît assez facilement à ses raies noires et jaunes. Tête pointue à l'avant.
Habitat : Prairies, au bord des chemins, parfois dans les champs de céréales.
Distribution : Dans toute l'Europe jusqu'en Afrique du Nord.
Fréquence : Apparaît régulièrement ; espèce parfois courante, surtout dans le sud de l'Europe.
Reproduction : Les adultes hivernent, cachés sous des touffes d'herbes sèches. Au printemps et au début de l'été, avant l'accouplement, ils émettent des sons stridents. La ♀ dépose ses œufs sur les feuilles. Ils se développent jusqu'à fin août.
Nourriture : Les jeunes et les imagos sucent les plantes sauvages et les grains de céréales. Provoquent parfois des dégâts dans le sud-est de l'Europe, rarement en Europe centrale et septentrionale.

Acanthosoma haemorrhoidale (L.)
La Punaise ensanglantée

Caractéristiques : 1 cm. Jolie punaise ; dessi noirs et jaunes sur la tête, élytres rouge sang bord du pronotum partout de la même couleu Reste du corps vert avec de petites tach noires. Ailes postérieures claires au bord. L famille des acanthosomides se reconnaît a tarses comprenant deux articles et au pe écusson entre les ailes.
Habitat : Forêts de feuillus, lisières et bosquet Se rencontre souvent sur les sorbiers et l aubépines.
Distribution : Europe.
Fréquence : Espèce commune.
Reproduction : Les imagos hivernent sous l feuilles de l'année précédente. Ponte au pri temps. En quelques semaines, les juvénil muent 5 fois et deviennent adultes. Une gén ration par an.
Nourriture : Uniquement sucs végétaux, surto arbustes à fruits charnus.

Hydrometra stagnorum (L.)
L'Hydromètre

Caractéristiques : 10 à 13 mm de long. Corps très étroit ; tête allongée. Pattes très longues et antennes composées. Généralement, forme brachyptère. Ne se mouille pas grâce aux poils très fins recouvrant son ventre. Appartient à la famille des hydrométrides dont toutes les espèces vivent à la surface de l'eau. Poids « plume » qui les empêche de s'immerger. Actifs au crépuscule. Se reposent sur la terre ferme. Font le mort lorsqu'ils sont dérangés.
Habitat : Pratiquement partout où il y a de l'eau. Surtout dans les eaux peu profondes.
Distribution : Europe. N'existe pas dans le nord. Au sud, jusqu'en Afrique du Nord.
Fréquence : Espèce généralement courante.
Reproduction : Les imagos hivernent.
Nourriture : Insectes morts flottant à la surface de l'eau. Nourriture détectée avec l'odorat.

Gerris lacustris (L.)
Le Gerris

Caractéristiques : 1 cm. Plus robuste que l'H dromètre. Court à la surface de l'eau, le cor redressé. Seules, les pattes médianes et post rieures propulsent le corps. Les pattes tr écartées réduisent tellement la tension super cielle, que l'insecte semble porté par la surfa de l'eau.
Habitat : Mares et étangs ; eaux stagnantes a milieu des ruisseaux et des rivières.
Distribution : Dans de nombreuses régio d'Europe.
Fréquence : Espèce courante apparaissant so vent en groupe.
Reproduction : Accouplement après l'hiver et e été (2 générations).
Nourriture : Insectes et autres petits invertébr tombant à la surface de l'eau ; larves d'insect aquatiques. Proies repérées en captant les v brations.
Généralités : Plusieurs espèces semblables e Europe.

Notonecta glauca L.
La Notonecte glauque

Caractéristiques : 15 mm de long. Tout à fait adapté à la vie aquatique : dos bombé et clair, ventre foncé et plat. Nage le ventre tourné en haut à cause des stigmates se trouvant sur le ventre et lui permettant de respirer sous l'eau. Change donc de couleur lorsque le corps se retourne côté foncé vers le haut, côté clair vers le bas, ce qui diminue le contraste et rend donc ces animaux moins visibles. Les notonectes se déplacent sous l'eau par saccades grâce à leurs puissantes pattes servant de rames. Mais ils restent près du niveau de la surface pour pouvoir se réapprovisionner en air. Ils injectent dans leurs proies une substance qui les décomposent. Ils sucent ensuite la bouillie ainsi formée. Ces animaux peuvent piquer et leurs piqûres sont souvent douloureuses.
Habitat : Mares, étangs, rives recouvertes de végétation.
Distribution : Presque partout en Europe jusqu'en Afrique du Nord.
Fréquence : Espèce plutôt courante, surtout près des petites étendues d'eau.
Reproduction : Les imagos hivernent. Accouplement au printemps ; il peut durer plusieurs heures. Les partenaires sont collés l'un contre l'autre à l'oblique sous l'eau. La ♀ fécondée dépose, à l'aide de son ovipositeur, jusqu'à 200 œufs dans la tige d'une plante. Les jeunes ne peuvent avoir qu'une petite provision d'air pour respirer sous l'eau et doivent donc souvent remonter à la surface. Ils muent cinq fois avant de devenir adultes.
Nourriture : Les notonectes saisissent brusquement leurs proies, en majorité des insectes vivant sous l'eau et en surface. Ils captent les vibrations de l'eau provoquées par leurs proies. Ils les attaquent et les tuent avec leurs pattes antérieures.

Corixa punctata Ill.
La Corise ponctuée

Caractéristiques : 15 mm. Ressemble, par so aspect et son comportement, aux notonecte Mais ne nage pas sur le dos, car elle emmaga sine l'air sous ses ailes et entre le pronotum e la tête. Est également plus légère que l'eau e lorsqu'elle ne nage pas, doit donc s'agripper une plante au fond de l'eau pour ne pas re monter à la surface. On ne la voit à la surfac que lorqu'elle vient chercher de l'air. Comm chez les notonectes, ses ailes sont bien déve loppées et lui permettent de voler. Elle invest rapidement les étendues d'eau nouvellemen formées. C'est la seule punaise d'eau qui peu décoller directement de l'eau. Avec ses patte robustes, elle fend la surface de l'eau, étale se ailes et s'envole.
Habitat : Eaux stagnantes, surtout mares e étangs.
Distribution : D'Europe jusqu'en Asie centrale
Fréquence : Espèce courante.
Reproduction : Les imagos hivernent. Les para des nuptiales apparaissent au printemps. Le ♂ stridulent pour exciter les ♀. Après l'ac couplement, la ♀ dépose ses œufs, grâce son ovipositeur, dans les feuilles et les tiges de plantes aquatiques. Les premiers adultes de l nouvelle génération apparaissent en juillet. Il vivent en société et forment parfois des groupe importants. L'été, lorsqu'il fait chaud et que l quantité d'oxygène se trouvant dans l'eau dimi nue fortement, ils changent d'endroit. On le voit alors voler en groupes importants la nuit e s'approcher de la lumière.
Nourriture : Se nourrissent surtout d'algue qu'ils détachent avec leurs pattes antérieure élargies et qu'ils sucent ou même avalent. Ce n sont donc pas des prédateurs comme la plupar des autres punaises d'eau.

Punaises

Nepa rubra L.
La Nèpe rousse

Caractéristiques : 2 cm environ. Sur l'abdomen, long conduit amenant l'air. Corps court et robuste, plat ; dos brun ou rougeâtre. Membres antérieurs modifiés en pattes ravisseuses servant à capturer les proies. La Nèpe rousse possède un organe hydrostatique qui lui permet de savoir à tout moment la profondeur à laquelle le conduit amenant l'air atteint encore la surface de l'eau.
Habitat : Eaux peu profondes.
Distribution : D'Europe jusqu'en Chine. Espèce autrefois très répandue, aujourd'hui en régression.
Fréquence : Variable, plutôt rare.
Reproduction : En avril et mai, les ♀ déposent leurs œufs dans les tiges et les feuilles des plantes aquatiques. Les œufs comportent 6 à 9 petits appendices qui les relient à la couche d'air qui les entoure. Ils reçoivent ainsi suffisamment d'oxygène.
Nourriture : Têtards, larves d'insectes, parfois tout petits poissons.

Ilyocoris cimicoides (L.)
Le Naucore commun

Caractéristiques : 15 mm. Ressemble extérieurement aux coléoptères aquatiques. Pattes antérieures transformées en pointes acérées lui permettant d'attraper ses proies. Excellent nageur qui, comme les coléoptères aquatiques, nage sur le ventre. Peut rester très longtemps sous l'eau grâce à sa provision d'air. Pattes médianes recouvertes de poils.
Habitat : Mares, eaux stagnantes et coulant lentement.
Distribution : Dans de nombreuses régions d'Europe, jusqu'au Caucase.
Fréquence : Apparaît régulièrement.
Reproduction : Les imagos hivernent. En avril et en juin, la ♀ dépose avec son ovipositeur ses œufs dans les tiges et les feuilles des plantes aquatiques. 5 mues. Une génération par an.
Nourriture : Petits animaux.
Généralités : Ailes bien dévelopées, mais pourvues de muscles tellement faibles que cette espèce ne peut pas voler. Piqûre douloureuse.

Ranatra linearis (L.)
La Ranatre linéaire

Caractéristiques : 3,5 cm ; petit tube de 2 cm long amenant l'air. Corps plus étroit que la Nè rousse. Pattes ravisseuses moins larges, m également fonctionnelles. Grâce à la for particulière de son corps, se cache entre plantes aquatiques. Ailes bien développées. B volateur, contrairement à la Nèpe. Ces de espèces nagent bien, mais se déplacent enco mieux sur la terre ferme (sous l'eau). El essayent toujours de se placer de manière q le conduit amenant l'air reste en contact avec surface de l'eau.
Habitat : Eaux peu profondes, avec végétati
Distribution : D'Europe jusqu'en Chine. No breuses espèces sous les tropiques.
Fréquence : Espèce courante dans les eaux convenant. En régression à cause des ass chements.
Reproduction : Les adultes peuvent viv deux ans. Les œufs sont piqués dans des pla tes tendres.
Nourriture : Petits animaux aquatiques.

Aphelocheirus aestivalis (F.)
Le Naucore estival

Caractéristiques : 1 cm. Corps brun foncé av des dessins jaunes ; ailes très courtes ; peti pattes faibles. Reste au fond de l'eau où elle déplace lentement, soit en nageant, soit marchant. Les jeunes respirent par l'interm diaire de leur peau ; les imagos avec ce que l' appelle des sortes de branchies. Celles-ci fon tionnent grâce à l'échange gazeux entre l'eau la mince pellicule d'air fixée sur la partie ve trale, par de minuscules poils très serrés reliés aux stigmates se trouvant sur l'abdome L'oxygène arrive ainsi dans le corps. Ces pun ses ne peuvent vivre que dans les eaux coula rapidement et riches en oxygène où l'échan gazeux est suffisant. Une bulle d'air se form indiquant leur respiration.
Habitat, distribution, fréquence : Dans les ru seaux coulant rapidement, dans toute l'Europ rare.
Reproduction : L'imago hiverne. La ♀ colle paquet d'œufs au fond de l'eau.
Nourriture : Suce des coquillages.

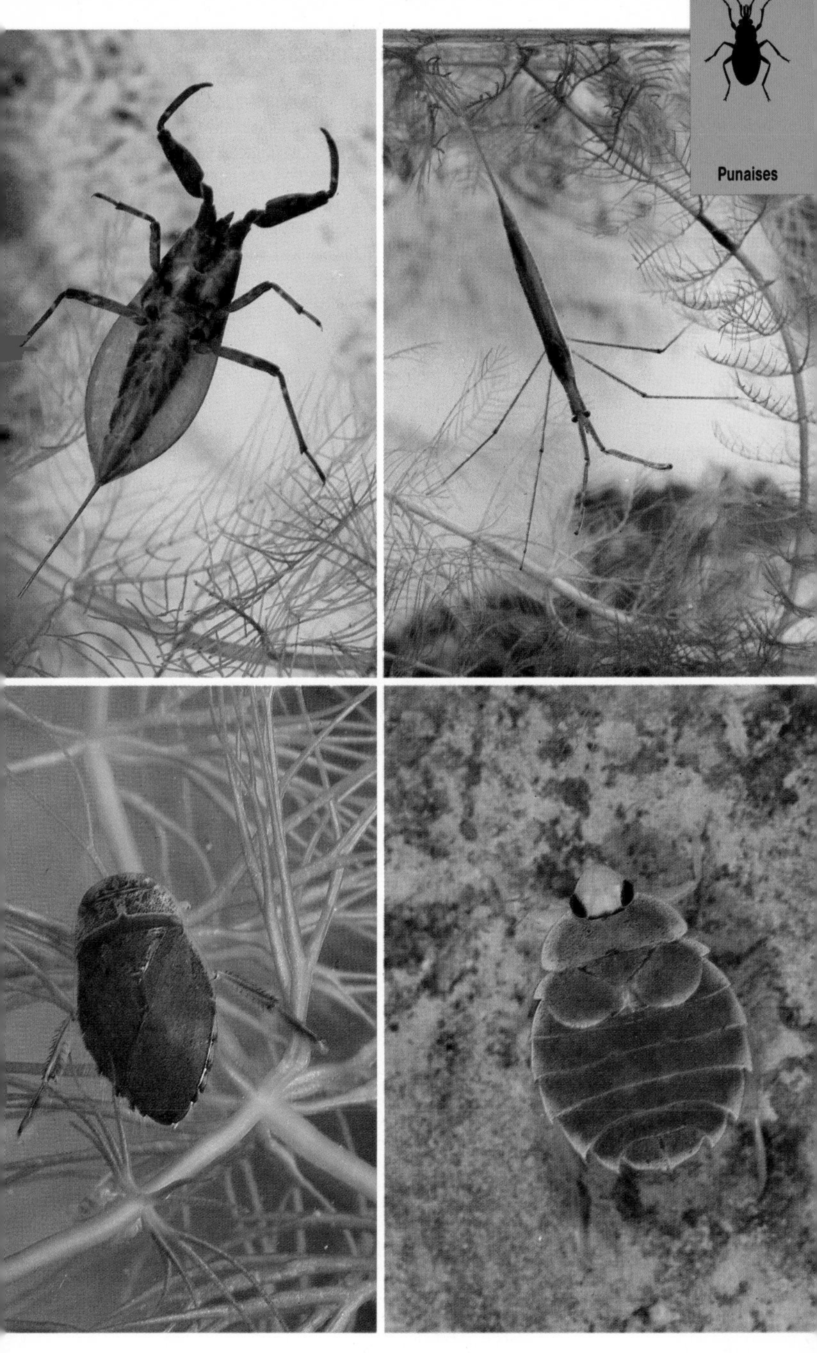
Punaises

Tibicen baeticus (Ramb.) La Cigale andalouse

Caractéristiques : 21 à 30 mm. Envergure 55 à 65 mm. Très proche d'autres espèces de *Tibicen* dont elle se distingue par sa coloration nettement plus jaunâtre. Pronotum variant du noir au jaune. Epine basale des fémurs antérieurs inclinée. Cette espèce appartient à la famille des Cicadidae ; sous famille des Tibiceninae dont une trentaine de représentants vivent en Europe.
Habitat : Comme toutes les cigales, la Cigale andalouse se rencontre généralement sur les buissons et les arbres. Son corps se confond très bien avec les brindilles sur lesquelles on peut la trouver.
Distribution : France méridionale et Espagne.
Fréquence : Espèce localement commune, littoral méditerranéen de la France.
Reproduction : Semblable à celle de *C. tibialis*.
Nourriture : Sève de différentes plantes basses et arbustes. Les larves mangent les racines des plantes.
Généralités : Les Cicadidae, peu nombreux en France, sont toujours d'une assez grande taille. Ils sont caractérisés par des ailes transparentes et la présence, chez les ♂, d'organes stridulants. Les cigales se rencontrent surtout dans les parties chaudes de la France, pendant la belle saison. Elles se rencontrent sur les arbres et les arbustes dont elles piquent les jeunes rameaux. Leur « chant » très puissant est attesté dans la littérature (Marcel Pagnol notamment).

Cicadetta tibialis (Pz.) La Cigale commune

Caractéristiques : 1 cm. Comme les dizaines de cigales vivant en Europe, cette espèce est assez difficile à identifier.
Habitat : Talus secs et ensoleillés, avec peu de végétation.
Distribution : Dans certaines régions d'Europe méridionale où elle est généralement commune.
Fréquence : Espèce abondante localement.
Reproduction : Les ♂ tympanisent lorsqu'ils veulent se reproduire. Comme les oiseaux, ils délimitent ainsi leur territoire et essayent d'attirer les ♀. Après l'accouplement, les ♀ déposent leurs œufs dans les plantes. Les petites larves s'enfoncent ensuite sous terre et la creusent avec leurs membres modifiés en pattes fouisseuses. Après plusieurs années, elles remontent à la surface pour muer une dernière fois. *C. tibialis* mue cinq fois sous terre, alors qu'une espèce américaine, *Tibicen septemdecim* reste 17 ans sous terre et y mue seulement sept fois. Les larves sucent les racines des plantes et causent parfois des dégâts importants — surtout sous les tropiques. Elles quittent la terre et se suspendent à une tige pour muer une dernière fois. Une fois transformée en imago, la dépouille de la larve (exsuvie) reste un certain temps suspendue à la tige. Les adultes ne vivent que peu de temps par rapport aux larves : ils meurent à la fin de l'été.
Nourriture : Les cigales sucent la sève de différentes plantes ; les larves se nourrissent des racines de ces plantes.
Généralités : Les cigales ont un lien de parenté avec les fulgores qui se rencontrent surtout sous les tropiques. La tête du Fulgore d'Europe est étirée en cône. Les fulgorides sont également appelés Porte-lanterne.

Aphrophora alni (Fall.)
L'Aphrophore de l'aulne

Caractéristiques : 1 cm de long. Dessins brun-jaune irréguliers, constituant un bon camouflage sur un support brun. Bon volateur ; se déplace d'une manière très vive. Ailes opaques couchées en toit sur le dos. L'Aphrophore de l'aulne fait partie de la famille des Cercopidae dont tous les membres produisent — à l'état de larve — une sorte d'écume. L'été, certains promeneurs s'étonnent de recevoir en forêt des gouttes d'eau alors qu'il ne pleut pas. En fait, ces gouttes proviennent d'un amas d'écume — sorte de crachat — se trouvant sur les aulnes et les saules. Dans cet amas se cache la larve de notre espèce. Elle produit de l'écume pour se protéger de ses prédateurs.
Habitat : Bosquets, au bord des ruisseaux et des rivières. Partout où poussent des aulnes.
Distribution : Europe et Asie.
Fréquence : Espèce banale.
Reproduction : Comme les cigales précédentes.
Nourriture : Sève des aulnes.

Philaenus spumarius (L.)
La Cigale bedeaude

Caractéristiques : 5 mm. Petite taille, tr mobile, de couleur variable : brun foncé et br clair ou couleur contrastée : foncé et clair.
Habitat : Prés de toutes sortes. Espèce autr fois très courante, aujourd'hui en forte dimin tion à cause de l'intensification de l'agricultur Se rencontre le plus souvent sur la cardamin
Distribution : Régions tempérées d'Europe d'Asie.
Fréquence : Bien qu'en forte régression, res l'une des cigales les plus courantes en Europ
Reproduction : Après l'accouplement, les déposent leurs œufs dans les plantes — géné lement des cardamines — d'où sortent bient les larves. Celles-ci vivent dans un nid f d'écume qui les protège de la sécheresse et d prédateurs. Même des averses violentes peuvent pas complètement diluer ces am d'écume.

Stictocephala bisonia Kopp & Yonke (= *bubalus auct.*)
Le Membracide-Bison

Caractéristiques : 6 à 10 mm. Comme tous les membracides, cette espèce se reconnaît à son pronotum longuement étiré vers l'arrière, au-dessus de l'écusson. La base de cet appendice possède deux arêtes évoquant des cornes. Espèce toute verte, jaunissant après la mort de l'animal.
Habitat : Vergers, vignobles, friches.
Distribution : Presque toute l'Europe, sauf le nord ; va vers l'est jusqu'au Caucase ; Amérique du Nord. En France, cette espèce est présente surtout dans la moitié méridionale du pays ; dans la région parisienne, c'est une espèce commune ; présente en Corse.
Fréquence : Localement abondante.
Généralités : Cette espèce a été introduite involontairement au début de ce siècle avec des végétaux — peut-être de la vigne — provenant d'Amérique du Nord où elle est nuisible aux arbres fruitiers, à la vigne, et à divers arbres et arbustes. Elle s'est rapidement répandue à travers toute l'Europe.

Cercopis vulnerata (Ill.) (= sanguinea)
Le Cercope rouge-sang

Caractéristiques : Longueur 1 cm. Se disting de *C. sanguinolenta*, espèce proche, par dessin rouge de la base des élytres qui dépas l'écusson (il l'atteint à peine chez *sanguin lenta*). *C. vulnerata* vit à moyenne altitude da les montagnes. Préfère les sols acides.
Habitat : Talus exposés au soleil dans l montagnes de moyenne altitude, recouverts buissons et d'herbe.
Distribution : Dans de nombreuses régio d'Europe. Très répandu en France.
Fréquence : Comme *C. sanguinolenta*, parfc très courant dans les biotopes lui convenant, l années où il fait chaud. En forte diminution cause de l'intensification de l'agriculture.
Reproduction : Les larves vivent sous terre s les racines, enveloppées dans un nid d'écum
Nourriture : Les adultes et les larves se nourri sent de sucs végétaux qu'ils aspirent avec le rostre piqué dans les herbes, les buissons et l racines.

Centrotus cornutus (L.)
Le Petit diable ou Centrote cornu

Caractéristiques : 1 cm. Fait partie de la famille des membracides qui se caractérisent par la forme bizarre du prothorax. Chez le Petit diable, un prolongement en épine vers l'avant et deux vers l'arrière. Corps brun ; se camoufle dans les buissons. 3 000 espèces de membracides connues dans le monde entier, surtout en Amérique tropicale. Il en existe seulement cinq espèces en Europe.
Habitat : Lisières des forêts, clairières et bosquets dans les champs. Surtout près de lieux humides.
Distribution : Dans toute l'Europe, sauf dans l'extrême nord.
Fréquence : Espèce courante seulement dans les biotopes lui convenant.
Reproduction : La ♀ enfonce ses œufs dans la tige des plantes grâce à sa tarière. Pas encore de prolongements épineux chez les larves. Les œufs hivernent. Une génération par an.

Ledra aurita (L.)
La Cigale à oreilles

Caractéristiques : 12 à 18 mm. Gris ou jaune grisâtre, mêlé de brunâtre. Le dessus du corps a deux tubercules rougeâtres et saillants avec des taches noires. Cette espèce appartient à la famille des Cicadellidae, sous-famille des Ledrinae. L'article 1 et 2 des antennes est court et globuleux. L'abdomen est court, aplati latéralement.
Habitat : Cette espèce qui saute avec une grande force vit sur le chêne et parfois sur les aulnes.
Distribution : Toute la France, quoique assez peu commune. Toute l'Europe ; atteint la Chine.
Fréquence : Bien que répandue, cette espèce est rarement observée abondamment.
Reproduction : Les œufs sont déposés sur les feuilles, la larve hiverne et se chrysalide en juin. Adultes de fin juin à début octobre.

Cicadella viridis (L.)
La Cicadelle verte

Caractéristiques : 1 cm. Plus de 5 000 espèce assez petites de cette famille dans le monde plus de 400 en Europe. Contrairement aux c gales, différence généralement très marqu entre les animaux des deux sexes. Chez le ♂ ailes antérieures brillantes bleu foncé qui, che la ♀, sont vertes comme le reste du corp Certaines ♀ ont des ailes très courtes.
Habitat : Prés humides, marais et marécages également cultures fruitières où elles peuve provoquer des dégâts en piquant les fruits pou y déposer leurs œufs.
Distribution : Hémisphère nord.
Fréquence : Espèce très répandue et abon dante.
Reproduction : Les œufs hivernent. Les larve se rencontrent dans différentes plantes aquat ques, telles que joncs et scirpes, mais égale ment sur certains arbres fruitiers.
Généralités : Certaines espèces vivent sur le rosiers, les peupliers ou les graminées. Ident fiables seulement par des spécialistes.

Issus coleoptratus (F.)
La Cigale bossue

Caractéristiques : 7 mm. Corps petit et robust Ailes antérieures coriaces élargies à la base e comportant de nombreuses nervures. Ressem ble à un coléoptère ; même comportemen Jaune or ou brun clair. Parfaitement adapté à vie sur les feuillus : chênes, frênes et hêtres.
Habitat : Forêts de feuillus, surtout population mixtes de chênes, de sorbiers et de hêtres.
Distribution : En Europe, surtout dans les mon tagnes de moyenne et haute altitude. Toute France, surtout le Midi, mais aussi région par sienne d'où l'espèce a été décrite.
Fréquence : Espèce relativement courant mais que l'on voit rarement ; mai à septembr
Reproduction : Les larves passent la grand majorité de leur vie sous terre où elles sucent le racines. Elle ne remontent à la surface qu quelques années plus tard, se suspendent à un branche et muent. Les adultes ne vivent qu quelques semaines.
Nourriture : Sève des feuilles et de petite branches de différents feuillus.

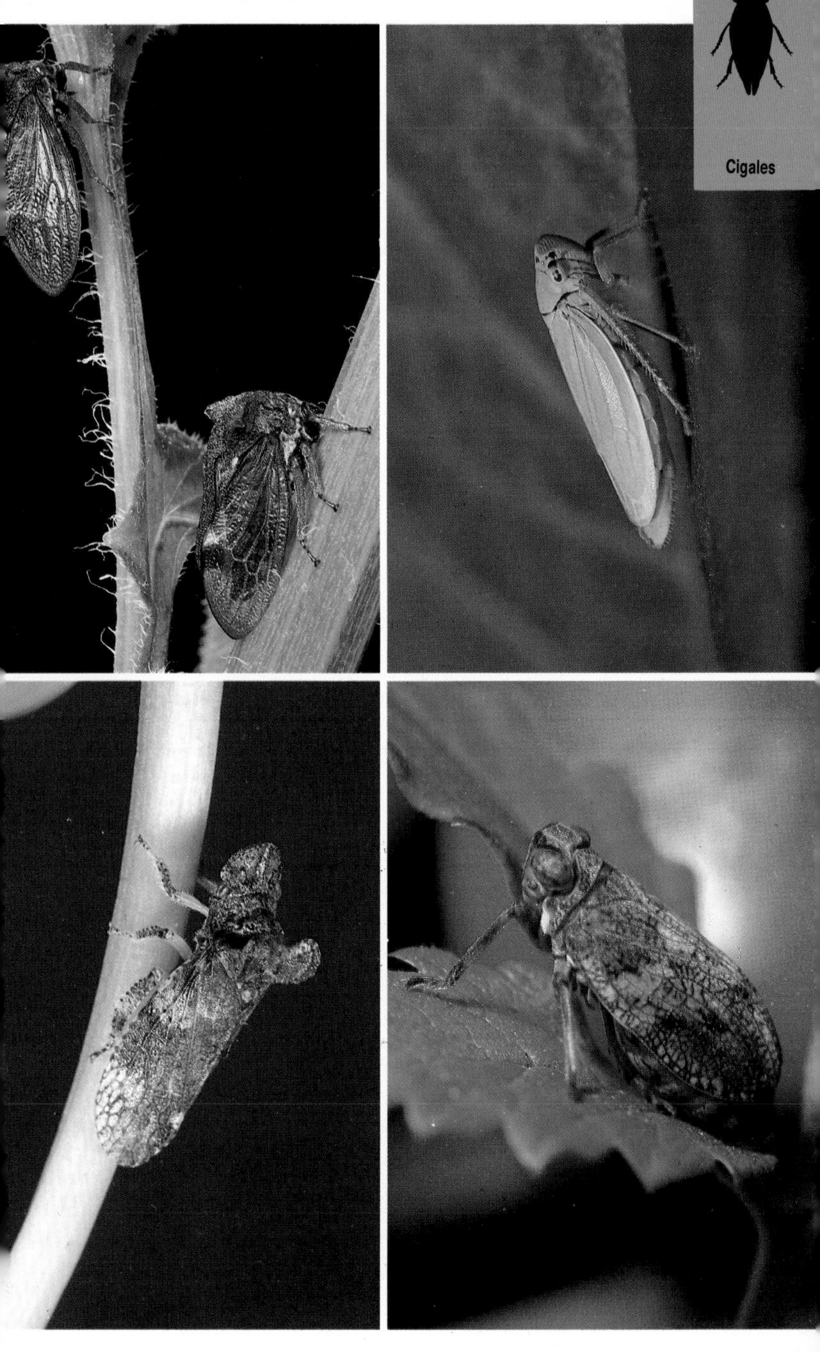

Sialis lutaria (L.) Le Sialis de la vase

Caractéristiques : 2 cm de long. Au repos, les ailes couchées en toit dépassent nettement l'abdomen. Ressemble vaguement à *Raphidia major*, mais avec un cou moins long. Se distingue des chrysopes par les nervures des ailes différentes et le corps plus trapu. Les Sialidae, les Raphidiidae et les Chrysopidae appartiennent à des ordres voisins. Ils subissent tous une métamorphose complète (développement holométabole) : œuf, larve, nymphe, imago, ce qui les distingue des cigales qui ne passent pas par le stade pupal et dont les larves ressemblent progressivement aux adultes.
Habitat : Au bord des ruisseaux, des étangs, des mares et des lacs riches en substances nutritives ; toujours près de l'eau. Les sialides grimpent souvent sur les plantes poussant sur les berges. Les larves vivent dans l'eau.
Distribution : Dans toute l'Europe, sauf dans le sud-est. A l'est, jusqu'en Sibérie. Trois espèces en France.
Fréquence : Espèce autrefois commune, mais régressant beaucoup à cause de la pollution des eaux.
Reproduction : L'accouplement a lieu au pri temps, sur le sol. Les ♂ courent derrière l ♀ qui s'arrêtent lorsqu'elles sont prêtes s'accoupler. Avec ses pattes antérieures, le maintient la ♀, met sa tête sous lui et relève l'oblique l'abdomen jusqu'à ce qu'il atteig l'appareil génital de la ♀ et puisse y enfon les spermes. Les parois du spermatopho contenant les spermes se déchirent et les spe mes se dispersent dans l'orifice génital de la ♀ Après l'accouplement, la ♀ dépose ses œu au-dessus de l'eau dans la tige d'une plante. L pluie fait tomber dans l'eau les jeunes larves.
Nourriture : Les larves sont prédatrices et cha sent dans les eaux boueuses. Tandis que l petites larves chassent entre les plantes aqua ques, les larves plus âgées se cachent dans boue. Au moment de se transformer en nymph elles remontent à la surface et quittent l'eau ; c les rencontre alors sur les rives, à quelqu centimètres sous terre. Le développement du deux ans.

Raphidia major Burm. La Grande Raphidie

Caractéristiques : 15 mm de long ; envergure : 3 cm. En Europe vivent plusieurs dizaines d'espèce. Tête toujours dressée à l'oblique sur un très long cou de chameau ; pattes partant très en arrière, ce qui rend cette ressemblance encore plus frappante. Tête très mobile ; grandes ailes transparentes et présentant de nombreuses nervures. Vole très vif. Au repos, ailes couchées en toit sur le corps.
Habitat : Forêts mixtes de feuillus, anciennes forêts de conifères, lisières des forêts, bords des chemins, clairières ombragées.
Distribution : En Europe, surtout dans le nord et le centre. Partout en France.
Fréquence : Espèce localement abondante qui passe cependant facilement inaperçue du fait de sa période de vol très brève.
Reproduction : Partenaires recherchés en été avec les yeux et l'odorat. Lorsqu'elles sont prêtes à s'accoupler, les ♀ écartent légèrement les ailes et soulèvent l'abdomen sous lequel se glisse lentement le ♂ jusqu'à ce qu'il puisse attraper l'orifice génital de la ♀ avec ses valves. Il entoure alors avec ses pattes la longu tarière de la ♀. Il y introduit son spermatopho et la ♀ est fécondée. La tarière de la ♀ e presque aussi longue que son abdomen. Le œufs sont enfoncés par petits paquets dans le fentes et les fissures du sol. La jeune lar bouge beaucoup. Elle vit sur le sol des forêts attrape dans l'humus des larves de cérambyc des, des œufs de lépidoptères, etc. La larve pl âgée hiverne dans les trous des arbres et tis une toile pour en boucher l'ouverture. Au pri temps, elle s'y transforme en nymphe. Celle- est d'abord immobile, puis devient très adroit Avec ses ailes libres et ses appendices, el grimpe aux arbres.
Nourriture : Les imagos et les larves sont de prédateurs ; ils se nourrissent d'insectes qu'i découvrent grâce à leur excellente vue et qu'i saisissent d'un brusque coup de tête.

Sialides

Raphidies

Drepanepteryx phalaenoides (L.) L'Hémérobe feuille-morte

Caractéristiques : 1 cm ; envergure : jusqu'à 3 cm. Espèce impossible à confondre : extrémités des ailes toujours étirées vers l'extérieur et découpées à l'arrière. Ressemble à *Drepana lacertinaria* (lépidoptère). Larves très allongées, recouvertes de soies ; pièces buccales puissantes ; pattes bien développées. Très mobiles contrairement aux adultes.
Habitat : Forêts de feuillus, parcs, jardins à l'abandon, arbres fruitiers. Vient à la lumière UV.
Distribution : Europe.
Fréquence : Cette espèce répandue est assez rarement observée.
Reproduction : Œufs déposés de mai à juin près du sol, au bout d'un pédoncule rappelant le œufs des chrysopes, lesquels se trouvent toute fois sur des pédoncules plus longs. Après avo mué plusieurs fois, les larves se construisent u cocon dans lequel elles hivernent ; l'adul émerge au printemps.
Nourriture : De préférence pucerons.
Généralités : Fait partie de l'ordre des névropt res (= planipennes) qui comprend égaleme les Ascalaphes, les Fourmilions, les Osmyle etc.

Osmylus fulvicephalus (Sc.) L'Hémérobe aquatique

Caractéristiques : 2 cm ; envergure : jusqu'à 5 cm. Ailes transparentes, ayant de nombreuses taches brunes, surtout les ailes antérieures. Nombreuses nervures plus foncées.
Habitat : Mares et lacs riches en substances nutritives, où les adultes et les larves chassent les insectes. Les imagos restent toujours près de l'eau, on les rencontre de jour sous les ponts.
Distribution : Régions tempérées et chaudes d'Europe. Au nord, jusqu'au sud de la Scandinavie.
Fréquence : Irrégulière. Espèce autrefois plus commune, qui tend à disparaître du fait de l'entretien des lacs et des rivières.
Reproduction : Les ♀ déposent leurs œufs s les feuilles des plantes aquatiques. Les larve vivent à moitié sur terre, à moitié dans l'ea généralement près des rives où se trouvent c nombreux insectes. Elles hivernent sur terre proximité de l'eau.
Nourriture : Nombreux petits animaux, surto des invertébrés.
Généralités : Principal représentant de la famil des Osmylidae, vivant près des ruisseaux clai et ombragés. Pourvu d'yeux frontaux contra rement aux chrysopes.

Libelloides longicornis (L.) L'Ascalaphe commun

Caractéristiques : 3 cm ; envergure : 5 cm. Ailes triangulaires et transparentes, recouvertes de dessins bruns et jaunes. Ressemble à *L. coccajus*, mais se reconnaît à la tache noire aux ailes postérieures en forme de demi-lune entourant une tache jaunâtre qui n'existe pas chez *coccajus*.
Habitat : Espèce fréquentant les friches sèches à hautes herbes. Bien représentée en France, surtout dans le Midi.
Fréquence : Localement commune, tend à se raréfier dans le Nord.
Reproduction : L'accouplement a lieu en vol. Après une course poursuite, le ♂ attrape la ♀. Les œufs sont déposés sur deux lignes sur l tiges des plantes. Au bout de 2 à 3 semaine apparaissent les petites larves qui guettent leu proies sous la mousse ou les pierres, ell ressemblent à des fourmilions mais ne constru sent pas d'entonnoirs. Elles se transforment nymphes dans un cocon suspendu à la ti d'une plante. Période de repos durant 3 sem nes environ. Durée totale du développement : moins 2 ans.
Nourriture : Petits insectes.
Généralités : Il existe seulement 20 espèc d'ascalaphides en Europe. Tous ces insect sont diurnes et semblent mimer d'autres inse tes, surtout des papillons diurnes.

Libelloides coccajus (D.&S.) (= *libelluloides*)
L'Ascalaphe soufré

Caractéristiques : 2,5 cm de long ; envergure : jusqu'à 5,2 cm. Ressemble un peu à un papillon, mais n'a pas d'écailles sur les ailes transparentes, jaunes à l'extérieur, brunes à l'intérieur. Corps recouvert de poils noirs. Au repos, ailes écartées du corps en forme de toit. Espèce diurne, active surtout aux heures chaudes de la mi-journée.
Habitat : Espèce aimant la chaleur ; talus ensoleillés avec peu de végétation.
Distribution : Se rencontre régulièrement au sud de l'Europe ; au nord, seulement dans des biotopes chauds et secs qui lui sont favorables.
Fréquence : Abondante dans une grande partie de la France.
Reproduction : Œufs fixés deux par deux sur une tige. Larves prédatrices vivant par terre ; pattes courtes, corps cylindrique ; les mandibules sont très développées. Les larves hivernent deux fois avant de se transformer en nymphes au printemps.

Myrmeleon formicarius L.
Le Fourmilion commun

Piège construit par le Fourmilion commun

Caractéristiques : 3,5 cm de long ; envergure : 6 à 8 cm. Ressemble vaguement à une libellule. Sur les ailes transparentes, taches brunes de taille et de forme variable. Une plage blanche vers l'apex de chaque aile.
Habitat : Sols sablonneux dans les régions chaudes. Landes et steppes.
Distribution : Surtout Europe méridionale, au nord, atteint le sud de la Scandinavie.
Fréquence : Localement abondante.
Généralités : Espèce nocturne. Peut attraper et tuer les insectes grâce à ses puissantes mandibules. Les larves sont appelées Fourmilion dans le langage populaire. Dans les endroits secs et sablonneux, elles construisent de petits entonnoirs (1,5 cm de diamètre environ) et attendent qu'un petit animal — généralement une fourmi — y tombe, pour le dévorer.

Libelloides macaronius (Sc.)
L'Ascalaphe bariolé

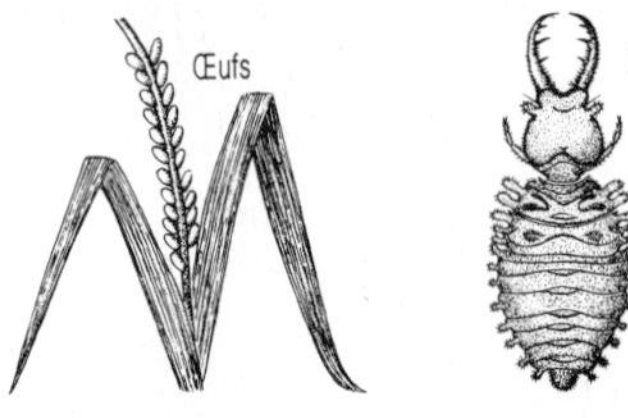

Caractéristiques : 2,7 cm de long ; 5 cm d'envergure. Ressemble un peu à *L. longicornis*. Ailes postérieures brun foncé, avec un large bord jaune. Grande tache ronde et jaune à l'extrémité des ailes. Pas d'écailles sur les ailes. Longues antennes filiformes, extrémités en forme de massue.
Habitat : Endroits très chauds ; toujours dans des zones découvertes.
Distribution : Bassin méditerranéen.
Fréquence : N'existe pas en France.
Reproduction : Accouplement en vol.
Nourriture : Les larves chassent au sol les petits insectes qu'elles rencontrent.

Formicaleo nostras Geoff.
Le Fourmilion parisien

Caractéristiques : 3,5 cm ; envergure : 7 cm. Ressemble à *M. formicarius*. En vol, évoque un papillon ou une libellule. Ailes recouvertes de nombreuses taches.
Habitat : Endroits sablonneux où les larves creusent des entonnoirs. Pour qu'ils ne s'écroulent pas, ils doivent être construits à un endroit protégé de la pluie et là où le sol n'est pas trop meuble. Les imagos vivent également dans des endroits chauds avec peu de végétation.
Distribution : Cette espèce est plus méridionale que la précédente, elle a absolument besoin de l'abri de rochers pour survivre.
Fréquence : Espèce abondamment représentée partout où il y a des rochers et du sol sableux.
Reproduction : Avec ses puissants appendices abdominaux, le ♂ s'accroche à l'abdomen de la ♀. Celle-ci dépose ses œufs près du sol. Les petites larves hivernent deux fois avant de se transformer en nymphes dans un cocon sphérique, entouré de petits cailloux.
Nourriture : Espèce prédatrice, se nourrissant surtout de fourmis.

ir aussi p. 274, 275

Chrysopa perla (L.) Le Lion des pucerons

Caractéristiques : 1 cm ; envergure : environ 3 cm. Ailes bleu verdâtre, les nervures en partie noires, le reste des ailes irrisé de vert bleu clair. Insecte délicat avec ses yeux aux reflets d'or. Au repos, les ailes sont repliées en toit sur le corps. Sur le thorax, glande odoriférante sécrétant une substance nauséabonde (évoquant le goudron frais ou les boules de paradichlorobenzène) qui éloigne les prédateurs. Certaines chrysopes sont pourvues, à la base des ailes antérieures, d'un organe particulier leur permettant de percevoir les ultrasons. Il les protège sans doute des chauve-souris qui chassent les insectes la nuit. Les chrysopes sont actives le soir, jusqu'au crépuscule ; elles sont attirées par les fleurs de sureau qu'elles butinent en pleine nuit. On connaît en Europe une centaine d'espèces de chrysopes parmi les quelques milliers probables vivant dans le monde. Adaptation variant d'une espèce à l'autre, par exemple au niveau des œufs : les œufs sont plus ou moins longuement pédonculés selon les espèces ; certaines serrent les œufs les uns contre les autres, d'autres les dispersent sur une grande surface. Ces différentes stratégies leur permettent de se protéger contre les prédateurs et d'autres dangers (moisissure, etc.).

Habitat : Forêts, jardins, parcs et agglomérations mais surtout bordure des ruisseaux et des chemins où poussent les saules marsault et les églantines. Le jour, se pose sur le dessus des feuilles vertes où elle est difficile à découvrir grâce à son excellent camouflage.

Distribution : Europe. Il existe de nombreuses espèces semblables assez faciles à identifier.

Fréquence : Nulle part rare. Apparition massive certaines années, selon le temps : les hivers doux et les étés chauds et humides favorisent le développement de cette espèce ; de mai à septembre, mais surtout en juin.

Reproduction : Après une parade rituelle, le ♂ dépose son spermatophore près de l'orifice génital de la ♀. Celle-ci le prend alors. Les ♀ fécondées déposent leurs œufs pédonculés sur une feuille, souvent près d'une colonie de pucerons. Le pédoncule est un fil rigide provenant de la glande de la ♀. La chrysope soulève l'abdomen et fixe sur la feuille le fil, puis l'œuf. La longueur du fil est variable, mais les œufs ne se touchent jamais. Les larves ressemblent à cell des autres névroptères. Ce sont de petits a maux velus et recouverts de soies, pourvus puissantes pièces buccales. Ils peuvent ai attraper leurs proies, notamment des pucero Certaines larves se camouflent en piquant av leurs soies des morceaux d'écorces ou la d pouille de pucerons, ce qui leur donne un aspe très étrange. Pour se nymphoser, elles construisent un cocon entre les branches, manière que la nymphe soit suspendue à l' libre. Les fils du cocon viennent de la mêr glande abdominale que les fils formant le p doncule des œufs. La nymphe quitte le coc avant d'être adulte. Avec ses puissantes pièc buccales, elle perce un trou dans le cocon. U fois qu'elle en est sortie, elle se transforme chrysope. L'imago de *C. perla* n'hiverne pa mais c'est le cas de *C. carnea*. Il y a une gén ration par an, qui est largement étalée sur to le cours de l'été.

Nourriture : Les chrysopes sont des anima très utiles, se nourrissant presque exclusiv ment de pucerons. Avec les hannetons et ce taines syrphides, ce sont les plus importar chasseurs de pucerons. Pour tuer un pucer elles lui injectent une substance toxique qui décompose en une minute. Elles en suc ensuite le sang et il ne reste plus que la dépoui du puceron. Certaines chrysopes adultes te *C. carnea* se nourrissent de pollen et de nect

Généralités : Beaucoup de gens ignorent mode de vie et l'importance des chrysopes. *carnea* qui hiverne dans les habitations est un nos voisins hivernaux habituels.

Névroptères

Cicindela sylvatica L.
La Cicindèle des bois

Caractéristiques : 15 à 20 mm. Joli coléoptère brun-jaune. Assez facile à identifier, il existe de nombreuses espèces semblables en Europe. Principale caractéristique : labre noir caréné.
Habitat : Prés secs et chauds, terrains en friche. Ne se rencontre que sur les sols sablonneux.
Distribution : A peu près partout en France.
Fréquence : Localement commun dans les allées des bois.
Reproduction : La ♀ creuse un petit trou dans le sable, y dépose ses œufs et referme le trou. Les larves creusent des trous où elles vivent et où elles guettent leurs proies. Prédatrices comme les imagos. On rencontre ces coléoptères d'avril à août.
Nourriture : Peuvent attraper, tuer et manger de gros insectes grâce à leur puissantes mandibules.
Généralités : Comme toutes les espèces de cicindèles, fuient rapidement en cas de danger, en volant et non en courant comme les carabes.

Cicindela hybrida L.
La Cicindèle brune

Caractéristiques : 12 à 15 mm de long. Dessi brun-jaune sur le dos caractéristique, mais in suffisant pour identifier cette espèce qui s présente sous de nombreuses formes variables
Habitat : Endroits sablonneux, secs et ensolei lés avec peu de végétation.
Distribution : Plus répandue en Europe qu *C. sylvatica*. Se rencontre de la côte jusqu'au éboulis pentus des montagnes, jusqu'à plus d 2 000 m.
Fréquence : Régulière.
Généralités : Les larves obstruent l'ouverture d leurs trous avec la tête et le pronotum et tour nent vers le haut leurs antennes et leurs mâcho res. Elles découvrent la proie avec leurs yeux Grâce à leurs 6 ocelles, leur champ de vision es presque de 180°. Dès qu'un insecte s'approche la larve l'attrape et le tire dans le trou.

Cicindela campestris L.
La Cicindèle champêtre

Caractéristiques : 15 mm de long. Dos vert brillant avec une ou plusieurs taches claires sur les élytres.
Habitat : Sols secs et sablonneux, landes, anciennes gravières, lisières ensoleillées avec du sable.
Distribution : Dans toute l'Europe jusqu'en Sibérie. Afrique du Nord.
Fréquence : Espèce courante, mais aujourd'hui en régression.
Reproduction : Les imagos hivernent. On les rencontre de mai à septembre. Les ♀ déposent leurs œufs dans le sable.
Nourriture : Les larves s'enfouissent dans le sable, dans des galeries pouvant avoir jusqu'à 40 cm de profondeur. Elles se mettent à l'entrée de la galerie pour guetter leurs proies, généralement des chenilles ou autres larves d'insectes. Elles font alors descendre leur proie.
Généralités : Les cicindèles courent de manière très adroite ; elles disparaissent sous les touffes d'herbes et s'envolent brusquement, comme des mouches, en cas de danger.

Calosoma sycophanta (L.)
Le Calosome doré

Caractéristiques : 2,5 à 3,5 cm. Se reconnaît sa taille et aux élytres aux reflets cuivrés.
Habitat : Forêts de feuillus et de conifères.
Distribution : Régions tempérées d'Europe e d'Asie. Cette espèce et le Calosome des bo ont été introduites en Amérique pour lutte contre les larves et les chenilles d'insecte nuisibles.
Fréquence : Nulle part très courante.
Généralités : Les larves et les adultes chasser de jour et de nuit les insectes, surtout le chenilles sur les arbres. Les adultes volent trè bien et se rencontrent là où les chenilles sor très nombreuses. Dès août, ils s'enfouissent 40 cm sous terre pour hiverner. Le Calosom doré peut vivre jusqu'à 4 ans. Le stade larvair dure 2 à 3 semaines. Un adulte mange enviro 400 chenilles par an.

Carabes

Calosoma inquisitor (L.)
Le Calosome des bois

Caractéristiques : Jusqu'à 2 cm. Ressemble en plus petit au Calosome doré, mais le rebord du pronotum n'est visible que sur les côtés. La couleur des élytres est variable : généralement noire, parfois verte ou bleue.
Habitat : Forêts de feuillus mixtes, parcs, vergers. Cette espèce grimpe souvent aux arbres pour chasser, mais on la trouve également souvent sur le sol.
Distribution : Europe. Au sud-est, jusqu'au Caucase ; au sud, jusqu'en Afrique du Nord.
Fréquence : Espèce plus courante que le Calosome doré. Nombre très variable.
Nourriture : Surtout chenilles et chrysalides de la lépidoptère, Geometridae. Est donc très apprécié des sylviculteurs et des arboriculteurs.
Généralités : Dans le sud de l'Europe, vit dans les forêts de chênes. Même mode de vie que le Calosome doré.

Carabus coriaceus L.
Le Procruste chagriné

Caractéristiques : 4 cm de long ; c'est l'un des plus grands carabes d'Europe. N'est dépassé que par *Procerus gigas* qui mesure 6 cm. Mais cette espèce ne vit que dans le sud-est de l'Europe. *Carabus coriaceus* se reconnaît donc facilement.
Habitat : Forêts mixtes, jardins, parcs.
Distribution : Dans presque toute l'Europe, sauf en Grande-Bretagne.
Fréquence : Espèce courante, mais en forte diminution.
Nourriture : Limaces, chenilles, coléoptères ; également fruits mûrs. Très gros appétit : sont en mesure de nettoyer un champ de pommes de terre où vivent 200 doryphores par m^2.
Généralités : Ne peut pas s'envoler en cas de danger, car ses ailes sont atrophiées. Se dresse alors sur ses pattes et écarte ses puissantes mâchoires. Une substance nauséabonde sort en même temps de la glande abdominale. Puis il s'enfuit.

Carabus auratus L.
Le Carabe doré ou Jardinière

Caractéristiques : 2 à 3 cm. Ressemble au Carabe aux reflets d'or *(C. auronitens)*. Mais se reconnaît aux sillons parcourant les élytres lesquels sont découpés à l'arrière et au grand bouclier qui est différent.
Habitat : Jardins, prés et champs.
Distribution : En Europe, à l'est jusqu'à l'Oder. Endroits chauds.
Fréquence : Se rencontre régulièrement, mais beaucoup moins qu'autrefois.
Reproduction : Les premiers Carabes dorés sortent en avril de leurs quartiers d'hiver. Après l'accouplement, la ♀ pond des œufs d'où sortent au bout de 3 à 10 jours, suivant le temps, les petites larves qui muent 3 fois et se nymphosent dans un petit trou dans le sol. Les coléoptères adultes apparaissent à l'automne.
Nourriture : Limaces, doryphores. Mange chaque jour 1,3 fois son propre poids. Insecte qui est donc très utile.

Carabus auronitens F.
Le Carabe aux reflets d'or

Caractéristiques : 28 mm ; moins grand que l Carabe doré. Pour distinguer ces deux espèces voir à *C. auratus*. La couleur des élytres est trè variable : or rouge ou or vert, parfois bleue. L couleur dépend de l'humidité de l'air et de l'en soleillement.
Habitat : Forêts à moyenne et haute altitude ; v sous les souches et l'écorce des arbres. Espèc diurne.
Distribution : Europe occidentale et centrale, n se rencontre ni en Grande-Bretagne, ni e Scandinavie.
Fréquence : Se rencontre régulièrement, ma est souvent très localisée.
Reproduction : Les adultes qui hivernent sorte les premiers jours chauds d'avril. Accoupleme comme chez *C. auratus*. Après la ponte, le carabes meurent ; aussi trouve-t-on au pri temps la génération qui a hiverné et à l'automr les jeunes carabes.
Nourriture : Comme le Carabe doré. Insec utile.

Carabes

Carabus nemoralis Müll.
Le Carabe des bois

Caractéristiques : 21 à 33 mm. Élytres verts, bronzés, bleus ou noir pourpré, très souvent bicolores. Élytres convexes à stries à peine indiquées, les points enfoncés régulièrement alignés, à peu près de même coloration que le reste.
Habitat : Dans les régions boisées. Dès le premier printemps et pendant toute la belle saison, avec une diapause estivale dans le Midi. Hiverne dans les talus dans les souches.
Distribution : Europe septentrionale et centrale.
Fréquence : Toute la France dans les régions boisées, localisé.
Nourriture : Chenilles, larves, limaces.
Généralités : Espèce nocturne. Il existe de nombreuses sous-espèces décrites, plus ou moins valides.

Carabus cancellatus I.
Le Carabe à rayures

Caractéristiques : 16 à 25 mm. Élytres oblong convexes, toute la surface densément pon tuée, aspect rugueux et mat. Couleur variable bronzé avec le pronotum cuivreux, ou souve vert, parfois bleu ou noir.
Habitat : Dans les champs en friches, les pr humides, les clairières des forêts, parfois da le creux des vieux arbres.
Distribution : Toute la France, localement cor mun, existe près de Paris.
Nourriture : Chenilles, larves, limaces, automne, mange les betteraves et les pomm de terre.
Fréquence : Localement abondant.
Généralités : Espèce nocturne qui sort po chasser.

Platysma nigra Schall.
La Féronie noire

Caractéristiques : 17 à 21 mm. Noir, les élytres mats. Antennes longues et grêles, pronotum à peine transverse, peu rétréci à la base, les côtés très faiblement et longuement sinués dans la moitié basale. Élytres très amples, ovales, élargis après le milieu, les stries profondes et les interstries convexes.
Habitat : Forêts en zone montueuse. Commun dans les Alpes.
Distribution : Europe moyenne.
Fréquence : Espèce localement abondante.
Reproduction : L'accouplement et la ponte ont lieu au printemps.
Nourriture : Divers insectes et larves.

Elaphrus riparius L.
L'Elaphre des rivages

Caractéristiques : Presque 1 cm. Les 6 espèce *Elaphrus* vivant en Europe sont difficiles à iden fier. Ressemblent à de petites Cicindèles cha pêtres, mais se reconnaissent à leurs yeux tr proéminents et aux 4 rangées de taches vert ou bleues apparaissant sur les élytres.
Habitat : Uniquement au bord des ruisseau grève des rivières et des étangs. Reste toujou aux endroits qui sont recouverts par l'eau et c il n'y a pas de végétation.
Distribution : Europe.
Fréquence : Espèce courante au bord de l'ea
Reproduction : Les adultes apparus en autom hivernent, enfouis sous la terre. On ne sait p encore grand chose sur leur biologie et sur le adaptation à la vie et au bord de l'eau.
Nourriture : Petits insectes et leurs larves.

Carabes

Omophron limbatum (F.)
L'Omophron bordé

Caractéristiques : 5 à 7 mm. Corps petit, sphérique, haut sur pattes, ce qui est rare chez les caraboïdes. Fait pourtant partie de ce groupe, comme le montrent ses longues pattes et son comportement dans la nature. Toujours jaune-vert.
Habitat : Vit toujours près de l'eau : bancs de sable, endroits vaseux où il se déplace très adroitement. Reste enfoui dans le sable la journée ; est donc difficile à voir.
Distribution : Espèce répandue dans toute l'Europe, mais divisée en plusieurs populations qui n'ont aucun lien entre elles. Jusqu'en Afrique du Nord.
Fréquence : Généralement rare. Mais vit en société et se renconte parfois en grand nombre.
Reproduction : Comme chez le Carabe doré.
Nourriture : La nuit, les adultes attrapent des insectes dans le sable.

Amara aenea (DG.)
L'Amare bronzé

Caractéristiques : Représentant du groupe des *Amara* qui compte une centaine d'espèces en Europe, lesquelles sont difficiles à distinguer. Corps noir brillant et ovale. Souvent un examen génital est nécessaire pour identifier ces espèces.
Habitat : Endroits secs et ensoleillés avec peu de végétation. On les voit souvent courir sur le sable aux heures chaudes de la mi-journée.
Distribution : Régions tempérées d'Asie et d'Europe.
Fréquence : Espèce courante qui se rencontre régulièrement.
Reproduction : Comme chez le Carabe doré.
Nourriture : Nourriture diversifiée ; sucent ou avalent des insectes comme le montrent les restes trouvés dans leurs mâchoires,mangent également les épis laiteux ou d'autres plantes.

Brocus cephalotes (L.)
Le Cephalote commun

Caractéristiques : 2 cm. Se reconnaît à sa t
énorme et disproportionnée et au pronot
large qui se rétrécit vers l'arrière. N'a pas
pattes fouisseuses, mais creuse des galeries
des trous dans le sol mou à l'aide de ses pu
santes pièces buccales. Nettoie ses antenn
avec deux grosses épines se trouvant sur
pattes antérieures. Ces épines se rencontre
chez de nombreux coléoptères, mais sont ra
ment aussi visibles que chez *B. cephalotes.*
Habitat : Dans les vallées à basse et moyen
altitude. Souvent sur un sous-sol sablonneu
Distribution : Espèce très répandue en Euro
surtout dans le nord. Au sud, jusqu'au centre
l'Italie.
Fréquence : Espèce autrefois plus courante.
Reproduction : Les ♀ creusent de nombreus
galeries où elles déposent les œufs.
Nourriture : Larves d'insectes qu'ils guett
dans leurs trous.

Poecilus cupreus (L.)
La Féronie cuivreuse

Caractéristiques : 10 à 13 mm. On connaît
Europe une vingtaine d'espèces du genre *Po*
lus qui se reconnaissent en partie à leur coule
laquelle peut toutefois varier. Généralem
cuivre, parfois bleue, noire ou vert métalliq
Les articles se trouvant à la base des antenn
ne sont pas ronds, mais anguleux. Pronot
plus étroit que la base des élytres. Ces car
téristiques permettent de reconnaître les es
ces de ce genre, mais il faut souvent exami
l'appareil génital pour les identifier avec ce
tude.
Habitat : Endroits chauds et secs : bords
chemins, pâturages.
Distribution : Dans toute l'Europe, surtout
basse altitude.
Fréquence : Espèce très commune, tout com
P. versicolor et *P. lepidus*, deux espèces t
voisines.
Généralités : Les imagos hivernent, enfo
dans le sol. Espèce active au crépuscule.

Carabes

Zabrus tenebrioides (G.)
Le Zabre bossu

Caractéristiques : 15 mm. Corps foncé, bombé et lourd ; ailes assez courtes ; petites marcheuses robustes.
Habitat : Champs de céréales et terrains en friches.
Distribution : Dans toute l'Europe ; rare dans le nord. A l'est, jusqu'en Asie Mineure.
Fréquence : Considéré au siècle dernier comme très nuisible. Aujourd'hui, c'est une espèce plutôt rare.
Reproduction : Généralement, les adultes hivernent dans la terre ; c'est également le cas parfois des œufs et des petites larves qui se développent ensuite très rapidement au printemps et se nourrissent des plantes des semailles d'automne. Les ♀ adultes hivernent et pondent au printemps. Puis elles meurent. Les larves vivent dans des trous creusés de 20 à 30 cm sous terre. Espèce diurne.
Nourriture : Substances végétales, surtout grains de céréales pas encore mûrs ; parfois larves d'insectes et vers.

Callistus lunatus (F.)
Le Calliste à lunules

Caractéristiques : 5 à 7 mm. Il n'existe qu'une seule espèce de ce genre en France. S'identifie facilement grâce aux dessins ornant son corps et qui restent toujours les mêmes alors que la couleur du fond peut varier.
Habitat : Endroits chauds et ensoleillés avec peu de végétation ; talus exposés au sud, anciennes carrières, zones rudérales ressemblant à des steppes. Le jour, se cache sous les pierres, souvent associé à d'autres caraboïdes. Préfère les sols calcaires.
Distribution : En Europe, mais seulement dans les endroits chauds. Ne se rencontre ni dans les régions froides du nord ni en altitude. Vit surtout dans le bassin méditerranéen, préfère les montagnes calcaires.
Fréquence : En France relativement courant seulement dans certains endroits.
Reproduction : Vit en société. Nocturne. Ponte et transformation en nymphe sous terre. Les larves vivent dans de petits trous.
Nourriture : Se nourrit de petits insectes.

Brachinus crepitans (L.)
Le Bombardier

Caractéristiques : Jusqu'à 1 cm. Les 6 espèc de bombardier vivant en France sont bicolor c'est-à-dire bleus et rouges ; leurs ailes sc atrophiées.
Habitat : Sous les pierres sur les sols calcair avec peu de végétation, généralement au bc des chemins et des champs. Aime la chaleur
Distribution : Dans toute l'Europe, mais p fréquent dans le sud. Afrique du Nord ; à l'e jusqu'en Sibérie.
Fréquence : Espèce peu courante, mais viva en société : aussi rencontre-t-on souvent p sieurs bombardiers ensemble.
Reproduction : Comme chez les autres carab des.
Nourriture : Végétale et animale.
Généralités : En cas de danger, il éjecte un g qui explose en un nuage bleu. Il peut ti plusieurs fois de suite dans une direction. chaque côté de l'anus, 2 minuscules gland sont reliées à une poche qui produit le g explosif.

Notiophilus biguttatus (F.)
Le Notiophile à deux gouttes

Caractéristiques : 5 mm. Corps petit, coule cuivre ; grosse tête et gros yeux. Côtés corps parallèles. Il existe une dizaine d'espèc en Europe qui sont difficiles à identifier.
Habitat : Se rencontre presque partout. Surto sous les tapis d'aiguilles, la mousse et les pi res dans les clairières ; lisières des forêts, j dins laissés à l'abandon et parcs.
Distribution : Europe.
Fréquence : Espèce la plus courante de genre.
Reproduction : Les adultes hivernent ; leu ailes sont entièrement développées ou court Ponte au printemps. Au bout de quelques jou sortent les petites larves qui se cachent sous tapis d'aiguilles dans le sol. Se nymphosent été. Les adultes apparaissent à l'automne, p s'enfouissent rapidement sous terre pour hiv ner.
Nourriture : La nuit, capture des insectes et d petits animaux.

Carabes

Dytiscus marginalis (L.) Le Dytique bordé

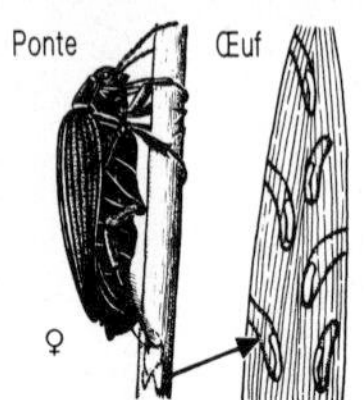

Caractéristiques : 2,7 à 3,5 cm de long. Grand coléoptère aquatique. Bord jaune de chaque côté du corps qui est moins large que chez *Dytiscus latissimus*, espèce plus grande, mais plus rare. Dimorphisme sexuel prononcé. Les ♂ ont des élytres relativement lisses (parfois légèrement cannelés chez la ♀) et des ventouses en forme de disque sur les pattes antérieures. 2 grandes ventouses sont entourées par 150 ventouses plus petites, système efficace qui permet au ♂ de s'agripper à la ♀ au moment de l'accouplement. Ce mécanisme est important car tout le corps du Dytique bordé est recouvert d'une substance hydrofuge. De petites ventouses se trouvent également sur les pattes médianes. Les ♀ ont des ailes cannelées et n'ont pas de ventouses. Les animaux des deux sexes ont, sur les pattes postérieures, une rangée de soies qui se couchent lorsque les pattes avancent et se dressent lorsqu'elles vont en arrière, augmentant ainsi la résistance des pattes transformées en rames. Les adultes restent le plus souvent sous l'eau et ne remontent à la surface que pour se faire une provision d'air. Avec l'extrémité de l'abdomen, ils fendent la surface de l'eau et prennent une provision d'air frais sous les élytres. Ils doivent remonter à surface entre 4 et 7 fois par heure. Ce sor d'excellents volateurs et ils occupent rapid ment les points d'eau nouvellement formés. L nuit, ils s'envolent à la recherche de nouveau habitats. Ils atterrissent parfois sur les route mouillées par la pluie ou s'approchent de lumière.

Habitat : Etendues d'eau plus ou moins grande Surtout près des berges où poussent de nom breuses plantes aquatiques. Ils évitent l'ea courante.

Distribution : Dans presque toute l'Europ Jusqu'en Scandinavie ; à l'est jusqu'au Japon e passant par l'Asie centrale. Se rencontre égale ment en Amérique du Nord.

Fréquence : Espèce qui n'est jamais très cou rante, bien qu'elle se rencontre régulièreme dans de nombreuses régions.

Reproduction : Comme chez *Hydroporus palus tris*.

Nourriture : Se nourrit d'insectes aquatique Attrape parfois des petits poissons ou des jeu nes tritons.

Hydroporus palustris (L.) L'Hydropore

Caractéristiques : 4 mm. Se reconnaît aux dessins jaunâtres ornant les élytres.

Habitat : Etendues d'eau plus ou moins grandes ; également mares et ruisseaux coulant lentement où on le rencontre dans les petits bras morts.

Distribution : Dans de nombreuses régions d'Europe, de la plaine jusqu'en haute montagne.

Fréquence : Dans certains endroits, c'est l'un des plus courants des coléoptères aquatiques.

Reproduction : L'accouplement a toujours lieu dans l'eau. Le ♂ attrape le pronotum de la ♀ avec les ventouses se trouvant sur ses pattes antérieures. Les deux animaux restent ainsi pendant quelques minutes à la surface de l'ea mais, dès qu'ils sont dérangés, ils s'enfoncer sous l'eau à plusieurs mètres de profondeu pour se cacher dans les plantes. Une fois fécon dée, la ♀ enfonce les œufs avec son ovipos teur dans la tige des plantes aquatiques. Le larves ne tardent pas à éclore. Elles doivent elle aussi remonter à la surface pour aller cherche de l'air. Elles se hissent sur la terre ferme pou se nymphoser. Elles s'enfouissent alors dans sol après avoir vécu 5 à 6 semaines dans l'ea et restent en état de repos pendant deux sema nes. Les adultes hivernent généralement.

Nourriture : Les adultes et les larves sont de prédateurs.

♀ ci-dessous larve

♂

Acilius sulcatus (L.) Le Dytique sillonné

Caractéristiques : 15 à 18 mm. Dimorphisme sexuel. Les élytres des ♀ ont 3 profondes cannelures. Leurs pattes antérieures ne sont pas renflées en massue. Les élytres des ♂ sont lisses. Comme chez le Dytique bordé, leurs pattes antérieures sont pourvues d'une ventouse en forme de disque avec laquelle le ♂ agrippe la ♀ au moment de l'accouplement, au niveau du pronotum. Ce dernier est orné de dessins jaunes et noirs. Les animaux des deux sexes sont d'excellents nageurs grâce à leur corps aplati, de forme aérodynamique. Les pattes postérieures pourvues de soies servent de rames.
Habitat : Eaux stagnantes, surtout petites mares riches en plantes aquatiques ; parfois dans les flaques où ils ne restent pas longtemps. La ponte n'a lieu que dans les étendues d'eau assez grandes et qui ne s'assèchent pas.
Distribution : Dans toute l'Europe jusqu'au cercle polaire, sauf en Espagne du Sud et en Italie du Sud.
Fréquence : Espèce généralement courante, surtout dans les mares riches en végétation.
Reproduction : Les adultes hivernent dans l'e sous la glace, souvent cachés dans des coqu les d'escargot. Ils sortent au printemps et s'a couplent. Les œufs n'hivernent que rarement. sont déposés sur les berges. Les larves ont puissantes pinces avec lesquelles elles attr pent et sucent leurs proies comme le Dytiq bordé. Le corps des larves est pointu à chaq extrémité ; elles sont toujours plus petites q les larves du Dytique bordé. Elles aussi vive dans l'eau. Se nymphosent sur la terre ferme
Nourriture : Les adultes et les larves attrape sous l'eau différents animaux, parfois des tards et des petits poissons.

Gyrinus natator (L.) Le Tourniquet

Caractéristiques : 5 à 7 mm. Espèce la plus courante parmi la dizaine d'espèces de gyrins vivant en Europe, tous caractérisés par la manière dont ils nagent à la surface de l'eau. Ils tournoient en décrivant des cercles et des lignes sinueuses. Dos noir et brillant, hydrofuge. Ils ne plongent le corps qu'à moitié dans l'eau. Yeux divisés en une partie supérieure et une partie inférieure, si bien que les gyrins peuvent voir à la fois sous l'eau et au-dessus de l'eau. Pattes médianes et pattes postérieures raccourcies en rames. Seules les pattes postérieures sont normalement développées. En cas de danger, les gyrins plongent brusquement. Ce sont également d'excellents volateurs et ils occupent rapidement les étendues d'eau nouvellement formées.
Habitat : Eaux stagnantes et coulant lentement, surtout mares et étangs.
Distribution : Régions tempérées d'Europe.
Fréquence : Espèce courante dans les eaux non polluées ; se rencontre souvent en groupe.
Reproduction : Les adultes hivernent sur les berges ou dans l'eau. Après l'accouplement, l ♀ fixent leurs œufs au fond de l'eau sur d plantes mortes. Au moment de l'accoupleme le ♂ s'agrippe à la ♀ avec ses pattes antérie res transformées en pinces. Les larves minc et allongées ont de nombreuses petites bra chies recouvertes de poils. Elles viennent sur l berges pour se nymphoser et se construisent cocon.
Nourriture : Petits insectes vivants ou mor flottant à la surface de l'eau ou petits insect aquatiques qu'il surprennent. Ils attrapent leu proies avec leurs pattes antérieures et les d chiquètent avec leurs puissantes mâchoires.

Déplacement sur l'eau

oir aussi p. 17

Helochares obscurus Müll.

Caractéristiques : 5 à 6 mm. Représentant le plus commun de la grande famille des Hydrophilidae ; ne vit pas obligatoirement dans l'eau. Se rencontre parfois sur le fumier, sur les substances en décomposition ou près des berges entre l'eau et la terre ferme. Se distingue du Dytique bordé par ses antennes se terminant par une massue composée de plusieurs articles. Elles bougent alternativement. Manière caractéristique de se faire une provision d'air : met sa tête hors de l'eau, à l'air, et aspire l'air avec les massues des antennes. Transporte également des bulles d'air sous les ailes et sur le ventre recouvert de poils hydrofuges.
Habitat : Petites étendues d'eau.
Distribution : Europe.
Fréquence : Espèce très courante.
Reproduction : Comme chez le Grand Hydrophile.
Nourriture : Espèce prédatrice. Les larves et les adultes aspirent l'intérieur des proies, souvent au-dessus de l'eau, car elles n'ont pas de pièces buccales spécialisées pour aspirer sous l'eau.

Hydrochara caraboides (L.)
Le Petit Hydrophile

Caractéristiques : 15 mm. Réplique en plus petit du Grand Hydrophile ; même habitat et même comportement.
Habitat : Eaux stagnantes avec de nombreuses plantes aquatiques.
Distribution : Dans toute l'Europe, ainsi que dans les régions tempérées d'Asie et d'Amérique du Nord.
Fréquence : Espèce autrefois beaucoup plus courante, mais qui se rencontre encore régulièrement.
Reproduction : Œufs également déposés dans un « petit bateau » voguant à la surface de l'eau. Les larves vivent entre les plantes aquatiques. Une fois développées, elles quittent l'eau pour se nymphoser sous terre sur les berges.
Nourriture : Les adultes mangent des plantes aquatiques ; les larves sont prédatrices. Elles sucent des coquillages et des limaces d'eau.
Généralités : Le cocon se divise en deux : en haut un mélange compact de fils et de fibres ; en bas, les œufs, placés les uns à côté des autres. D'où un bon équilibre sur l'eau.

Hydrophilus piceus (L.)
Le Grand Hydrophile

Caractéristiques : 4 à 5 cm. Il existe deu espèces très semblables en Europe. Elles fo partie des plus grands coléoptères d'Europ Elles remontent à la surface pour aller cherch de l'air et, avec leurs antennes, font descend l'air sur la partie ventrale.
Habitat : Eaux stagnantes avec beaucop c plantes aquatiques aux tiges et aux feuill desquelles ces animaux s'agrippent.
Distribution : Hémisphère nord.
Fréquence : Espèce autrefois beaucoup plu courante.
Reproduction : La ♀ transforme une feuil flottant à la surface en un petit bateau dar lequel elle dépose une cinquantaine d'œufs. El installe également un petit tube assurant l'arı vée de l'air. Le petit bateau vogue à la surfac de l'eau.
Nourriture : Les larves chassent dans l'eau ; le adultes mangent des plantes et ne sont dor pas aussi nuisibles qu'on le prétend souvent.

Ilybius obscurus (Mars.)
L'Ilybie de Marsham

Caractéristiques : 1 bon centimètre. Difficile identifier, car de nombreuses espèces d'*Ilybi* très semblables vivent en Europe. Elles fo partie des coléoptères aquatiques (Dysticida dont fait également partie le Dytique bordé même comportement et mêmes exigences éc logiques.
Habitat : Eaux stagnantes, surtout là où pou sent des potamots (Potamogeton).
Distribution : Dans de nombreuses régior d'Europe.
Fréquence : Comme les autres espèces d'*I bius*, espèce assez courante, mais en for diminution.
Nourriture : Les larves et les adultes sont de prédateurs.
Généralités : Sur le prothorax, grosses gland qui sécrètent une substance qui repousse le prédateurs. Cette substance n'a pas la mêm composition chimique que celle sécrétée par Dytique bordé.
Nourriture : Les larves et les adultes sont de prédateurs.

Staphylinus olens Müll.
Le Staphylin odorant

Caractéristiques : 22 à 30 mm. Représentant caractéristique des Staphylinidae. Se reconnaît aux élytres courts recouvrant des ailes artistiquement repliées, lui permettant de très bien voler. Les élytres courts sont caractéristiques de ce groupe de coléoptères, mais se rencontrent également chez d'autres coléoptères. Le groupe des Staphylinidae comprend plus de 2 000 espèces en Europe qui sont souvent difficiles à identifier. Se rencontrent rarement, car vivent cachées. 300 espèces environ vivent cachées dans les fourmilières, en commensales ou en parasites.
Habitat : Sous les feuilles mortes dans les forêts mixtes.
Distribution : Dans toute l'Europe.
Fréquence : L'un des Staphylinidae les plus courants et les plus grands.
Reproduction : Comme chez le *Staphylinus caesareus*.
Nourriture : Petits animaux, également charognes.

Ontholestes tessallatus (Geoff.)
Le Staphylin velu

Caractéristiques : 20 mm. Corps allongé, étroit et recouvert de poils noirs et jaunes formant une jolie marbrure sur le dos. Si l'on enlève ces poils, le corps est noir comme celui de la plupart des Staphylinidae. Il existe quelques espèces semblables en Europe qui sont difficiles à identifier, et qui ressemblent à des espèces d'autres genres des Staphylinidae.
Habitat : Sur les substances en décomposition dans les jardins, les parcs et les forêts.
Fréquence : Espèce courante se rencontrant régulièrement.
Reproduction : La plupart des Staphylinidae déposent leurs œufs dans le sol. Certaines espèces constituent une exception ; leurs larves éclosent au moment de la ponte ; elles sont donc presque vivipares (ovovivipares).
Nourriture : Larves, également charognes.
Généralités : En Europe, certains petits Staphylinidae vivent dans le nid de certains oiseaux et de certains mammifères. Ils mènent une vie de parasite et dépendent de l'espèce-hôte.

Staphylinus caesareus Ceder.
Le Staphylin à raies d'or

Caractéristiques : 18 à 22 mm. Staphylin colo avec des élytres rouges et des taches jaunes s l'abdomen. Reste du corps noir.
Habitat : Au bord des chemins et à la lisière d forêts où on peut les voir courir toute la journé
Distribution : En Europe, mais n'est pas co rante partout.
Fréquence : Espèce courante dans presq toute la France, surtout en basse montagne.
Reproduction : Les premiers adultes sortent printemps de leur cache hivernale. Les œufs sont pas déposés très profondément dans terre. Les petites larves éclosent rapidement muent 3 fois avant de se nymphoser dans petit trou sous terre. Puis apparaissent l adultes. Le développement total dure 2 à 3 mo Une génération par an.
Nourriture : Suce des larves trouvées dans l charognes et les plantes en décomposition.

Paederus littoralis (Grav.)
Le Staphylin des rivages

Caractéristiques : 8 mm. La quinzaine d'esp ces de *Paederus* vivant en Europe sont tout colorées : élytres bleu métallique et pronotu rouge. Difficiles à identifier.
Habitat : Au bord des lacs et des rivière Généralement sur des sols calcaires.
Distribution : Dans toute l'Europe.
Fréquence : Régulière.
Reproduction : Les espèces de *Paederus* et *Stenus* ont sur l'abdomen une glande secréta des substances nauséabondes qui, d'une pa servent à se défendre contre leurs prédateu et, d'autre part, diminuent la tension super cielle de l'eau, créant ainsi un courant qui e traîne l'animal en avant.
Nourriture : Organismes vivants ou morts trouvant près des berges.
Généralités : Les espèces *Paederus* partage leur habitat avec les espèces *Stenus* qui so noires et ont à peu près la même taille. Grou comprenant de nombreuses espèces.

Staphylins

Necrophorus vespilloides H.
Le Nécrophore des agarics

Caractéristiques : 10 à 20 mm. Il existe une dizaine d'espèces en Europe. *N. vespilloides* et *N. vespillo* se ressemblent beaucoup. Mais, chez *N. vespilloides*, le pronotum est toujours lisse et dépourvu de poils, tandis que chez *N. vespillo* il est recouvert d'une fourrure de poils jaunâtres s'épaississant vers le bord. Dessins jaune rougeâtre et noirs sur les élytres qui font penser à une guêpe et avertissent les ennemis.
Habitat : Jardins, parcs et forêts mixtes.
Distribution : Europe et Asie ; presque partout dans les régions tempérées.
Fréquence : Espèce courante se rencontrant régulièrement ; s'approche souvent de la lumière.
Reproduction : Comme chez *N. vespillo*.
Nourriture : Charognes.
Généralités : Lorsqu'on les touche, ces coléoptères sécrétent une substance dégageant une odeur désagréable d'ammoniac.

Oiceoptoma thoracicum (L.)
Le Silphe à corselet rouge

Caractéristiques : 15 mm. Se reconnaît à son pronotum rouge, élargi sur les côtés. Peu de coléoptères s'identifient aussi facilement.
Habitat : Forêts de feuillus mixtes, jardins et parcs redevenus sauvages ; y vit entre les mousses, les lichens, dans les champignons pourris, sur les charognes et les cadavres, parfois dans les excréments.
Distribution : Europe et Asie jusqu'au Japon.
Fréquence : Espèce courante se renconrant régulièrement.
Reproduction : Si plusieurs Silphidae arrivent sur une charogne, ils se battent pour l'avoir. Les ♂ se battent entre eux et les ♀ entre elles, jusqu'à ce qu'il ne reste plus qu'un ♂ et une ♀ qui forment le couple.
Nourriture : Le Silphe à corselet rouge a une prédilection pour le Phalle impudique *(Phallus impudicus)* dont il mange le carpophore. Mange également souvent des charognes et parfois des insectes.

Silpha atrata L.
Le Silphe noir

Caractéristiques : 10 à 15 mm de long. Têt allongée en forme de museau, caractéristiqu de ce coléoptère noir. Il pénètre ainsi aisémen dans la coquille des escargots.
Habitat : Forêts, jardins et parcs, dans le endroits où il y a beaucoup d'escargots et où sol est recouvert d'un tapis ni trop sec, ni tro acide ; ne se rencontre donc pas dans les forêt de conifères.
Distribution : Dans de nombreuses régior d'Europe, surtout dans les forêts de feuillus.
Fréquence : Espèce généralement courant surtout là où il y a beaucoup d'escargots.
Reproduction : Comme chez les *Necrophoru* mais n'a pas besoin de charognes.
Nourriture : Escargots détectés avec l'odora Suit les traces de bave jusqu'à l'escargot. Il suc la bave, puis mord l'escargot pour le tuer. injecte une substance qui décompose les pa ties molles de l'escargot.

Thanatophilus rugosus (L.)
Le Silphe à corselet noir

Caractéristiques : 10 mm. Quelques espèce appartenant au même genre en Europe. L'es pèce la plus courante est *T. sinuatus*, recon naissable à son pronotum martelé. Une espèc très semblable, *Blitophaga opaca*, a un boucli lisse et des poils jaunes. Il n'est pas appréc dans le nord de la France et en Belgique, car le larves mangent les jeunes betteraves et le adultes les feuilles. Se reproduit rarement e masse.
Habitat : Partout où il y a des charognes et de cadavres.
Distribution : Europe et Asie.
Fréquence : Espèce courante se rencontra régulièrement.
Reproduction : Comme chez les autres Silph dae : *Necrophorus vespillo* et *Oiceoptoma th racicum*. Comme chez la plupart des Silphida les adultes hivernent, sauf chez *Necrophor interruptus*, espèce chez laquelle les adult apparaissent au printemps.
Nourriture : Charognes.

Nécrophores

Phausis splendidula (L.) Le Luciole

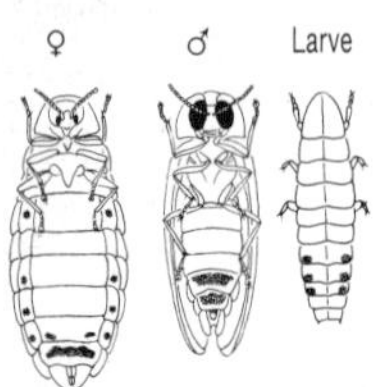

Caractéristiques : Un peu plus de 10 mm de long ; se remarque peu de jour. Évoque les Cantharidae. Dimorphisme sexuel. Les ♀ ont des ailes très courtes et ressemblent à des larves. Corps brun jaune ou légèrement tacheté. Elles possèdent sur la face ventrale des cinquième et sixième segments abdominaux une petite plaque luminescente la nuit jaunâtre, ainsi que de petites taches luminescentes sur les côtés des cinq premiers segments abdominaux. Le soir, la ♀ exhibe ces organes luminescents aux ♂ qui volent autour et qui ne possèdent de luisant que la plaque luminescente. Les ♂ sont plus foncés que les ♀, leurs ailes sont bien développées et ça leur permet de voler au crépuscule en décrivant des cercles. Leur corps est recouvert des petits poils noirs. Les élytres et le pronotum avancent relativement loin de chaque côté du corps et recouvrent, le jour, les pattes de ce coléoptère. Les organes luminescents ont la couleur de la cire. Ils peuvent s'allumer et s'éteindre. Les motifs lumineux sont caractéristiques de cette espèce et permettent aux partenaires de se retrouver. Les larves qui ressemblent aux ♀ ont également des organes lumineux.

Habitat : Prés, jardins, parcs.

Distribution : Régions tempérées d'Europe jusqu'en Asie.

Fréquence : Pendant les chaudes nuits d'été, se rencontre encore souvent. Mais espèce en forte diminution dans de nombreuses régions ces dernières décennies.

Reproduction : Les ♀ posées dans l'herbe « s'allument » pour indiquer au ♂ qui vole autour d'elle qu'elle est prête à s'accoupler. Les œufs sont déposés par terre.

Nourriture : Les larves et les adultes mangent des escargots.

Lampyris noctiluca (L.) Le Ver-luisant

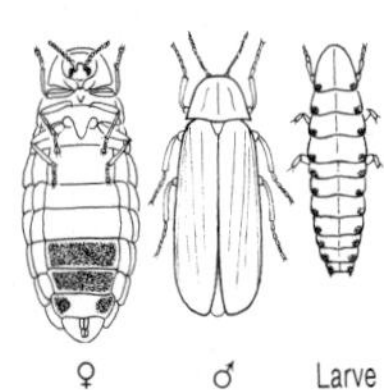

Caractéristiques : 10 à 18 mm ; un peu plus grand que *Phausis splendidula*. Le pronotum large et bombé recouvre également la tête, mais comporte une zone transparente, parallèle au bord antérieur, qui n'est pas divisée en deux comme chez *P. splendidula*. Sinon, mêmes caractéristiques que *P. splendidula*. Les ♀ n'ont pas d'ailes du tout. Le soir, lorsqu'elles sont allumées, elles grimpent volontiers sur les graminées.

Habitat : Forêts de feuillus mixtes, jardins, parcs, surtout là où pousse du millepertuis *(Hypericum)*.

Distribution : Se rencontre dans de nombreuses régions d'Europe, surtout dans les régions tempérées ; jusqu'en Asie.

Fréquence : Espèce en forte diminution depuis quelques décennies, autrefois beaucoup plus courante. Vole au moment du solstice d'été.

Reproduction : Les ♂ et les ♀ se retrouvent pendant les chaudes soirées de juin et juillet grâce à leurs signaux lumineux. Les ♂ ont des yeux composés très grands avec lesquels ils reconnaissent les dessins lumineux de la ♀ appartenant à la même espèce qu'eux. Après l'accouplement, la ♀ dépose ses œufs par terre. On voit les larves déjà briller à travers la coquille. Après avoir mué 5 fois, elles se nymphosent dans la terre.

Nourriture : Escargots que ces animaux tuent en les mordant. Les adultes ne se nourrissent presque plus.

Généralités : La « lumière froide » émise par les lampyres est due à une réaction chimique au cours de laquelle la luciférine est oxydée par des enzymes (luciférase).

♂
♀
Vers-luisants

Cantharis rustica Fall.
Le Moine

Caractéristiques : 10 à 15 mm. Espèce typique des Cantharidae qui se reconnaissent aux élytres seulement légèrement chitinisés. Corps le plus souvent mince et allongé, rouge, bleu ou jaune. *C. rustica* a de longs élytres noirs et un pronotum rouge. Longues antennes divisées en quatre articles, sans massue à l'extrémité.
Habitat : Se pose sur les fleurs des ombellifères dans les prés, et sur les arbustes.
Distribution : Dans presque toute l'Europe.
Fréquence : Espèce courante se rencontrant régulièrement.
Reproduction : Les ♀ déposent leurs œufs dans le sol. Les larves ont de longues soies. A moitié adultes, elles hivernent à terre. L'hiver, lorsqu'il fait doux, elles sortent.
Nourriture : Les adultes et les larves sont des prédateurs. Les adultes attrapent les insectes sur les ombellifères.

Cantharis obscura L.
Le Téléphore obscur

Caractéristiques : 10 à 12 mm. Représentant caractéristique des Cantharidae ; se reconnaît aux taches jaunes recouvrant son pronotum.
Habitat : Forêts de chênes ; lisières des forêts et clairières.
Distribution : Espèce très répandue en Europe.
Fréquence : Espèce courante.
Reproduction : Les œufs sont cachés à quelques centimètres sous terre. Les larves qui en sortent sont recouvertes de poils et hivernent lorsqu'elles sont à moitié développées. Elles se nymphosent au printemps. Une semaine après apparaît l'adulte. Une génération par an.
Nourriture : Les larves se nourrissent d'escargots qu'elles détectent avec leur odorat ; les adultes mangent de jeunes pousses de chênes qui noircissent et se cassent. Toutefois, les dégâts sont insignifiants.
Généralités : Il existe près d'une centaine d'espèces différentes de cantharides en Europe.

Cantharis fusca L.
Le Téléphore brun

Caractéristiques : 10 à 15 mm. Ressemble à *rustica* avec son pronotum rouge et ses élytr noirs. Mais contrairement à *C. rustica*, ses él tres sont parallèles à l'arrière et ne se rétréc sent pas.
Habitat : Prés fleuris où on les rencontre sc vent sur les fleurs des ombellifères. Parfois s les buissons en fleurs à la lisière des forê exposées au soleil ou sur des tallus.
Distribution : Europe. Au nord, jusqu'au sud la Scandinavie ; au sud, jusqu'en Italie du No et en Espagne du Nord. En montagne, en de sous de 1 000 m.
Fréquence : Espèce extrêmement courante été, envahissant les fleurs lorsqu'il fait tr chaud.
Reproduction : Comme chez *C. rustica.*
Nourriture : Les adultes attrapent de petits i sectes sur les fleurs ; les larves se nourrisse d'escargots trouvés par terre qu'elles tuent les mordant et qu'elles avalent.

Rhagonycha fulva (Sc.)
Le Téléphore fauve

Caractéristiques : Jusqu'à 1 cm. Coléoptè brun-ocre ; extrémité des élytres parfois noir tre. Les élytres ne recouvrent pas entièreme l'abdomen dont on voit toujours l'extrémit Difficile à identifier car il existe en Europe ur vingtaine d'espèces appartenant au genre *Rh gonycha*. Il faut souvent examiner l'appar génital pour identifier certaines espèces.
Habitat : Dans les prés fleuris ; se rencont souvent sur les ombelles du cumin des prés, c la carotte, de l'aegopodium, de l'angélique, et
Distribution : Dans toute l'Europe jusqu'au su de la Scandinavie. A l'est, jusqu'au Caucas Jusqu'à 1 000 m d'altitude.
Fréquence : Espèce partout courante.
Reproduction : Comme chez *Cantharis rustic*
Nourriture : Les adultes et les larves sont d prédateurs qui mangent des insectes nuisible Sont donc utiles comme la plupart des cantha des.

Téléphores

Malachius aeneus (L.)
Le Cocardier

Caractéristiques : 7 mm. La famille des Malachidae est représentée par des dizaines d'espèces en Europe. Corps légèrement sclérosé. Élytres et corps très colorés. Chez *M. aeneus*, dimorphisme sexuel prononcé. Les ♂ ont des élytres bleus et un abdomen rouge dépassant des élytres. Les élytres des ♀ sont rouges. Sur la face ventrale des Malachidae, lambeaux de peau qui peuvent se déplier. Les ♂ ont des glandes secrétant une substance attirant les ♀. Avant l'accouplement, le ♂ fait jaillir ces lambeaux de peau et sécrète cette substance odorante. La ♀ s'accroche aux lambeaux de peau et est excitée par la substance sécrétée par le ♂.
Habitat : Prés fleuris.
Distribution : Dans de nombreuses régions d'Europe.
Fréquence : Espèce courante.
Reproduction : Comme chez *M. bipustulatus*.
Nourriture : Les larves et les adultes sont des prédateurs. Les adultes se nourrissent également du pollen des fleurs.

Thanasimus formicarius (L.)
Le Clairon des fourmis

Caractéristiques : 7 à 10 mm. Dessins noirs et blancs et milieu jaune permettant de reconnaître ce coléoptère qui court sur le sol comme une fourmi. Fait partie des Cleridae qui sont tous très colorés. Une trentaine des 3 600 espèces de Cleridae connus dans le monde vivent en Europe.
Habitat : Forêts de conifères.
Distribution : Europe, Asie, Afrique du Nord et Amérique du Nord où cette espèce a été introduite.
Fréquence : Se rencontre régulièrement.
Reproduction : De mars à mai, les ♀ déposent leurs œufs sous l'écorce des arbres. Les petites larves se nourrissent de détritus, les grandes larves de larves de bostryches qu'elles attrapent dans leurs galeries. Elles se nymphosent sous l'écorce. Cycle annuel mal défini : parfois les jeunes hivernent, parfois les larves ou les nymphes. Les larves sont teintées de rose.
Nourriture : Bostryches, leurs œufs et leurs larves.

Malachius bipustulatus (L.)
La Malachie à deux points

Caractéristiques : 6 à 7 mm. Vert. Extrémités des élytres rouges ou jaunâtres ; taches de la même couleur sur le pronotum et à l'extrémité de la tête. Il existe en Europe une vingtaine d'espèces très semblables, plus ou moins courantes. Identification grâce à la position des glandes excitatrices du ♂. En cas de danger, ces coléoptères font saillir sur le côté du corps des lambeaux de peau rouge qui effrayent leurs adversaires.
Habitat : Prés fleuris, bords des chemins, etc.
Distribution : Dans toute l'Europe et dans de nombreuses régions tempérées d'Asie.
Fréquence : Espèce très courante dans certaines régions.
Reproduction : Les ♂ sécrètent une substance odorante spécifique de leur espèce que la ♀ reconnaît. Puis parade compliquée jusqu'à l'accouplement. Les larves vivent dans des fentes dans l'écorce des arbres ou dans les galeries d'insectes. Elles sont prédatrices.

Trichodes apiarus (L.)
Le Clairon des abeilles

Caractéristiques : 10 à 16 mm. Dessins rouge e bleu métallique sur les élytres et sur le corps. compte parmi les plus beaux coléoptères de no régions. Une demi-douzaine d'espèces différen tes en Europe.
Habitat : Prés fleuris. Se pose sur les ombelle de différentes plantes et chasse de petits insec tes.
Distribution : Vivait autrefois dans toute l'Eu rope, mais aujourd'hui a disparu de nombreuse régions — surtout dans le nord. A l'est, jusqu'e Asie Mineure et au sud jusqu'en Afrique d Nord.
Fréquence : Assez commun.
Reproduction : Les ♀ déposent leurs œu dans les nids d'abeilles sauvages, parfois dar les ruches. C'est là que les larves se nymph sent. Espèce peu abondante ne provoquant qu peu de dommages.
Nourriture : Les adultes mangent de petits i sectes ; les larves mangent les œufs des abe les.

Anthaxia fulgurans (Schr.)
L'Anthaxie éclatante

Caractéristiques : 5 mm ; espèce petite et foncée, contrairement aux autres membres de la famille des Buprestidae qui ont de jolies couleurs vives. Environ 150 espèces en France. Sous les tropiques 1 500 espèces qui ont des couleurs brillantes et métalliques. Chez *A. fulgurans*, dimorphisme sexuel : les ♂ ont des reflets vert foncé ; les ♀ sont rouges avec une bande centrale verte.
Habitat : Prés et lisières des forêts. Espèce diurne qui se rencontre sur les ombellifères.
Distribution : Surtout en Europe centrale et méridionnale.
Fréquence : Espèce relativement courante ; les petites espèces de Buprestes étant en France beaucoup plus communes que les grandes.
Reproduction : Les œufs et les larves se développent sous des morceaux d'écorce. Les larves sont nues et aveugles et ont de puissantes pièces buccales.
Nourriture : Les larves se nourrissent de plantes herbacées.

Poecilonota rutilans (F.)
Le Bupreste du tilleul

Caractéristiques : 12 à 15 mm. Ce Buprestidae est un petit joyau qu'il faut protéger, car il a de magnifiques reflets verts ; il tend malheureusement à se raréfier.
Habitat : Allées de vieux tilleuls, forêts mixtes où des arbres morts sont restés. Ne peut pas survivre dans les forêts exploitées avec les méthodes modernes.
Distribution : Espèce thermophile qui se rencontre en France surtout dans le Midi, mais pas exclusivement.
Fréquence : Rare.
Reproduction : Les larves se développent dans les troncs pourris des vieux tilleuls ; c'est là qu'elles creusent leurs galeries plates, sinueuses et s'élargissant de l'arrière vers l'avant. Avant de se nymphoser, la larve creuse un trou pour que l'adulte puisse sortir et quitter le tronc.
Nourriture : Substances végétales vivantes et mortes.

Chrysobothris affinis (F.)
Le Bupreste voisin

Caractéristiques : 12 à 14 mm. Vert métallique ; quatre taches ovales et claires sur les élytres.
Habitat : Vieux troncs de feuillus, vieux vergers, là où de grosses branches pourrissent par terre ; habitat qui tend à disparaître de plus en plus.
Distribution : En Europe jusqu'au sud de la Scandinavie, mais seulement dans certaines régions. A peu près partout en France (forêt de Fontainebleau). A l'est, jusqu'en Iran ; au sud, jusqu'en Afrique du Nord.
Fréquence : Espèce commune dans certaines régions, mais reste relativement localisée.
Reproduction : Se voit souvent les jours ensoleillés de juin et juillet sur les vieux chênes abattus ou morts ou sur les arbres fruitiers. La ♀ dépose ses œufs sous l'écorce ou dans des fentes. Les larves creusent des galeries dans le bois mort et y restent jusqu'au moment où elles se nymphosent.
Nourriture : Végétale.

Anthaxia submontana Ob.
Le Bupreste d'Obenberger

Caractéristiques : 6 à 8 mm. Dimorphisme sexuel prononcé : élytres du ♂ vert-bleu ; tête et pronotum jaune laiton ; ♀ verte, extrémité postérieure cuivrée.
Habitat : Vieux vergers, bosquets, lisières des forêts. Là où il y a par terre de vieux troncs d'arbres pourris, de grosses branches ou des branches de prunelliers à moitié pourries.
Distribution : Dans certaines régions d'Europe, n'existe pas en France.
Fréquence : Espèce rare.
Reproduction : Les ♀ déposent leurs œufs dans les fentes des troncs d'arbres ou sous des morceaux d'écorce molle. Les larves creusent des galeries dans le bois mort. Leur corps est allongé et mince ; elles sont nues, aveugles et apodes. Elles se déplacent à l'aide de leurs puissantes mandibules avec lesquelles elles creusent également leurs galeries. Les adultes se rencontrent l'été sur les ombellifères.

Coccinella septempunctata L. La Coccinelle à sept points

Caractéristiques : 5 à 8 mm. Se reconnaît facilement grâce aux sept points ornant les élytres rouges. C'est l'une des rares espèces que tout le monde connaît parmi la centaine d'espèces de Coccinellidae existant en Europe. La couleur et les dessins des autres espèces sont très variables. Mais toutes ont un corps ovale. Les points ou les taches peuvent avoir des formes très diverses ; ils sont noirs sur un fond clair ou l'inverse. Tous les Coccinellidae ont de courtes antennes se terminant en massue. Ils sont très appréciés car ils mangent les pucerons. Cette espèce a de nombreux noms vernaculaires.
Habitat : Se rencontre presque partout : champs, forêts, parcs et jardins ; également dans les habitations, dans les pots de fleurs, ou les greniers où elle hiverne.
Distribution : Dans toute l'Europe.
Fréquence : Espèce très courante, apparaissant parfois en masse.
Reproduction : En cas de danger, les Coccinellidae font le mort : ils se laissent tomber et ne bougent plus. Ils sécrétent alors parfois un liquide jaunâtre qui repousse certains prédateurs, notamment les fourmis. Les fourmis qui ont léché ce liquide se nettoient ensuite avec beaucoup de soin. Mais ce liquide jaune n'empêche pas certains coléoptères et certains oiseaux de manger une grande quantité de Coccinellidae. Au printemps, la ♀ dépose jusqu'à 400 œufs sur le dessous des feuilles ou dans des fentes. Les petites larves très colore et très mobiles éclosent au bout d'une semai Elles se nourrissent de pucerons se trouv aux alentours ou d'œufs de Coccinellidae arrive souvent que les larves écloses les prem res mangent les autres œufs. Elles se dévelc pent en quatre stades ; la durée de leur dé loppement dépend de la température ex rieure. Plus il fait chaud, plus elles se dévelc pent rapidement. Au moment de se nymphos la larve ne sort pas entièrement de son en loppe, mais s'accroche au sol grâce à u substance qu'elle sécréte. La nymphe a aussi des dessins colorés sur le corps. La du totale du développement est de 30 à 60 jou 2 générations par an. Les Coccinellidae peuv se reproduire très rapidement, en fonction d nourriture disponible. Si les pucerons se rep duisent en masse, les Coccinellidae ne tard pas à se multiplier.
Nourriture : Essentiellement pucerons et c chenilles. Ce sont donc des insectes utiles a cultures. On a constaté que, pendant son veloppement, une larve pouvait théoriquem manger à elle toute seule 3 100 cochenilles... L Coccinellidae sont souvent utilisés dans le ca de la lutte biologique intégrée contre les ins tes nuisibles.

Propylea quattuordecimpunctata (L.) La Coccinelle à 14 points

Caractéristiques : Environ 4 mm. Extraordinaire variété de formes. On connaît plus de 100 formes différentes, souvent considérées comme formant des espèces particulières. Les adultes sont généralement jaunes, avec des points noirs qui sont parfois tellement grands qu'ils cachent la partie jaune.
Habitat : Presque partout dans les forêts, les jardins, les parcs, dans les champs et surtout dans les prés.
Distribution : Dans presque toute l'Europe, du sud jusqu'au cercle polaire.
Fréquence : Espèce très commune se rencontrant régulièrement.
Reproduction : Espèce pouvant être très pro que avec environ 400 œufs par ♀. Mais reproduit rarement en masse, de nombreus larves mourant avant d'être adultes. Prolif seulement lorsque les conditions extérieu sont très favorables et qu'il y a beaucoup pucerons. Les adultes hivernent sous les feui recouvrant le sol ; ils pénètrent parfois dans habitations et hivernent dans les greniers.
Nourriture : Pucerons, espèce donc très app ciée.

Hippodamia tredecimpunctata (L.)
La Coccinelle à 13 points

Caractéristiques : Jusqu'à 7 mm. 13 points noirs sur les élytres rouges. Pronotum plutôt clair avec des dessins noirs. Couleur très variable, de rouge à noir. Dernière variante assez rare.
Habitat : Prés inondés ou humides ; surtout sur le sparganium, le carex, les joncs et les roseaux. Dans les vallées et dans les régions vallonnées.
Distribution : Europe ; à l'est, jusqu'en Sibérie.
Fréquence : Espèce assez courante, mais ne se rencontrant pas partout, exigeant des biotopes particuliers.
Reproduction : Les jeunes adultes hivernent. Les premiers apparaissent au printemps. Mais la plupart des Coccinelles à 13 points se rencontrent en plein été, lorsque la jeune génération est entièrement développée.
Nourriture : Pucerons vivant sur les joncs et les roseaux. Également pucerons du saule.

Calvia decemguttata (L.)
La Coccinelle à 10 points

Caractéristiques : 6 à 7 mm. Les points jaunes sur les élytres bruns ne permettent pas d'identifier cette espèce, car il existe en Europe de nombreuses espèces semblables, apparentées les unes aux autres. Seul le spécialiste peut distinguer *C. decemguttata* et *C. quattuordecimguttata* par exemple.
Habitat : Espèce aimant l'humidité que l'on rencontre au bord des ruisseaux, dans les prés inondés et dans les marécages.
Distribution : Ne se rencontre pas partout en Europe. N'existe pas dans les régions froides du Nord. Vit surtout dans le centre et le sud de l'Europe, dans le bassin méditerranéen et dans la partie de la Sibérie où le climat est relativement doux ; jusqu'au Japon.
Fréquence : Très variable : parfois rare, voire inexistante, puis très courante ensuite.
Reproduction : Les adultes hivernent dans le sol ou dans les fentes de l'écorce des arbres.
Nourriture : Pucerons.

Anatis ocellata (L.)
La Coccinelle ocellée

Caractéristiques : 1 cm ; c'est l'un des plu[s] grands Coccinellidae. Points noirs encerclés d[e] blanc sur un fond brun-rouge, d'où son nom[.] Aspect très variable : chez certains animaux, l[e] cercle clair — c'est-à-dire les « yeux » n'exist[e] pas. Pronotum toujours noir et jaune.
Habitat : Uniquement dans les forêts d[e] conifères ; parfois sous les conifères dans le[s] jardins ou les parcs. Jusqu'à haute altitude.
Distribution : Europe, Asie et Amérique.
Fréquence : Espèce parfois courante, se ren[-]contrant régulièrement.
Reproduction : Les adultes qui hivernent sou[s] les tapis d'aiguilles sortent relativement tôt dan[s] l'année. Les larves sont grises, avec des tache[s] noires et jaunes.
Nourriture : Les larves et les adultes se nourris[-]sent de pucerons.
Généralités : Animaux utiles aux sylviculteurs car détruisant les pucerons

Thea vigintiduopunctata (L.)
La Coccinelle à 22 points

Caractéristiques : 5 mm. 22 petits points noir[s] sur les élytres jaunes et brillantes et sur l[e] pronotum.
Habitat : Lisières des forêts chaudes et ensolei[l]lées, bords des chemins, terrains en friches e[t] autres endroits avec peu de végétation. Jusqu'[à] 1 000 m.
Distribution : Europe. Jusqu'en Asie.
Fréquence : Se rencontre régulièrement ; par[-]fois très courante dans certains biotopes.
Reproduction : Comme chez la Coccinelle [à] 7 points.
Nourriture : Champignons du blanc.
Généralités : Si la majorité des coccinelles s[e] nourrissent de pucerons, d'autres ont une nour[-]riture particulière. *Stethorus punctillum*, pa[r] exemple, se nourrit d'un acarien dit « Araigné[e] rouge ».

Coccinelles

Anobium punctatum (DG.) La Vrillette domestique

Caractéristiques : 5 mm. Petit coléoptère foncé, peu visible, mais très connu, car ses larves rongent les vieilles poutres et les meubles. Quelques vieilles fermes ont déjà été littéralement dévastées par la Vrillette domestique.
Habitat : Dans les arbres ou les branches mortes. Souvent dans les habitations.
Distribution : En Europe et en Asie jusqu'au-delà du cercle polaire. Espèce introduite accidentellement en Amérique et en Australie.
Fréquence : Variable ; commune dans certaines régions.
Reproduction : La ♀ dépose ses œufs dans le bois. Les larves ressemblent à des vers blancs avec leurs courtes pattes et leurs puissan mandibules avec lesquelles elles creusent d galeries dans le bois sec. Elles se nourrissent bois et vivent et se nymphosent dans le bois. développement peut durer plus d'un an.
Nourriture : Les larves et les adultes digèrent cellulose grâce à des micro-organismes symb tiques se trouvant dans leur intestin.
Généralités : En cas de danger, les Anobi rentrent leur tête sous le pronotum en forme capuchon.

Dermestes lardarius L. Le Dermeste du lard

Caractéristiques : 1 cm de long. Coléoptère foncé, recouvert de poils, avec une bande brun-jaune.
Habitat : Rare en pleine nature. Espèce courante dans les habitations, les garde-manger, les entrepôts, les nids d'oiseaux et de mammifères.
Distribution : Espèce introduite dans le monde entier.
Fréquence : Espèce parfois très courante.
Reproduction : Les ♀ déposent leurs œufs dans les réserves alimentaires. Les larves muent entre 5 et 7 fois, parfois plus lorsqu'elles ne trouvent pas assez de nourriture, avant de se nymphoser.

Stegobium paniceum (L.) La Vrillette du pain

Caractéristiques : 4 mm. Nuisible.
Habitat : Espèce synanthrope. Rare dans nature. Plus courante dans les réserves d' mentation, dans le pain et autres produits mentaires, même dans le chocolat, les épice
Distribution : Espèce introduite dans le mon entier.
Fréquence : Espèce parfois très courante, rencontrant régulièrement.
Reproduction : La ♀ dépose ses œufs dans pain, les gâteaux, le chocolat, etc. C'est là c les larves se développent et se nymphosent. F de cycle annuel précis : toute l'année appara sent des adultes qui pondent des œufs.

Pyrochroa coccinea (L.) La Cardinale

Caractéristiques : 15 à 18 mm. Élytres et pronotum rouge vif. Tête triangulaire et noire comme les pattes. Antennes très longues, robustes et dentées comme un peigne.
Habitat : Forêts de feuillus mixtes et prés.
Distribution : Nombreuses régions d'Europe.
Fréquence : Assez courante.
Reproduction : Les œufs sont déposés sous des morceaux d'écorce ou dans les fentes de troncs d'arbres ou d'arbres abattus. Les larves dont le corps est aplati chassent les larves de Cerambycidae et de Buprestidae.
Nourriture : Les adultes sucent le nectar et mangent le pollen des fleurs. Larves prédatrices.

Variimorda fasciata (F.) La Mordèle à fascies

Caractéristiques : 1 cm. Abdomen très long q fait tourner et sauter.
Habitat : Dans les fleurs de toutes sortes.
Distribution : Europe.
Fréquence : Se rencontre régulièrement, parf en masse.
Reproduction : Les petites larves pénètr dans les fleurs, le bois pourri, les troncs d' bres, les branches et les troncs de pruniers, elles causent parfois des dégâts. Se nymp sent après avoir mué plusieurs fois.
Généralités : On connaît une bonne centa d'espèces de mordèles en Europe, qui se r semblent beaucoup.

Dermestes,
vrillettes,
mordelles

Meloe proscarabaeus L.
La Méloé proscarabée

Caractéristiques : 1 à 3,5 cm. ♂ nettement plus petits, seulement 1 cm de long. Coléoptère noir-bleu. Abdomen des ♀ très gros.
Habitat : Prés fleuris en plaine.
Distribution : Europe.
Fréquence : Variable, abondante dans le Midi.
Reproduction : La ♀ pond entre 2 000 et 4 000 œufs. Mais peu d'entre eux arrivent au stade adulte, car le processus de développement des larves est extrêmement complexe. Les petites larves sont pourvues de trois griffes, appelées triongulins *(triungulinus)*, avec lesquelles elles s'accrochent aux abeilles. Elles arrivent ainsi dans le nid des abeilles où elles mangent les œufs, puis le miel, une fois transformées en vers apodes. Après avoir mué, elles quittent la ruche. Elles muent encore deux fois avant de se nymphoser.

Lagria hirta (L.)
La Lagrie hérissée

Caractéristiques : 8 à 10 mm. Adulte toujours recouvert de poils denses. Espèce facile à identifier.
Habitat : Forêts claires, vallées, endroits humides.
Distribution : Dans toute l'Europe, de la plaine jusqu'en montagne. A l'est, jusqu'en Sibérie.
Fréquence : Espèce banale, se rencontrant régulièrement.
Reproduction : Les ♀ déposent leurs œufs sous les feuilles par terre. Les larves éclosent au bout de quelques jours et se nourrissent de substances végétales en décomposition. Leur corps est recouvert de poils. Elles se nymphosent dans la terre ; c'est là que la nymphe hiverne. Les adultes apparaissent au printemps.
Généralités : Ces animaux digèrent la cellulose grâce à des micro-organismes symbiotiques vivant dans leur intestin. Les œufs sont recouverts d'une substance sécrétée par l'intestin. Les micro-organismes symbiotiques traversent la paroi de l'œuf pour y pénétrer.

Lytta vesicatoria (L.)
La Cantharide vésicatoire

Caractéristiques : 2 cm. Vert-bleu ; même cc portement biologique que *Meloe prosc baeus.*
Habitat : Forêts de feuillus et lisières enso lées. Au début de l'été, les adultes et les lar se posent sur les fleurs des troènes, des lilas des frênes.
Distribution : Apparition irrégulière dans le n de la France. Se rencontre surtout dans bassin méditérranéen.
Fréquence : Espèce parfois localement ab dante, mais apparaît de manière irrégulière.
Reproduction : Les petites larves, ou triongul attendent sur les fleurs les abeilles auxque elles s'accrochent, se faisant ainsi transpo dans leurs nids. Elles y mangent le miel, p après avoir mué deux fois, quittent le nid et transforment en ver qui reste presque immob
Généralités : Les Cantharides vésicatoires Mouches d'Espagne) sécrètent une substa toxique, la cantharidine utilisée au Moyen A comme médicament (contre l'impuissance).

Cteniopus sulphureus (L.)
La Cistèle jaune

Caractéristiques : 1 cm de long ; coléopt jaunâtre apparaissant en groupe sur les omb les de la carotte et d'autres ombellifères. Co mou. Fait partie de la famille des Alleculid dont une trentaine d'espèces vivent en Euro
Habitat : Bords des chemins, talus, pâturag forêts de feuillus claires, prés, là où les cor tions climatiques sont favorables.
Distribution : Surtout dans les régions chau d'Europe centrale et méridionale.
Fréquence : Espèce assez courante dans c taines régions, toujours en groupe.
Reproduction : Les larves vivent dans le b pourri par terre. C'est là qu'elles se nymp sent ; l'été, s'accouplent sur les ombellifère
Nourriture : Végétale ; digère la cellulose grâ aux microbes symbiotiques vivant dans les plis de leur intestin.

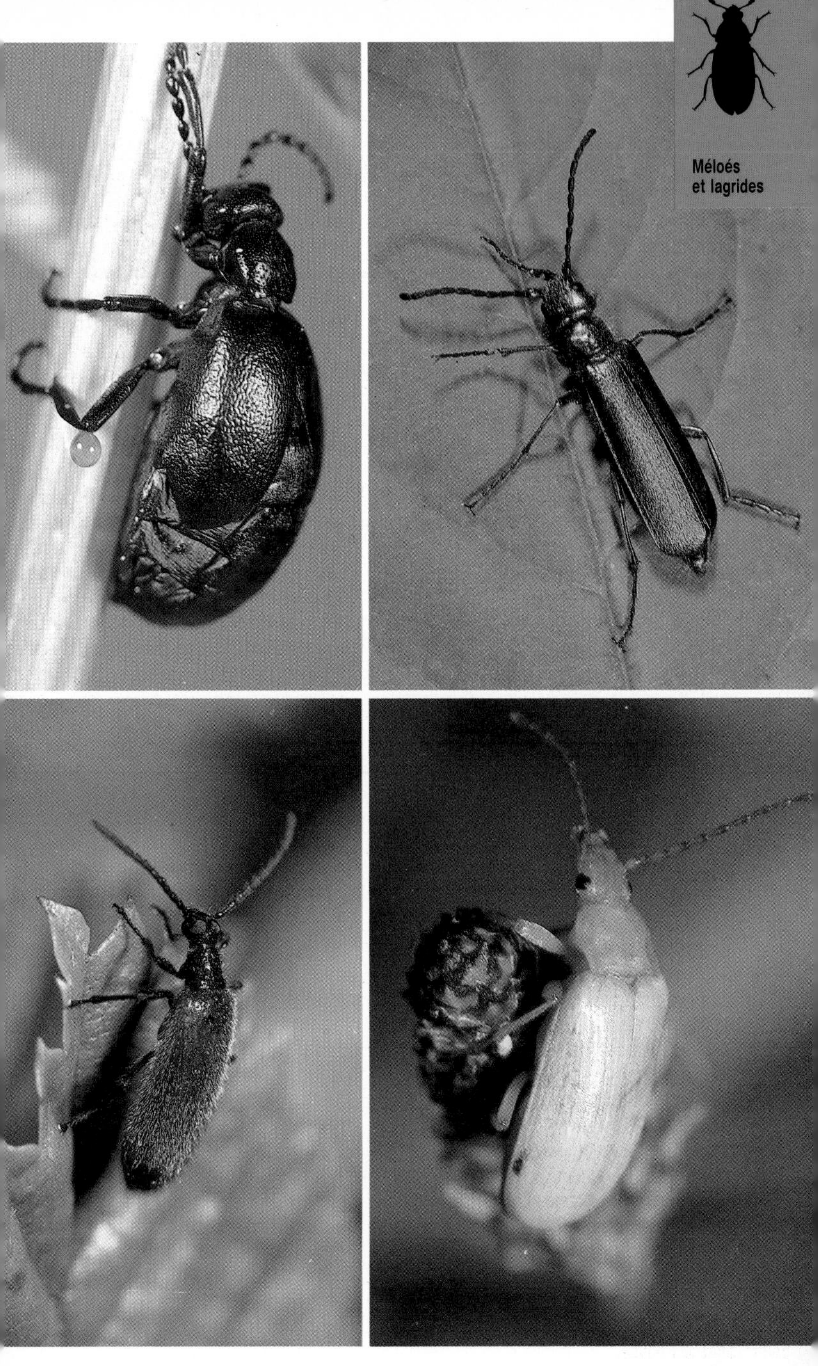

Tenebrio molitor L.
Le Ténébrion de la farine

Caractéristiques : Environ 2 cm. Corps noir, d'où le nom de Tenebrionidae. Plus de 80 espèces en Europe. Les ténébrionides vivant sous les tropiques sont parfois très colorés.
Habitat : Forêts, terrains buissonneux, jardins, parcs. Se rencontre souvent dans les habitations et les entrepôts où il cause des dégâts importants.
Distribution : Espèce aujourd'hui cosmopolite.
Fréquence : Espèce courante, se rencontrant régulièrement.
Reproduction : Les ♀ fécondées déposent leurs œufs dans les feuilles ou dans la farine et autres denrées. Les larves brun-jaune sont appelées Vers de la farine. Cette espèce est élevée dans les zoos pour nourrir les espèces insectivores : oiseaux, reptiles, amphibiens, petits mammifères.

Blaps mortisaga (L.)
Le Blaps présage de mort

Caractéristiques : 2 à 3 cm. Grand coléoptère noir. Une dizaine d'espèces très semblables et faisant partie de la même famille vivent en Europe. Difficiles à identifier. Sur l'abdomen, des glandes sécrètent une substance à l'odeur très désagréable que cet animal fait jaillir en direction de l'ennemi en cas de danger. Élytres se terminant en pointe et soudés entre eux, ce qui ne permet pas aux Blaps de voler.
Habitat : Sous les feuilles et l'humus. Le plus souvent dans les caves et les provisions. Vit caché.
Distribution : Dans toute l'Europe et dans certaines régions d'Asie.
Fréquence : Espèce parfois courante, se rencontrant régulièrement.
Reproduction : Les larves vivent dans certaines denrées alimentaires. Dans la nature, elles se nourrissent de substances végétales en décomposition. Elles se nymphosent là où elles vivent. Cycle annuel chez les animaux vivant dans la nature, mais non chez ceux qui vivent dans les caves.

Oncomera femorata (F.)
L'Oedemère verdâtre

Caractéristiques : 8 à 10 mm. Représen caractéristique de la famille des Oedemeri Élytres se rétrécissant vers l'arrière, découv ainsi l'abdomen et les ailes membraneuse existe en Europe plus de 30 espèces qui s difficiles à identifier. *O. femorata* est l'espèc plus courante. Les ♂ se reconnaissent à l fémurs très renflés. Élytres mous chez to les espèces.
Habitat : Les adultes se posent au soleil, su fleurs à la lisière des forêts et dans les vall
Distribution : Dans de nombreuses rég d'Europe, surtout dans le sud.
Fréquence : Espèce généralement courant
Reproduction : Les larves vivent dans le pourri ou dans les tiges mortes où elles s'en cent. Même aspect et même comportement les larves des Cerambycidae. Les adultes ap raissent en juin et juillet.
Nourriture : Les adultes se nourrissent unic ment de pollen ; les larves mangent égalem d'autres parties de plantes.

Opatrum sabulosum (L.)
Le Scarabée des sables

Caractéristiques : Jusqu'à 1 cm. Brun a plusieurs cannelures sur les élytres. Très d rent de *Tenebrio molitor* et de *Blaps mortis* ce qui est caractéristique des Tenebrioni dont la forme varie tellement qu'ils ressemb à toutes les familles de coléoptères. La cou varie avec l'environnement : animaux de cou relativement foncée sur les sols foncés.
Habitat : Aime la chaleur et les sous-sols blonneux. Se rencontre souvent dans les zo rudérales sur les versants exposés au sud, les talus, au bord des chemins et à la lisière forêts.
Distribution : Dans toute l'Europe.
Fréquence : Espèce courante.
Reproduction : Des œufs déposés dans le sortent de petites larves qui se nourrissen plantes. Peu d'exigences quant à la nourrit Provoquent souvent des dommages en m geant les cultures sous la terre et à la surf Le développement dure 2 ans. Les larves hi nent deux fois.

Ténébrions

Lucanus cervus (L.) Le Lucane Cerf-volant

Caractéristiques : ♂ de 3 à 8 cm (avec ses « cornes ») ; ♀ de 2,5 à 5 cm, nettement plus petite. Les ♀ se reconnaissent à l'absence de cornes. Mais parfois les ♂ n'en ont pas non plus, lorsque leur nourriture est insuffisante. Ils sont alors très difficiles à distinguer des ♀. Les « bois » du ♂ sont formés par les mandibules très développées qui ne leur servent pas à manger, mais à se battre. Pour se nourrir, le Lucane Cerf-volant aspire avec son labre brun-rouge la sève des arbres, notamment celle des chênes. Les puissantes mandibules des ♀ leur permettent de mordre l'écorce pour parvenir à la sève sucrée des chênes.

Habitat : Surtout dans les vieilles forêts de chênes ; se rencontre sur les troncs pourris, sur les branches tombées par terre ou en haut des arbres. Pour survivre, a donc besoin de forêts restées naturelles ; se satisfait aussi des grands parcs.

Distribution : En Europe, presque partout où il y a des forêts de feuillus.

Fréquence : A l'origine, les Lucanes Cerf-volant étaient tellement courants que tous les enfants jouaient avec et ramassaient les bois. Aujourd'hui, ils sont devenus moins communs. Cette forte diminution n'est pas due à l'activité des collectionneurs de coléoptères, mais à la profonde modification de la sylviculture. Ces jolis coléoptères n'ont aucune chance de survivre si tous les arbres creux, toutes les souches et toutes les branches mortes sont systématiquement enlevés. La raréfaction des Lucanes Cerf-volant nous incite à les protéger en s'abstenant de les ramasser, de les tuer et de les enlever de leur habitat.

Reproduction : Espèce active au crépuscule. Pendant les soirées chaudes, les Lucanes Cerf-volant cherchent des endroits où sucer la sève. Lorsque plusieurs ♂ arrivent au même endroit, ils se battent entre eux. Ils entremêlent leurs bois et cherchent à se soulever les uns les autres. Le but est de faire tomber l'adversaire de la souche. Même les ♀ sont chassées. Au bout d'une heure, il ne reste plus qu'un couple. Le ♂ se met alors sur la ♀, leurs têtes étant alignées. Ils restent dans cette position pendant plusieurs jours. Étant toujours sur un arbre, ils peuvent se nourrir. Le ♂ enfonce sa « langue » entre les mandibules de la ♀. Après l'accouplement, ♀ dépose ses œufs dans un tronc d'arb pourri ou par terre, près d'une racine. Le dév loppement des larves dure 3 à 5 ans en fonctio de la température et de la nourriture. Ell ressemblent à un gros ver blanc. Les larves bie nourries peuvent mesurer jusqu'à 10 cm. Jus avant de se nymphoser, elles se construisent u « berceau ». Le berceau des ♂ est toujou plus grand que celui des ♀. Les mandibule sont orientées sur la face ventrale vers l'int rieur. Dans le berceau mâle qui a la taille d'u poing, les mandibules ont suffisamment d place pour se développer. Les adultes émerge en automne, mais restent cachés jusqu'au pri temps. Ils ne sortent à l'air libre qu'en juin o juillet, lorsqu'il fait chaud.

Nourriture : Les adultes sucent la sève d différents feuillus, surtout celle des chêne Tandis que les ♀ peuvent, grâce à leurs pui santes mandibules, mordre l'écorce pour a teindre la sève, les ♂ sont obligés de trouv des arbres d'où la sève coule déjà. Ils sont alo guidés par leur odorat, étant attirés par le substances odorantes dégagées par les ♀ qu tout en suçant la sève, expulsent des excré ments dans toutes les directions. Les larves s nourrissent de substances végétales, de bo pourri et de racines de vieux chênes.

Généralités : Les animaux ayant des mandibule plus petites sont classés dans la forme *capre lus*, ce qui veut dire bois de chevreuil.

Voir aussi p. 12

♂ ♂

♀

♂ ♂

Dorcus parallelipipedus (L.)
La Petite Biche

Caractéristiques : 2 à 3 cm. Réplique en miniature du Lucane Cerf-volant ; toujours sans bois. Grosse tête et puissantes mandibules chez les animaux des deux sexes.
Habitat : Forêts de feuillus mixtes.
Distribution : Dans toute l'Europe, mais plus rare dans le nord que dans le sud. Jusqu'en Asie Mineure.
Fréquence : Espèce nettement plus répandue que le Lucane Cerf-volant. Mais également en forte régression.
Reproduction : Les œufs sont déposés dans le sol. S'y développent pendant plusieurs années.
Nourriture : Les adultes sucent la sève de différents arbres. Les larves se nourrissent de substances végétales, surtout de racines.
Généralités : Pratiquement même comportement et même nourriture que le Lucane. Mais se trouvent moins souvent sur les vieux chênes ; vivent également sur les tilleuls, les hêtres, les ormes, les mélèzes, les pins et les arbres fruitiers.

Platycerus caraboides (L.)
La Chevrette

Caractéristiques : 10 à 15 mm. Par sa taille et son aspect, ressemble plutôt à un Carabidae. Couleur très variable, mais généralement le bleu domine. Parfois reflets métalliques bleus, vert, violet-bleu ou noir-bleu. Difficile à distinguer de *P. caprea*, qui est un peu plus grand. Ces deux espèces sont souvent confondues.
Habitat : Vallées en plaine, dans les forêts de feuillus mixtes. *P. caprea* se rencontre à moyenne et haute altitude, jusqu'en montagne, également dans les forêts de feuillus mixtes.
Distribution : Seulement en Europe de l'Ouest et en Europe centrale ; ne se rencontre ni dans le nord, ni dans le sud.
Fréquence : *P. caraboides* et *P. caprea* se rencontrent irrégulièrement dans certaines régions. Apparaissent parfois en masse.
Reproduction : Comme chez le Lucane Cerf-volant. Les larves se développement dans le bois pourri, généralement dans les chênes et les hêtres.
Nourriture : En été, les adultes mangent les bourgeons des chênes et des hêtres.

Sinodendron cylindricum (L.)
Le Sinodendron cylindrique

Caractéristiques : 1,5 cm. Corps très noir cylindrique. Dimorphisme sexuel : Les ♂ sur la tête une corne recourbée vers l'arrière n'existe pas chez les ♀. Elles ont simplem une petite bosse. Le rôle biologique de ce corne n'est pas encore clair ; elle joue s doute un rôle lors des combats.
Habitat : Forêts de feuillus mixtes en montag Ne vit pas dans les vallées.
Distribution : En Europe jusqu'en Sibérie.
Fréquence : Se rencontre régulièrement s être très courant.
Reproduction : Les ♀ déposent leurs œ dans le sol, près des racines des hêtres. larves vivent là pendant au moins 3 ans, avant se construire un berceau et de se nymphos Les larves, les nymphes et les adultes hiverne
Nourriture : Sève de différents feuillus, surt des hêtres.

Odontaeus armiger (Sc.)
Le Scarabée armé

Caractéristiques : Jusqu'à 1 cm. Facile à id tifier. Petit corps court et bombé. Les ♂ p tent sur la tête une corne étroite dont la ba peut bouger. A cet endroit, les ♀ ont une pet barre transversale avec deux petites corn Corps très noir.
Habitat : Forêts de feuillus mixtes, prés vallées.
Distribution : Dans certaines régions d'Euro
Fréquence : Se rencontre seul ou en p nombre. N'est jamais apparu en masse.
Reproduction : Fait partie de la famille Scarabaeidae. On sait peu de choses sur s mode de vie qui est sans doute semblable à ce des autres Scarabaeidae. Voir également Hanneton.
Généralités : La famille des Scarabaeidae con tent environ 20 000 espèces dans le mon dont plus de 700 en Europe.

Melolontha melolontha (L.) Le Hanneton commun

Caractéristiques : 2 à 3 cm. Le Hanneton commun se distingue de *M. hippocastani* par le prolongement étroit et pointu se trouvant à l'extrémité de l'abdomen (pygidium). Thorax noir brillant. Les élytres donnent l'impression d'être vernis. Ils sont généralement bruns, mais leur couleur peut varier. Les antennes des ♂ se terminent par sept lamelles, celles des ♀ par cinq seulement. Sur le dessous de l'abdomen, taches blanches se détachant sur un fond noir. Suivant les régions, les adultes volent de fin mai à début juillet ; en Europe centrale, parfois début mai.
Habitat : Prés, jardins et cultures jusqu'à 1 000 m d'altitude ; se rencontre surtout à la lisière des forêts et dans les vergers.
Distribution : Europe centrale et sud de l'Europe du Nord. N'existe pas dans le bassin méditerranéen. Répandu en France.
Fréquence : Espèce encore très courante dans la première moitié du 20e siècle qui dévastait les forêts de feuillus et les vergers. Aujourd'hui, presque partout rare, voire très rare. Fréquence très variable.
Reproduction : Les adultes qui apparaissent e automne hivernent dans des trous creusés sou la terre. Au printemps, lorsque la nuit tombe, i sortent presque tous en même temps et s rassemblent près des jeunes arbres. Après avoi mangé, ils s'accouplent. Les ♀ déposent leur œufs dans des trous creusés sous le sol de prairies. Elles les recouvrent d'excréments donnant ainsi aux larves les symbiotes nécessai res pour digérer les racines. Le développemen dure 3 à 4 ans selon le climat. Dans les jardin et les vergers, les larves causent d'important dégâts aux racines. Ces insectes sont don combattus énergiquement.
Nourriture : Les adultes mangent les feuilles d différents feuillus. Les larves ne mangent qu des racines.

Melolontha hippocastani F. Le Hanneton des bois

Caractéristiques : 2,5 cm de long. Un peu plus petit que le Hanneton commun à qui il ressemble beaucoup. Abdomen terminé par un prolongement noueux ; thorax brunâtre, recouvert de quelques poils. Élytres plus clairs avec des cannelures moins visibles.
Habitat : Forêts claires, lisières, surtout en montagne et dans les landes.
Distribution : Presque toute la France, surtout en région montagneuse.
Fréquence : Espèce jamais rare, mais beaucoup moins courante que le Hanneton commun. Nombre restant à peu près constant.
Reproduction : Comme le Hanneton commun, doit se nourrir avant de s'accoupler. Ceci est sans doute en rapport avec la production d'excréments nécessaires pour les larves qui renferment dans leur estomac des micro-organismes symbiotiques leur permettant de digérer la cellulose et les composants des racines. La diminution du nombre de hannetons est peut-être due à l'utilisation, ces dernières années, de produits chimiques destinés à protéger les racines et qui détruisent la flore intestinal des larves. D'où la diminution de ces espèces
Généralités : Le moment pendant lequel le adultes volent dépend de la saison, de la tempé rature du sol et des conditions météorologique du moment. Ils apparaissent souvent lorsque le feuilles sont déjà sorties. Les adultes se nourris sent la nuit. Le matin, ils se laissent tomber lorsque l'on secoue les arbres. Du fait de leu poids relativement important, ils volent d'un manière caractéristique « en oblique » tout e bourdonnant bruyamment.

Voir aussi p. 12, 276

Polyphylla fullo (L.)
Le Hanneton foulon

Caractéristiques : 25 à 35 mm. Superbe coléoptère qui, du fait de sa taille et de sa couleur, ne peut être confondu avec aucune autre espèce.
Habitat : Sur les sols sablonneux dans les landes, les pinèdes et les vignobles. Souvent près des côtes atlantiques.
Distribution : Dans toute l'Europe, mais seulement dans certains endroits. A l'est, jusqu'à la Volga.
Fréquence : Apparition sporadique.
Reproduction : Comme le Hanneton commun, devient actif au crépuscule. Les adultes volent droit devant eux à la recherche de silhouettes sombres : forêts, bosquets. La ♀ se reconnaît aux 5 courtes lamelles terminant ses antennes (7 longues lamelles chez le ♂) dépose, après l'accouplement qui se produit sur l'arbre où le couple s'est nourri, ses œufs par petits paquets dans le sable ou dans les sols meubles. Les larves mangent les racines des plantes herbacées et des ceps de vigne. Les adultes mangent les aiguilles de pins.

Anomala dubia (Sc.)
Le Hanneton bronzé

Caractéristiques : 12 à 15 mm. Ressemble au Hanneton des jardins, mais n'a pas de poils. Pronotum et tête très colorés : corps bicolore brun-vert. Reflets bleus ou verts sur la tête et le pronotum.
Habitat : Landes, pinèdes, bordures des rivières, sols sablonneux.
Distribution : Presque toute l'Europe.
Fréquence : Espèce courante, apparaissant régulièrement.
Reproduction : Se rencontre de mai à août, lorsqu'il fait chaud. Se cache dès qu'il fait frais. Vole surtout en juillet, parfois plus tôt ou plus tard selon les conditions climatiques. L'adulte se repose et mange dans les landes dans le nord et plutôt sur les bouleaux dans le sud. Même comportement biologique que le Hanneton commun. Le développement dure deux ans.
Nourriture : Les adultes mangent les feuilles de différents arbres, parfois les aiguilles de pins. Les vers mangent les racines des céréales, des graminées et des arbustes. Ne causent pas de dégâts.

Phyllopertha horticola (L.)
Le Hanneton des jardins

Caractéristiques : Environ 1 cm. Élytres brun Pronotum et tête avec des reflets bleu-gr foncés. Corps recouvert de poils. Facile à iden fier.
Habitat : Jardins, parcs, prairies, lisières de forêts.
Distribution : Dans toute l'Europe. A l'est, ju qu'en Mongolie.
Fréquence : Espèce de hanneton la plus co rante. Il existe d'autres coléoptères semblable en Europe.
Reproduction : Les adultes qui sont apparus e automne et ont hiverné dans un berceau sorte pendant les chaudes soirées de juin. Les ♀ sont rapidement détectées et fécondées par le ♂ qui volent très près du sol. Elles déposen leurs œufs dans le sol et ressortent pour s'ac coupler et pondre à nouveau.
Nourriture : Les adultes mangent les feuilles de rosiers et d'autres arbustes à fleurs. Les larve mangent les racines du trèfle, de céréales d'autres plantes.

Amphimallon solstitialis (L.)
Le Hanneton de la Saint-Jean

Caractéristiques : 14 à 18 mm. Corps recouve de poils, brun et jaunâtre. Élytres, pronotum e tête de la même couleur. Les ♂ se reconnais sent aux lamelles plus larges et plus grandes d leurs antennes.
Habitat : Presque partout dans les zones dé couvertes : vallées, jardins, bords des chemin et des champs lorsque ceux-ci ne sont pa traités avec des produits chimiques qui empo sonnent les larves.
Distribution : Dans toute l'Europe et dans pres que toute l'Asie, sauf dans les régions subtrop cales et tropicales. De la plaine jusqu'en monta gne.
Fréquence : Espèce courante, se rencontrar régulièrement.
Reproduction : Voir le Hanneton commun. E juin, volent en essaims avant la tombée de nuit. Le développement dure 2 à 3 ans. Le larves vivent et se nymphosent au printemp sous terre. Les adultes apparaissent quelque semaines plus tard.
Nourriture : Les larves mangent les racines.

Scarabaeus sacer L.
Le Scarabée sacré

Caractéristiques : 28 à 32 mm. Corps très noir ; puissantes mandibules transformées en pattes fouisseuses. Pattes antérieures sans tarses.
Habitat : Endroits chauds et ensoleillés avec peu de végétation et un sous-sol sablonneux. Crottins, bouses.
Distribution : Bassin méditerranéen et Afrique du Nord. En France : littoral ouest méditerranéen, Corse.
Fréquence : Localement abondante.
Reproduction : Le ♂ et la ♀ fabriquent de petites boules avec des excréments qu'elles font rouler en marchant à reculons. La ♀ attend pendant que le ♂ creuse un trou dans le sable. Elle entre alors dans le trou avec la boule qu'elle transforme en « poire ». Puis elle pond un œuf sur le dessus.
Nourriture : Les adultes mangent des boules qu'ils ont fabriquées avec du fumier.
Généralités : Les Egyptiens vénéraient ces insectes, les mettaient dans les tombes et en avaient fait une figure de hiéroglyphe.

Hoplia argentea (P.)
L'Hoplie argentée

Caractéristiques : 8 à 10 mm. Les écailles ont des reflets argent jaunâtre ou verdâtre, parfois brunâtre, comme si elles étaient recouvertes d'une poudre brillante. Antennes de 9 articles.
Habitat : Zones découvertes avec des bosquets d'arbres, parcs, forêts mixtes, jardins redevenus sauvages, lisières des forêts, et prairies. Le jour, sous les touffes d'herbes ou dans les feuilles. Sur les fleurs en juin-juillet.
Distribution : Espèce courante en Allemagne du Sud, dans les Alpes et les Préalpes. Surtout dans le centre et l'est de la France. Evite les régions de plaines.
Fréquence : Variable ; parfois courante dans les montagnes de moyenne et haute altitude.
Reproduction : Accouplement au crépuscule. Vole en s'orientant avec l'odorat et la lune : sur les courtes distances, la position de la lune se fixe sur un point de l'œil du coléoptère, si bien qu'il peut garder le même cap.
Nourriture : Les larves se nourrissent de racines de plantes, mais ne causent pas de dégâts.

Serica brunnea (L.)

Caractéristiques : 10 à 15 mm. Élytres can lés ; corps brun, ovale et plus fortement bom que celui du Hanneton commun à qui il semble, mais avec lequel il ne peut pas confondu, car beaucoup plus petit.
Habitat : Forêts mixtes, parcs, jardins rede nus sauvages, zones découvertes avec buissons et des arbres. Le jour, les adultes reposent sous la mousse et sous les pierre
Distribution : Nombreuses régions d'Europe
Fréquence : Courante.
Reproduction : Les adultes sont actifs au c puscule. Volent de juin à juillet. Les ♀ dépos leurs œufs par petits paquets dans le sol. larves mettent deux ans avant de se nympho dans un berceau et d'hiverner encore une f
Nourriture : Les larves mangent les racines diverses plantes. Causent parfois des dég dans les forêts lorsqu'elles sont très nombr ses ; rongent les racines d'épicéas et de p Les ♀ mangent les jeunes pousses.

Oryctes nasicornis (L.)
Le Rhinocéros

Caractéristiques : 2 à 4 cm. Impossible confondre... Les ♂ portent sur la tête corne recourbée en arrière et, sur le pronot des échancrures et des bosses. Le bouclier la ♀ est lisse ; plaque triangulaire à la place la corne. Bouclier et corne foncés, souv noirs ; élytres bruns.
Habitat : Forêts de chênes où les larves viv dans les souches pourries. Se rencontrai autrefois dans les déchets de tan des tanneri Parfois, dans les tas de fumier et de sciure.
Distribution : Nombreuses régions d'Europe
Fréquence : Assez commune en France, qu que en régression.
Reproduction : Les adultes sucent la sève chênes ; les larves — dont les stigmates s cerclés de rouge, alors que ceux des hannet communs sont cerclés de jaune — mett deux à trois ans et mesurent jusqu'à 12 cm long avant de se nymphoser. Les adultes vol à partir de mai.
Nourriture : Les larves dévorent le bois pou mais ne causent pas de dégâts.

Cetonia aurata (L.)
La Cétoine dorée

Caractéristiques : 15 à 20 mm. Élytres présentant des reflets bleu-vert, pronotum et tête de la même couleur. Ressemble par sa couleur et sa forme à la vingtaine d'espèce de cétoines connues d'Europe. Se détermine non pas grâce à la couleur et aux dessins des élytres, mais aux rainures et aux bosses apparaissant sur la face ventrale.
Habitat : Terrains buissonneux, jardins, parcs, lisières des forêts. Aux heures chaudes de la mi-journée, se rencontre sur les fleurs ; sur les figues mûres dans le bassin méditerranéen.
Distribution : Dans toute l'Europe.
Fréquence : Espèce plus courante dans le sud que dans le nord, sur les versants exposés au sud que sur ceux exposés au nord.
Reproduction : Les adultes se rencontrent d'avril à septembre. Les larves vivent dans le sol, souvent dans les vieilles souches.
Nourriture : Les adultes se nourrissent de pollen et de nectar, de fruits mûrs ; les larves de pourritures et de racines mortes.

Aphodius rufipes (L.)
L'Aphodie à pattes rousses

Caractéristiques : 10 à 12 mm. Corps noir ; pattes rouges. Représentant typique des *Aphodius* dont il existe 300 espèces dans le monde, et une centaine en Europe. Relativement difficile à identifier. Peut être confondu avec *Oxyomus sylvestris*, mais se reconnaît aux sillons apparaissant sur le pronotum.
Habitat : Là où il y a de la bouse de vache.
Distribution : Dans toute l'Europe ; également en Asie du Sud-Est, en Afrique du Sud, en Amérique du Sud et en Amérique du Nord. Est apparu dans les prés servant à l'élevage extensif du bétail.
Fréquence : Espèce courante.
Reproduction : Attirés par l'odeur, les aphodies s'approchent des bouses de vache et les mangent. C'est là qu'elles s'accouplent et pondent. Les larves se nourrissent de détritus végétaux et se nymphosent lorsque les bouses ne sont pas encore sèches. Le développement est généralement assez rapide.

Trichius rosaceus (V.)
La Trichie rosée

Caractéristiques : 10 à 12 mm. Joli coléop d'aspect très variable, mais facile à ident Corps noir et jaune. Lien de parenté étroit a le Hanneton des roses. Corps toujours rec vert de poils. Espèce très proche de *T. fasci* dont elle se distingue par l'ampleur des fas noires sur les élytres.
Habitat : Forêts claires, parcs, prairies.
Distribution : Dans toute l'Europe. Dans le s également en altitude. A l'est, jusqu'au Cauca Montagnes de moyenne et haute altitude.
Fréquence : Ne se rencontre que dans certa régions. Espèce parfois courante.
Reproduction : Se rencontre de juin à juillet les fleurs des chardons, des marguerites, rosiers, etc. Accouplement sur les fleurs. petites larves vivent dans le bois pourr mettent au moins 2 ans avant de se nympho
Nourriture : Les adultes se nourrissent de férentes parties de fleurs, surtout de pollen larves mangent du bois pourri qu'elles digè grâce à des bactéries symbiotiques.

Aphodius fimetarius (L.)
L'Aphodie du fumier

Caractéristiques : 5 à 8 mm. Élytres roug pronotum et tête noirs. Il existe beaucoup d pèces très semblables en Europe, lesquelles peuvent être identifiées que par un spéciali
Habitat : Là où il y a de la bouse de vache et crottin de cheval. Aussi bien dans les vallées dans les pâturages en montagne.
Distribution : Dans toute l'Europe ; dans le n de l'Asie, en Afrique du Nord et en Amérique Nord.
Fréquence : Espèce très courante.
Reproduction : Les ♀ déposent une trenta d'œufs dans les bouses à moitié sèches. larves se nymphosent au bout de quelq semaines. Après la dernière mue, elles s fouissent sous terre pour se nymphoser.
Nourriture : Les adultes et les larves mang des substances végétales trouvées dans le mier.
Généralités : Des *Aphodius* sont liés aux exc ments de certains animaux ; *A. cervinus* trouve sur ceux des cerfs et des chevreuils

Lucanes
et scarabées

Geotrupes stercorarius (L.)
Le Géotrupe du fumier

Caractéristiques : 15 à 25 mm ; l'un de nos plus grands géotrupes. Noir. Pattes robustes, recouvertes de poils.
Habitat : Partout où il y a des excréments de mammifères. Se rencontre souvent dans les jardins où il assure le fumage naturel du sol.
Distribution : Dans toute l'Europe ; à l'est, jusqu'au Japon. Ne se rencontre pas en altitude.
Fréquence : Espèce courante, se rencontrant régulièrement.
Reproduction : Pendant les soirées de printemps où le vent est tombé, les adultes sortent de terre où ils ont hiverné dans un berceau. Ils volent tout près du sol, à la recherche d'un tas de fumier. C'est là qu'ils s'accouplent. Après l'accouplement, ils creusent sous le fumier un trou de 50 cm de profondeur d'où partent plusieurs galeries de 20 cm de long, lesquelles sont remplies d'excréments. Puis la ♀ pond. La larve reste dans la galerie jusqu'au moment où elle se nymphose ; son développement dure deux à trois ans.

Onthophagus fracticornis (Preys.)
L'Onthophage à antennes brisées

Caractéristiques : 1 cm. Corps brun teinté de jaune. Difficile à distinguer de la vingtaine d'espèces d'onthophages vivant en Europe. Les ♂ portent souvent sur la tête de petites cornes ou de petites bosses. Les ♀ ont une ou deux plaques transversales. Mode de vie identique chez toutes les espèces.
Habitat : Espèce se rencontrant partout, car vivant dans toutes sortes d'excréments.
Distribution : Dans toute l'Europe.
Fréquence : Espèce courante.
Reproduction : Comme les géotrupes, les ♀ creusent des galeries souterraines. Les ♂ attendent ou évacuent la terre provenant des galeries qui sont très ramifiées. Chacune d'elles se termine par une chambre où la ♀ dépose un œuf avant de la remplir d'excréments. Le développement de la larve ne dure que 4 semaines, puis elle se nymphose. L'adulte hiverne sous terre et ne sort qu'au printemps suivant.
Nourriture : Les larves et les adultes se nourrissent d'excréments de mammifères.

Geotrupes vernalis (L.)
Le Bousier printanier

Caractéristiques : 2 cm au maximum ; répliqu en miniature du Géotrupe du fumier. N'est pa toujours noir. Reflets bleu foncé ou violets.
Habitat : Comme le Géotrupe du fumier ; s rencontre souvent en forêt, dans les landes bruyères.
Distribution : Dans presque toute l'Europe.
Fréquence : Plus courant que le Géotrupe d fumier.
Reproduction : Creuse un puits profond e forme d'entonnoir. La ♀ creuse de nombre ses galeries latérales de 20 cm de long, dar chacune desquelles elle dépose un œuf. C n'est qu'ensuite qu'elle les remplit d'excr ments. Les larves se nourrissent d'excrémen et se nymphosent le même été. Les adulte apparaissent en automne, mais restent dans berceau nymphal jusqu'au printemps. La chan bre dans laquelle se trouve ce berceau se trou à 50 cm sous la terre.
Nourriture : Les larves et les adultes se nourri sent d'excréments. Sont donc utiles.

Copris lunaris (L.)
Le Copris lunaire

Caractéristiques : 15 à 25 mm. Corps noi sillons longitudinaux sur les élytres. Les ♂ s reconnaissent à leur longue corne et à la forn caractéristique de leur pronotum ; les ♀ o une corne plus courte. Au milieu du pronotur minuscule bosse.
Habitat : Là où il y a de la bouse de vache rarement sur le crottin de cheval.
Distribution : Europe. Se raréfie vers le nord.
Fréquence : Espèce qui se rencontre réguliér ment, mais qui n'est pas très courante.
Reproduction : Les ♂ et les ♀ construise ensemble, sous les bouses de vache, de profo des galeries et de grandes chambres qu' remplissent de 7 à 8 boules d'excréments forme de poire. Dans chacune de ces chambr se développe une larve qui dispose d'une nour ture abondante. Les adultes émergent automne, mais restent cachés jusqu'au pri temps.
Nourriture : Bouses de vaches.

Lucanes
et scarabées

Rhagium inquisitor (L.)
La Rhagie chercheuse

Caractéristiques : 12 à 20 mm. Élytres ornés de dessins brun-gris irréguliers et de deux bandes transversales noires qui existent presque toujours. Couleur d'intensité variable. Les antennes des ♂ sont plus longues que celles des ♀ (caractéristique de tous les Cerambycidae).
Habitat : Forêts de conifères, parcs.
Distribution : Dans toute l'Europe. Egalement dans les régions tempérées d'Asie et d'Amérique du Nord.
Fréquence : Espèce la plus courante parmi les rhagies.
Reproduction : Les ♀ déposent leurs œufs sous l'écorce des conifères. Les larves se nourrissent et restent sous l'écorce jusqu'à ce que l'adulte soit entièrement développé. Le développement dure deux ans. Les adultes apparaissent en automne, mais restent cachés dans le berceau nymphal jusqu'en avril.
Nourriture : Les larves vivent sous l'écorce des morceaux de bois pourris. Les adultes mangent le pollen et d'autres parties de fleurs.

Ergates faber (L.)
L'Ergate forgeron

Caractéristiques : 27 à 50 mm ; l'un de nos plus grands Cerambycidae. Dimorphisme sexuel. Antennes des ♀ deux fois moins longues que le corps ; antennes des ♂ plus longues que le corps. Pronotum plus petit chez la ♀ que chez le ♂ ; surface irrégulière chez la ♀, régulière chez le ♂.
Habitat : Grandes pinèdes avec de vieux pins.
Distribution : En France : Normandie, Loiret, Alsace, Lyonnais, Landes, Var, Alpes-Maritimes ; Europe centrale.
Fréquence : Espèce localisée, parfois assez commune.
Reproduction : De juillet à septembre, les adultes volent au crépuscule près des fleurs et des vieux pins. La ♀ dépose entre 200 et 300 œufs sous l'écorce ; peu d'entre eux arrivent au stade adulte, car le développement dure quatre ans. Les larves peuvent mesurer jusqu'à 8 cm. Elles creusent dans le bois des galeries irrégulières.
Nourriture : L'Ergate forgeron qui mange le bois était considéré autrefois comme étant nuisible.

Rhagium mordax (DG.)
La Rhagie commune

Caractéristiques : 13 à 25 mm. Corps brun o gris foncé. Se reconnaît aux deux gros point noirs au milieu des élytres qui n'existent pa chez les autres rhagies.
Habitat : Forêts de feuillus mixtes ; raremer dans les forêts de conifères.
Distribution : Dans de nombreuses régior d'Europe.
Fréquence : Espèce qui se rencontre régulière ment, mais n'est pas très courante.
Reproduction : Les ♀ déposent leurs œuf sous l'écorce des chênes et des hêtres. Au bou de deux ans, les larves construisent un bercea nymphal avec des copeaux. Elles se nymphc sent en été. Les adultes émergent en automn mais ne se rencontrent qu'au printemps sur le arbres. Aux heures chaudes de la mi-journée, i mangent le pollen et d'autres petites parties de fleurs.
Nourriture : Les larves ne sont pas nuisibles, ca elles vivent sous l'écorce et ne mangent pas duramen.

Prionus coriarius (L.)
Le Prione tanneur

Caractéristiques : 18 à 45 mm. Corps robust brun foncé ou noir. Les antennes du ♂ sor formées de 12 articles et fortement dentelée Celles de la ♀ sont plus minces et finemer dentées. Pronotum dentelé chez le ♂ et la ♀
Habitat : Forêts de feuillus mixtes, plus rare ment dans les forêts de conifères.
Distribution : Dans de nombreuses régior d'Europe, jusqu'à l'ouest de la Sibérie et e Afrique du Nord. Forêt de Fontainebleau N'existe pas dans le grand nord.
Fréquence : Espèce courante, apparaissar régulièrement, mais jamais en masse.
Reproduction : Espèce active au crépuscul Parade en juillet et août ; les adultes émetter des sons stridents dus au frottement des élytre sur les pattes postérieures. Les larves se déve loppent dans les vieilles souches et mangent le racines. Au bout de trois à quatre ans, aprè avoir mué 14 fois, elles mesurent 5 cm de lon Elles construisent sous terre un berceau nym phal d'où sort l'adulte l'été suivant.
Nourriture : Racines de différents feuillus.

Spondylis buprestoides (L.)
Le Spondyle

Caractéristiques : 12 à 25 mm. Corps noir et cylindrique. Antennes très courtes, contrairement aux autres Cerambycidae.
Habitat : Forêts de conifères, parcs ; parfois pieux et poteaux secs.
Distribution : Dans toute l'Europe. A l'est, jusqu'au Japon.
Fréquence : Espèce courante seulement dans les biotopes lui convenant.
Reproduction : Actif surtout au crépuscule, mais vole également le jour et la nuit. La nuit, ces animaux s'orientent avec la lune et se cognent souvent contre les réverbères et les maisons éclairées. Les ♀ déposent leurs œufs dans les souches de pins, plus rarement d'épicéas. Les larves mettent deux ans avant de se nymphoser. Elles creusent des galeries dans les racines, contribuant ainsi à l'humidification des souches. Le jour, les adultes se cachent sous l'écorce.
Nourriture : Bois mort. Avec leurs puissantes mandibules, creusent des galeries jusqu'aux racines.

Pseudallosterna livida (F.)
La Lepture livide

Caractéristiques : 1 cm. Pronotum noir, rond et bombé ; élytres brun-jaune.
Habitat : Prés fleuris près des forêts.
Distribution : Dans toute l'Europe, de la plaine jusque haut dans les Alpes.
Fréquence : Espèce courante, se rencontrant régulièrement, parfois en grand nombre.
Reproduction : Vole de juillet à août. Avec un ovipositeur de forme spéciale, les ♀ déposent leurs œufs dans l'humus ou dans les fentes des branches se trouvant sous terre. Le sous-sol doit être sec et chaud. Les larves restent toujours sous terre, à deux à six cm de profondeur. A l'automne de la deuxième année, elles construisent un berceau nymphal dans lequel elles hivernent. Elles ne se nymphosent qu'au printemps. Les adultes sortent au bout de deux semaines, mais ne sont colorés que 8 à 10 jours plus tard.
Nourriture : Les adultes mangent le pollen et le nectar des composées, surtout des achillées. Les larves mangent le bois et le mycélium des champignons.

Corymbia rubra (L.)
La Lepture rouge

Caractéristiques : 1 à 2 cm. Rouge brillant. ♀ plus grandes et plus robustes ; pronotum roug noir chez le ♂. Il existe une trentaine d'espèc un peu semblables en Europe qui sont difficil à identifier. Se reconnaissent à la forme l'échancrure sur le bord interne de l'œil.
Habitat : Prairies près des forêts. Espèce acti le jour, surtout vers midi. De juin à septembr les adultes se rencontrent sur les ombellifèr et sur les souches des conifères. Forêt Fontainebleau.
Distribution : Europe ; à l'est, jusqu'en Sibéri au sud, jusqu'en Afrique du Nord. Espèce pl courante à moyenne et haute altitude.
Fréquence : Parfois très courante en montagr
Reproduction : Les œufs sont déposés dans l souches des épicéas, des sapins ou des pin Pendant deux ans, les larves creusent des g leries dans le bois où elles se nymphosent.
Nourriture : Les larves mangent le bois mort d souches et des racines ; les adultes le pollen les fleurs de différentes composées.

Oxymirus cursor (L.)
L'Oxymire coureur

Caractéristiques : 15 à 30 mm. Couleur tr variable : rayures rougeâtres ou corps parfo tout noir. Corps robuste, se rétrécissant ve l'arrière. Diurne.
Habitat : Lisière des forêts, clairières et pr fleuris près des forêts.
Distribution : Europe.
Fréquence : Espèce assez commune.
Reproduction : Les adultes vivent de mai à ao Les ♀ déposent leurs œufs dans le sol ; l larves creusent des galeries dans les tron pourris des épicéas et des pins et se nourrisse de copeaux. Préfèrent le bois mort. Elles so appréciées, car elles détruisent les souches. L larves digèrent la cellulose du bois grâce à d bactéries vivant dans les replis de l'intestin et trouvant déjà dans les œufs. Les larves qui possèdent pas de telles bactéries meurent ra dement.
Nourriture : Les adultes mangent le pollen et nectar des composées ; les larves, le bois mo

♀
Longicornes

Tetropium castaneum (L.)
La Callidie de l'épicéa

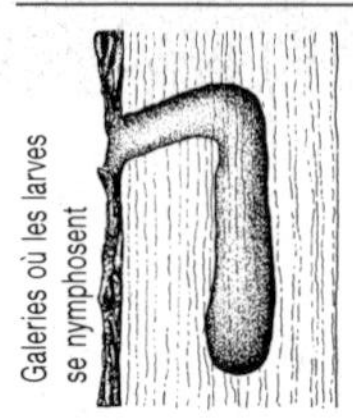

Caractéristiques : 10 à 18 mm. Longicorne typique : corps allongé et antennes serratées. Élytres rougeâtres, bruns ou noirs. Pattes claires.
Habitat : Forêts d'épicéas. De mai à juillet, les adultes se rencontrent sur les arbres malades. En quelques années, les Callidies de l'épicéa peuvent faire mourir les épicéas qui poussent sur un sol trop humide ou qui ont été abîmés en hiver.
Distribution : Europe ; à l'est, jusqu'au Japon.
Fréquence : Variable ; reproduction massive certaines années.
Reproduction : Les ♀ déposent leurs œufs sous l'écorce des arbres. Au bout de une à deux semaines éclosent les jeunes larves qui s'enfoncent dans le bois.
Nourriture : Bois.

Stenurella melanura (L.)
La Lepture rouge et noir

Caractéristiques : 1 cm. Corps noir. Élytres de la ♀ rougeâtres, cerclés de noir ; élytres du ♂ jaunâtres. ♀ plus fortes. Difficile à distinguer de *S. bifasciata*.
Habitat : Clairières, lisières des forêts ; prairies fleuries près des forêts de feuillus mixtes. De mai à septembre, les adultes se posent sur les achillées et autres fleurs. Surtout en région montagneuse.
Distribution : Dans toute l'Europe.
Fréquence : Parfois très courante.
Reproduction : Les larves se rencontrent de l'été jusqu'au printemps dans les chênes et les érables, plus rarement dans les épicéas et les pins. Leurs galeries sont remplies de copeaux. Elles se nymphosent dans une galerie formant un angle droit d'où l'adulte sort en creusant la terre.
Nourriture : Bois mort et pourri.
Généralités : Des espèces de strangalies extrêmement localisées vivent près des pâturages en montagne.

Leptura maculata (P.)
La Lepture tachetée

Caractéristiques : 15 à 20 mm. Les leptures e les strangalies vivant en Europe se rencontrer en été sur les fleurs. Les strangalies se carac térisent par leur corps allongé qui se rétréc fortement vers l'arrière. Les angles inférieurs d pronotum sont pointus, ce qui n'est pas le ca chez les leptures. Élytres recouverts de point jaune-brun. Mais le dessin est de forme trè variable et ne permet pas d'identifier les stranga lies. Espèces difficiles à identifier. Les lepture ont été récemment restructurés en plusieur genres distincts.
Habitat : De mai à août, la Lepture tachetée s rencontre souvent sur les fleurs de différente composées. Les larves vivent dans le bois de feuillus, plus rarement des conifères.
Distribution : Dans de nombreuses région d'Europe.
Fréquence : Espèce courante.
Nourriture : Les adultes se nourrissent de polle et d'autres parties de fleurs ; les larves de boi pourri. Ne causent pas de dégâts.

Pachytodes cerambyciformis (Schr.
La Lepture cerambyciforme

Caractéristiques : 8 à 11 mm. Rappelle par s couleur la Lepture tachetée, mais son corps es plus court et plus ramassé. Taches de form variable. Difficile à distinguer d'autres espèce de *Judolia* ou de *Pachytodes*.
Habitat : Dans de nombreuses régions d'Eu rope.
Fréquence : Parfois courante.
Reproduction : On sait encore peu de chose sur le mode de vie de ce coléoptère. Les larve se rencontrent dans les chênes, les bouleau les châtaigniers, etc., plus rarement dans le épicéas et les pins. Elles creusent un trou dar la terre pour se nymphoser. Les principau ennemis de nombreux longicornes sont les pic qui, avec leur gros bec, cognent sur le bois e font sortir les larves de leurs galeries.
Nourriture : Les adultes mangent le pollen e d'autres parties des fleurs, les larves manger le bois mort.

Cerambyx cerdo L.
Le Grand Capricorne

Caractéristiques : 25 à 55 mm. Un des plus grands et des plus beaux coléoptères d'Europe.
Habitat : Forêts et parcs avec de vieux chênes.
Distribution : Se rencontre régulièrement en Europe occidentale de l'Est et du Sud-Est. En France, cette espèce est commune dans le sud du pays.
Fréquence : Plutôt rare en Europe.
Reproduction : Les larves commencent par vivre sous l'écorce, puis s'enfoncent dans l'aubier et finalement dans le cœur des chênes. L'arbre ne meurt pas, mais le bois est abimé par les galeries qui ont la grosseur d'un doigt. Au bout de 3 à 4 ans, les larves qui mesurent 10 cm de long creusent une galerie tournant à angle droit dans laquelle elles se nymphosent. Les adultes apparaissent en automne, mais ne sortent qu'en mai. Ils se rencontrent de mai à août.
Nourriture : Sucent la sève des chênes.
Généralités : Ces animaux ne se rencontrent généralement pas sur les chênes en bonne santé. Dans le Midi vole *C. velutinus* et *C. miles*.

Aromia moschata (L.)
L'Aromie musquée

Caractéristiques : 15 à 40 mm. Bleu métallique ou vert-bleu. Impossible à confondre.
Habitat : Bosquets, au bord des ruisseaux et des rivières où poussent des saules, des aulnes et des peupliers. Prédilection pour les saules. De juin à août, les adultes se rencontrent sur les fleurs ou dans les prés, souvent sur les saules coupés en têtards.
Distribution : Dans de nombreuses régions d'Europe.
Fréquence : Espèce courante.
Reproduction : Les larves vivent dans les branches des saules où elles causent parfois des dégâts, lorsqu'elles sont nombreuses. Ces animaux sécrètent une substance aromatisée, résultant de la transformation chimique, dans les glandes, de l'acide salicyque se trouvant dans les plantes. Le développement des larves dure plusieurs années.
Nourriture : Les adultes sucent la sève des saules, des érables et des bouleaux. Les larves mangent le bois des saules, des peupliers et parfois des aulnes.

Cerambyx scopolii Fues.
Le Petit Capricorne

Caractéristiques : 17 à 28 mm. « Petit frère » d Grand Capricorne. Se rencontre sur les chêne mais également sur les hêtres et les vieux arbr fruitiers.
Habitat : Forêts de feuillus mixtes et vie vergers. De mai à juillet sur les fleurs.
Distribution : Europe.
Fréquence : Partout en France, y compris Corse.
Reproduction : Voir le Grand Capricorne. Prov que peu de dégâts. Le développement du deux ans. La galerie en angle droit où se trou le berceau nymphal est fermée par un couverc servant de protection contre les ennemis nat rels, par exemple les pics, les fourmis, les clé des ou les ichneumons qui poursuivent les la ves. Les pics chassent également les adultes
Nourriture : Les adultes sucent la sève d feuillus et mangent le pollen et le nectar d fleurs. Les larves mangent le bois des hêtre des charmes, des bouleaux, des chênes, d ormes et des arbres fruitiers.

Rosalia alpina (L.)
La Rosalie des Alpes

Caractéristiques : 15 à 38 mm. Un des pl beaux coléoptères d'Europe. Poils bleu pâl dessins noirs et bleus sur les élytres et le sc tum. Les antennes du ♂ sont plus longues q le corps ; elles ont la même longueur que corps chez la ♀.
Habitat : Forêts de feuillus mixtes. En Euro centrale, sur les hêtres ; dans le sud, égaleme sur les frênes, les noyers et les charmes.
Distribution : En France est assez abondan dans les régions montagneuses, remonte vers nord jusque dans le Maine-et-Loire, le Loiret, Morbihan. En Autriche et en Suisse ; dans l'e de la Tchécoslovaquie et en Europe du Sud. partir de 1 500 m.
Fréquence : Espèce encore assez commune
Reproduction : Œufs déposés sous l'écorce d vieux chênes. Après plusieurs années passé dans le bois ou les souches pourries, les larv se nymphosent à quelques centimètres so terre. Adultes visibles de juin à septembre.

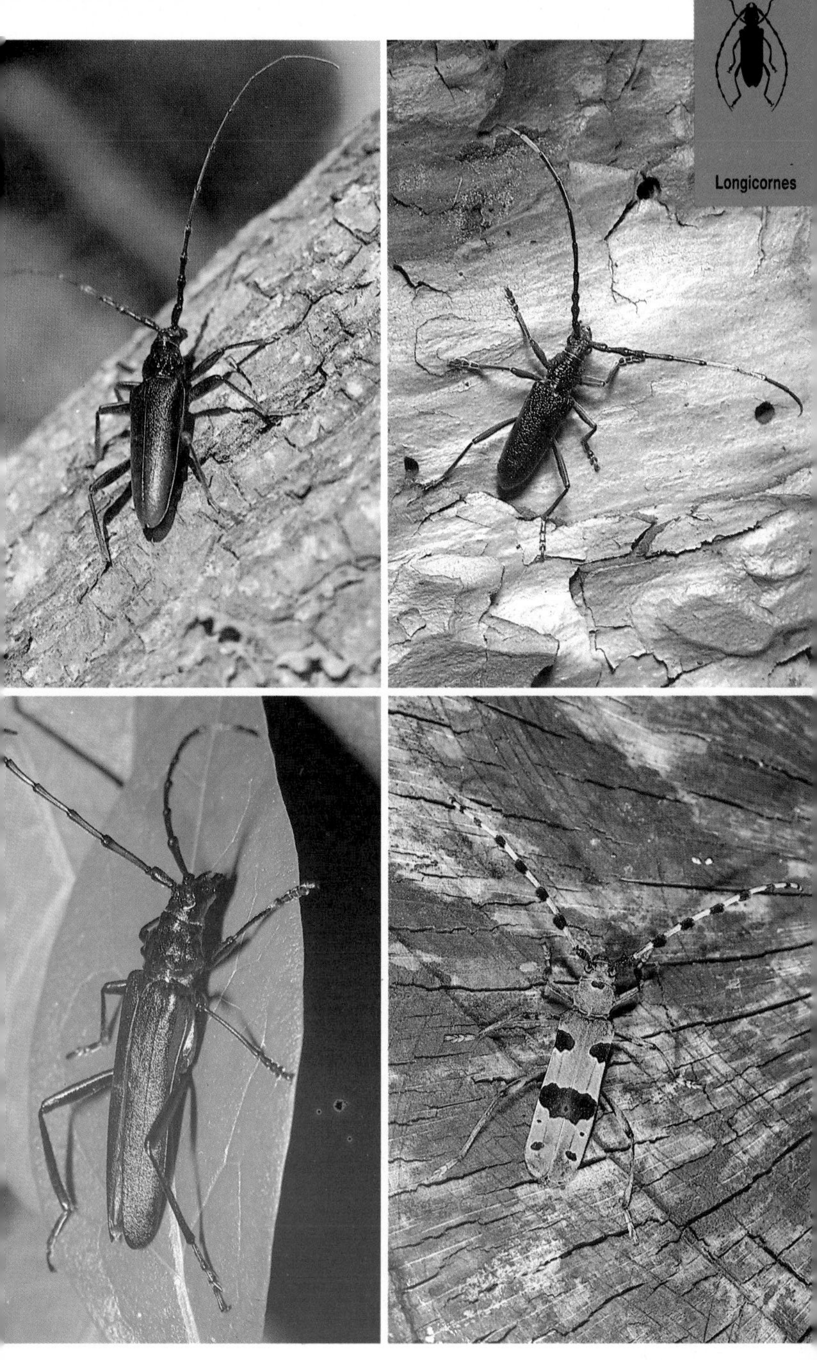

Monochamus sutor (F.)
Le Monochame sarcleur

Caractéristiques : 15 à 25 mm. Corps noir ; antennes très longues. Trois différentes espèces de monochames vivent en France. *M. sutor* est la plus courante.
Habitat : Forêts de conifères fermées en altitude. Évite la plaine.
Distribution : Montagnes de moyenne altitude et Alpes.
Fréquence : Autrefois plus courante. Remonte jusqu'en Côte-d'Or.
Reproduction : La ♀ creuse un entonnoir dans l'écorce des épicéas et des pins dans lequel elle dépose un œuf. La larve creuse dans l'écorce, puis dans le bois de larges galeries irrégulières qui abîment le bois. La première année, la larve hiverne dans le bois ; la deuxième année, elle se construit un berceau nymphal dans laquelle elle se repose l'hiver pour se nymphoser au printemps. De juillet à septembre, les adultes se rencontrent sur l'écorce des épicéas et des pins.

Compsidia populnea (L.)
Le Petit Saperde

Caractéristiques : 10 à 15 mm. Antennes aussi longues que le corps ; bords des élytres parallèles ; fémurs non renflés ; élytres recouverts de poils noir-jaune, d'où l'impression de taches.
Habitat : Bosquets, bords des rivières et des ruisseaux. Préfère les trembles et les saules.
Distribution : Dans de nombreuses régions d'Europe ; Afrique du Nord, est de l'Asie et Amérique du Nord.
Fréquence : Espèce plus courante que *S. carcharias.*
Reproduction : Sur les petites branches, la ♀ creuse une cavité en forme de fer à cheval au milieu de laquelle elle creuse sous l'écorce un trou dans lequel elle cache un œuf. Ce trou est fermé par une substance gélatineuse qui forme un cal sur le tissu végétal. La larve mange le cal pendant les premières semaines. Puis elle s'enfonce dans le bois. Le développement dure deux ans.
Nourriture : Bois et sève des arbres.

Anaerea carcharias (L.)
Le Grand Saperde

Caractéristiques : 2 à 3 cm. Coléoptère robust foncé, recouvert de poils jaunâtres ou gris. Ne espèces très semblables vivent en France.
Habitat : Bosquets, plantations de peuplier bords des rivières et des ruisseaux.
Distribution : Europe.
Fréquence : Espèce qui n'est pas très couran mais qui pullule parfois dans les plantations peupliers où la nourriture est abondante. Cau alors des dégâts.
Reproduction : Les ♀ creusent de petits e tonnoirs dans l'écorce des peupliers et d saules où elles déposent un œuf. L'œuf hiver la première année. La larve éclôt au printem et vit d'abord sous l'écorce, puis dans le cœu Les petites excroissances visibles à l'extérie permettent de suivre les galeries. Au bout deux à trois ans, la larve se nymphose dans berceau placé dans la galerie. Les adultes rencontrent de juin à septembre sur les pe pliers dont ils mangent les feuilles.

Pyrrhidium sanguineum (L.)
La Callidée sanguine

Caractéristiques : 10 à 12 mm. Élytres roug jaune brillants. Prothorax de la même coule Face ventrale et face dorsale recouvertes petits poils rouges permettant d'identifier cet espèce.
Habitat : Forêts de feuillus mixtes de la plai jusqu'en montagne. Préfère les régions cha des.
Fréquence : Espèce parfois courante.
Reproduction : Les premiers adultes appara sent en avril sur les chênes, les frênes, les hêtr et les charmes. Se rencontrent jusqu'en juin nuit comme de jour. Les ♀ déposent leu œufs dans les souches de chênes ou dans bois exposé au soleil. Les larves creusent da le bois une galerie dont la forme est typique l'espèce. Chez le *P. sanguineum*, elles so relativement courtes (60 cm) et s'élargisse rapidement. La larve se nymphose dans le bo Au printemps suivant, l'adulte doit creuser so chemin dans le bois pour arriver à la lumière

Longicornes

Anaglyptus mysticus (L.)
Le Clyte tricolore

Caractéristiques : 5 à 13 mm. Se reconnaît aux dessins noirs, blancs et rouges ornant les élytres et dont la forme peut changer.
Habitat : Forêts de feuillus mixtes, aubépines.
Distribution : Centre et sud de l'Europe. Rare et localisé en France, mais presque partout.
Fréquence : Relativement courant.
Reproduction : Les larves vivent dans le bois de différents feuillus. Le développement dure au moins deux ans. Les adultes hivernent parfois sous des morceaux d'écorce.
Nourriture : Les larves mangent du bois, les adultes le pollen et certaines petites parties de fleurs, généralement d'aubépines.

Molorchus minor (L.)
Le Longicorne mineur

Caractéristiques : 6 à 15 mm. Élytres courts ; fémurs très renflés.
Habitat : Forêts de feuillus mixtes. Les adultes se rencontrent de mai à juin sur les fleurs et cherchent du bois mort pour déposer les œufs.
Distribution : Répandu en Europe.
Fréquence : Espèce courante.
Reproduction : Les larves vivent sous l'écorce. Elles creusent dans le bois une galerie en angle droit pour se nymphoser. Le jeune imago hiverne dans le berceau nymphal.
Nourriture : Les larves mangent du bois et des substances végétales en décomposition ; les adultes se nourrissent de pollen et de fleurs.

Pachyta quadrimaculata (L.)
La Lepture à quatre taches

Caractéristiques : 11 à 20 mm. Se reconnaît aux quatre taches noires ornant les élytres jaunes brillants.
Habitat : Forêts de conifères jusqu'à 1 350 m.
Distribution : Dans le nord de la Scandinavie et dans les régions alpines.
Fréquence : Variable ; espèce généralement courante.
Reproduction : De juin à août. Les larves se développent sous l'écorce des épicéas. Elles s'enfoncent dans l'humus pour se nymphoser.
Nourriture : Selon l'altitude et le temps, recherche des fleurs pour manger le pollen et le nectar.

Cyrtoclytus capra (Germ.)
Le Clyte oriental

Caractéristiques : 8 à 15 mm. Ce coléoptère imite le corps d'une guêpe avec les dessins noirs et jaunes ornant ses élytres et le prothorax, afin d'effrayer ses prédateurs.
Habitat : Se rencontre de mai à juillet dans les forêts de feuillus mixtes, les clairières et à la lisière des forêts sur les fleurs ou les hêtres.
Distribution : Europe, Sibérie, Mongolie, Corée, Sakhaline.
Fréquence : Très rare en France.
Reproduction : Les larves se développent dan l'érable plane et l'aulne. Se nymphosent dans l bois, à 10 cm de profondeur. La nymphose dur quinze jours ; le cycle évolutif est de deux ans

Plagionotus arcuatus (L.)
Le Clyte à bandelettes

Caractéristiques : 8 à 18 mm. Ressemble en plu grand à *Clytus arietis*.
Habitat : Forêts de feuillus mixtes, ensoleillée
Distribution : Dans toute l'Europe.
Fréquence : Espèce localement courante.
Reproduction : Les ♀ déposent leurs œu sous l'écorce des chênes, parfois d'autres feui lus. Les larves vivent dans le liber où elle creusent un réseau de galeries très ramif qu'elles remplissent de copeaux. Elles creuse dans le bois un profond trou pour se nymphose
Nourriture : De mai à juin, les adultes visitent le fleurs ; les larves mangent le bois d'arbr morts ou malades.

Agapanthia villosoviridescens (DG.
L'Agapanthie de cirses

Caractéristiques : 10 à 23 mm. Corps recouve de poils clairs et foncés, d'où l'impression taches. Puis glabre.
Habitat : Terrains en friches, clairières dans l forêts de feuillus, dans les graminées des jardi et des parcs ; sur les cirses.
Distribution : Europe.
Fréquence : Espèce courante se rencontra régulièrement.
Reproduction : Les adultes volent de mai septembre dans la végétation dense. En cas danger, ils se laissent tomber par terre. L larves se développent dans le cerfeuil, le ch don des champs et autres plantes herbacée

Longicornes

Donacia semicuprea (Pz.)
La Donacie cuivrée

Caractéristiques : 5 à 9 mm de long. Le genre *Donacia* a des élytres brillants aux reflets métalliques. Les reflets métalliques bleuâtres, verdâtres ou couleur cuivre, ne sont pas caractéristiques de l'espèce. Chez *semicuprea*, le 3e article des antennes n'est pas plus long que le second. Corps élargi vers le milieu.
Habitat : Au bord des lacs, des étangs, des mares et des eaux mortes ; au bord des fossés.
Distribution : Dans toute l'Europe.
Fréquence : Espèce localement courante.
Reproduction : L'accouplement a lieu dans la végétation poussant sur les rives. La ♀ dépose ses œufs enveloppés dans une enveloppe gélatineuse à la surface de l'eau ou sous l'eau. Les larves ont, sur l'abdomen, deux appendices avec lesquels elles absorbent l'oxygène se trouvant dans les plantes aquatiques. Se nymphosent sous l'eau dans un cocon gonflé d'air.
Nourriture : Feuilles et parties molles des tiges de plantes aquatiques ou poussant sur les rives. Les larves sucent les plantes sous l'eau.

Cryptocephalus sericeus (L.)
Le Cryptocéphale soyeux

Caractéristiques : 8 mm. Reflets vert métallique. Corps ovale, raccourci à l'avant et à l'arrière. Plus de 70 espèces en Europe. Difficile à identifier. Tête généralement cachée sous le prothorax. En cas de danger, se laisse tomber par terre.
Habitat : Prés fleuris, bords des champs, lisières des forêts, prés secs.
Distribution : Europe. N'existe pas dans le bassin méditerranéen, ni dans de nombreuses régions de Scandinavie.
Fréquence : Parfois très courante.
Reproduction : De mai à juin, les adultes se rencontrent sur les fleurs des composées : marguerite, camomille ou inule, par exemple. La ♀ entoure l'œuf d'une enveloppe composée en grande partie d'excréments et dans laquelle vivent les larves. Ainsi protégées, elles rampent sur les plantes.
Nourriture : Espèce phytophage.

Clytra quadripunctata (L.)
Le Clytre à 4 points

Caractéristiques : 8 à 11 mm. 17 espèces France, se reconnaissant aux quatre poin noirs ornant les élytres jaune foncé. Ces esp ces qui se ressemblent beaucoup ont des ex gences écologiques différentes : *C; laeviusc* vit sur les saules, *C. quadripunctata* sur l bouleaux, les aubépines, rarement sur les sa les.
Habitat : Bosquets, bords des chemins, pr secs, lisières des forêts.
Distribution : Dans de nombreuses régio d'Europe.
Reproduction : La ♀ entoure l'œuf d'exc ments et le dépose sur une branche, dans un r de fourmis ou sur le sol. Les jeunes larves c ne quittent jamais l'enveloppe d'excrémer s'agrippent aux pattes des fourmis qui passe et se font transporter dans la fourmilière. Ell se nymphosent dans l'enveloppe d'excrémen Le développement dure deux à quatre ans.
Nourriture : Les adultes se nourrissent de feu les ; les larves d'œufs et de larves de fourmi

Lema melanopus (L.)
Le Criocère de l'orge

Caractéristiques : 5 mm. Couleur très variabl corps entièrement bleu ou vert, ou prothorax pattes rouges et élytres bleus ou verts. Qua espèces en France. Les adultes émettent d sons stridents en frottant les élytres sur u arête cannelée se trouvant sur le dos.
Habitat : Prés, champs de céréales.
Distribution : Europe, Afrique du Nord, Sibér Amérique du Nord (y a été introduit).
Fréquence : Espèce souvent commune, se re contrant régulièrement dès le premier pr temps.
Reproduction : D'avril à septembre, les adul se posent sur les épis où ils mangent, s'acc plent et déposent leurs œufs un par un ou p petits paquets. Les petites larves s'entoure d'excréments qui forment une couche prote trice mucilagineuse, ce qui les fait ressemble des limaces. Elles s'y nymphosent.
Nourriture : Céréales. Cause parfois des dégâ

Chrysomèles

Lilioceris lilii (Sc.)
Le Criocère du lis

Caractéristiques : 6 à 8 mm. Couleur plus ou moins vive, rouge ou brun-rouge ; tête et pattes foncées.
Habitat : Prairies humides, au bord de l'eau, jardins et parcs avec des lis.
Distribution : Dans certaines régions d'Europe, de Sibérie et d'Afrique du Nord.
Fréquence : Pullule parfois dans les cultures où elle cause des dégâts ; sinon, relativement rare.
Reproduction : D'avril à juin, les adultes se rencontrent sur le muguet, le lis, la fritillaire impériale, où ils s'accouplent et pondent. Au bout de trois mois, les larves se nymphosent. Les adultes apparaissent en septembre et se cachent pour hiverner. Les larves s'entourent d'une enveloppe d'excréments mucilagineuse, ce qui repousse les oiseaux insectivores.
Nourriture : Phytophage.
Généralités : Espèce voisine : le Criocère de l'asperge.

Dlochrysa fastuosa (Sc.)
La Chrysomèle fastueuse

Caractéristiques : 5 à 6 mm. Élytres et prothorax avec des reflets rouge or et vert or. Facile à identifier malgré les variations de couleur. Tête rentrée sous le pronotum.
Habitat : Zones rudérales, jardins, lisières des forêts. Presque partout où poussent des orties et du lamier.
Distribution : Dans toute l'Europe ; à l'est, jusqu'au Japon.
Fréquence : Espèce courante, se rencontrant régulièrement.
Reproduction : D'avril à août, se rencontre sur les orties *(Urtica)*, le lamier *(Lamium)* et le *Galeopsis*. Œufs pondus sur ces plantes.
Nourriture : Espèce phytophage. Les larves se protègent en absorbant les substances toxiques des plantes qu'elles n'éliminent pas avec leurs excréments.
Généralités : Même mode de vie que les Chrysomelidae.

Agelastica alni (L.)
La Galéruque de l'aulne

Caractéristiques : 6 à 7 mm. Reflets bleu foncé. Toujours sur les aulnes.
Habitat : Bosquets, rives des ruisseaux.
Distribution : Europe et régions tempérées d'Asie. Espèce introduite en Amérique.
Fréquence : Reproduction souvent massive.
Reproduction : Début mai, les premiers adultes sortent de leurs quartiers d'hiver. Abdomen fortement gonflé chez les ♀. Peu après, elles déposent sur le dessous des feuilles plusieurs centaines d'œufs par petits paquets. Les larves noires se dispersent et mangent les feuilles jusqu'aux nervures. Lorsqu'elles sont très nombreuses, elles peuvent dévorer toutes les feuilles d'une forêt d'aulnes, sans pour autant faire mourir les arbres. Elles s'enfouissent sous terre pour se nymphoser. La nouvelle génération apparaît à l'automne de la même année. Lorsqu'il fait très humide, la plupart des nymphes meurent noyées. Après s'être développée en masse, cette espèce redevient généralement rare l'année suivante.
Nourriture : Feuilles d'aulnes.

Lochmaea caprea (L.)
La Galéruque du saule

Caractéristiques : 5 mm. Brun à brun foncé dessus du corps glabre. Quatre espèces semblables en France.
Habitat : Bords des rivières où poussent des saules, prés et jardins.
Distribution : Dans de nombreuses régions d'Europe.
Fréquence : Espèce courante.
Reproduction : Les premiers adultes apparaissent en avril. Les ♀ déposent les œufs par paquets sous la mousse, les pierres ou dans des trous sous la terre. Les jeunes larves grimpent aux arbres pour en manger les feuilles. Elles s'enfouissent sous terre à quelques centimètres de profondeur pour se nymphoser. Les adultes apparaissent encore la même année et mangent les feuilles avant de s'y cacher pour hiverner. Lorsqu'ils sont nombreux, ils peuvent manger toutes les feuilles des saules, des peupliers et des bouleaux, car ils poussent rapidement cette espèce apparaît rarement plusieurs années de suite en masse.
Nourriture : Feuilles de saules *(Salix)*.

Chrysomela populi L. La Chrysomèle du peuplier

Caractéristiques : 1 cm. Élytres rouge-jaune, prothorax et tête bleus. Corps ovale et bombé typique des Chrysomelidae. Il existe en France six espèces appartenant au même genre, toutes faciles à distinguer. Les Chrysomèles du peuplier se reconnaissent aux pointes noires terminant leurs élytres.
Habitat : Forêts de feuillus mixtes, peupliers.
Distribution : Dans de nombreuses régions d'Europe. Régions tempérées d'Asie jusqu'à la zone subtropicale.
Fréquence : Espèce qui prolifère certaines années ; se rencontre régulièrement.
Reproduction : Les premiers adultes sortent dès qu'il fait beau en avril et s'accouplent. Quelques jours plus tard, les ♀ déposent leurs œufs par paquets de 20 à 30 œufs, au total plusieurs centaines d'œufs. Peu après éclosent les larves noires qui se développent rapidement. Elles mangent les feuilles de différentes espèces de peuplier ; les années sèches et chaudes, lorsqu'elles sont très nombreuses, elles dépouillent les arbres de toutes leurs feuilles. La nymphe reste dans l'enveloppe larvaire qui est fixée l'écorce des arbres au cours du dernier stad larvaire. Les adultes apparaissent au bout d'ur semaine. Le développement complet ne dura que quelques semaines, il peut y avoir plusieur générations par an les années sèches et cha des. Cette espèce prolifère rarement dans le forêts naturelles et saines, car les peupliers so dispersés dans la forêt. Les larves ont donc d mal à trouver un nouvel arbre et meurent sou vent avant d'y arriver. Par contre, dans le monocultures de peupliers, ceci ne pose pas c problème et la Chrysomèle du peuplier peut s reproduire très rapidement.

Leptinotarsa decemlineata Stal Le Doryphore

Caractéristiques : Environ 1 cm. Se reconnaît facilement grâce aux 10 raies noires ornant les élytres jaunes — cinq de chaque côté — et aux points noirs apparaissant sur le prothorax jaune. Ne peut être confondu avec aucune autre espèce.
Habitat : Champs de pommes de terre, jardins, forêts de feuillus mixtes.
Distribution : Espèce originaire d'Amérique du Nord, vivant sur les solanées. Les premiers représentants de cette espèce arrivèrent en 1874 en Europe où ils se répandirent rapidement. Aujourd'hui, le Doryphore est répandu dans le monde entier, ayant en partie été introduit par l'Homme.
Fréquence : Espèce qui prolifère parfois, se rencontre régulièrement.
Reproduction : Les adultes apparaissent au début de l'été. La ♀ dépose par petits paquets 20 à 30 œufs sur le dessous des feuilles de solanées, par exemple pomme de terre, belladone, tabac, pomme épineuse, etc. Les ♀ qui peuvent vivre deux ans peuvent pondre chacune 2 400 œufs en tout. Les petites larves so rouges ; les larves plus âgées sont roug orange. Les années chaudes, il y a généraleme deux générations par an en Europe moyenn Cette prolifération est combattue par l'Homm et par les prédateurs naturels du Doryphor Aujourd'hui, toutefois, on n'utilise plus de pro duits toxiques à cause de leurs effets seconda res négatifs. Le meilleur moyen est de ramass les Doryphores.
Nourriture : Feuilles de différentes solanées.
Généralités : Le Doryphore s'est tellement bie adapté en Europe que, malgré tous les effor entrepris, il est difficile de s'en débarrass vraiment.

oir aussi p. 277

Cassida vibex L. La Casside marquée

Caractéristiques : 7 à 9 mm. Corps vert en forme de bouclier. Les élytres et le bouclier recouvrent tout le corps aplati de la Casside marquée, formant une sorte de coquille compacte et plate. La tête se voit à peine. Souvent, seules les fines antennes émergent du bouclier, ainsi que l'extrémité des pattes. En cas de danger, la tête, les antennes et les pattes disparaissent complètement sous le bouclier. Il existe environ 30 espèces différentes en Europe, difficiles à distinguer les unes des autres. Chez certains spécimens de collection, la couleur verte disparaît. La Casside marquée se distingue des espèces proches par la suture des élytres qui est brune et la présence d'un point sur chacun. Les larves verdâtres ou noirâtres ont de nombreuses épines plumeuses de chaque côté du corps.
Habitat : Prés, au bord des champs, haies.
Distribution : Régions tempérées d'Eurasie.
Fréquence : Espèce courante dans certaines régions, quoique localisée.
Reproduction : Les ♀ possèdent un organe d'accouplement qui peut se déplier et avec lequel elles arrivent sous la carapace du ♂. Elles déposent leurs œufs sur les plantes dont elles se nourrissent. Ces œufs se développent rapidement. Parfois, tous les stades de développement sont représentés par une même plante.
Nourriture : Les adultes hivernent ; au printemps, ils mangent les jeunes pousses de différentes plantes herbacées, notamment des labiées. Les adultes et les larves se rencontrent souvent sur les feuilles du cirse faux-épinard dans lesquelles ils font des trous.
Généralités : Les larves des cassides portent sur leur appendice caudal fourchu des restes de la dernière enveloppe larvaire qu'elles collent sur leur dos pour se protéger de leurs prédateurs. Pour la même raison, elles se recouvrent souvent d'excréments. Les ♀ protègent également leurs œufs avec des excréments.

Phyllotreta nemorum (L.) L'Altise des crucifères

Caractéristiques : 2,5 cm. Corps noir. Élytres ornés chacun d'une bande longitudinale jaune. En Europe, il existe 23 espèces appartenant au genre *Phyllotreta* qui sont noires, bleues ou noir-jaune. Elles peuvent faire des sauts d'un mètre de haut grâce à leurs pattes arrière très puissantes. *P. nemorum* se distingue par la régularité des bandes orangées qui sont parallèles entre elles.
Habitat : Champs et prairies.
Distribution : Dans de nombreuses régions d'Europe, d'Asie et d'Amérique du Nord où cette espèce a été introduite.
Fréquence : Apparaît régulièrement.
Reproduction : Les adultes hivernent ; ils apparaissent au printemps et mangent les jeunes choux et d'autres plantes. Les œufs sont déposés dans le sol. Les larves se nourrissent de racines tendres. Elles se nymphosent dans un petit trou creusé dans la terre. Les adultes émergent à l'automne.
Nourriture : Racines et feuilles de choux et de raifort.

Hispa atra (L.) L'Hispe hirsute

Caractéristiques : 3 à 4 mm. Corps recouver d'épines. Imite sans doute une graine recou verte d'épines que l'on trouve dans les région sèches où cette espèce est répandue. Ne peu être confondue avec aucune autre espèce.
Habitat : Prés secs avec peu de végétatior Uniquement dans les régions chaudes.
Distribution : Dans le sud de l'Europe, surtou dans le bassin méditerranéen et en Afrique d Nord. Dans certaines régions du nord de l'Eu rope centrale. Répandu en France.
Fréquence : Espèce rare, apparaissant irréguliè rement.
Reproduction : Les adultes apparaissent e automne et hivernent sous terre. Ils doive manger avant de pondre. Les ♀ déposent alo leurs œufs par petits paquets sur le dessous de feuilles. Les larves vivent dans les herbes. On le rencontre souvent dans le pâturin ou dans chiendent où elles se nymphosent.
Nourriture : Graminées.

Larve avec ses excréments

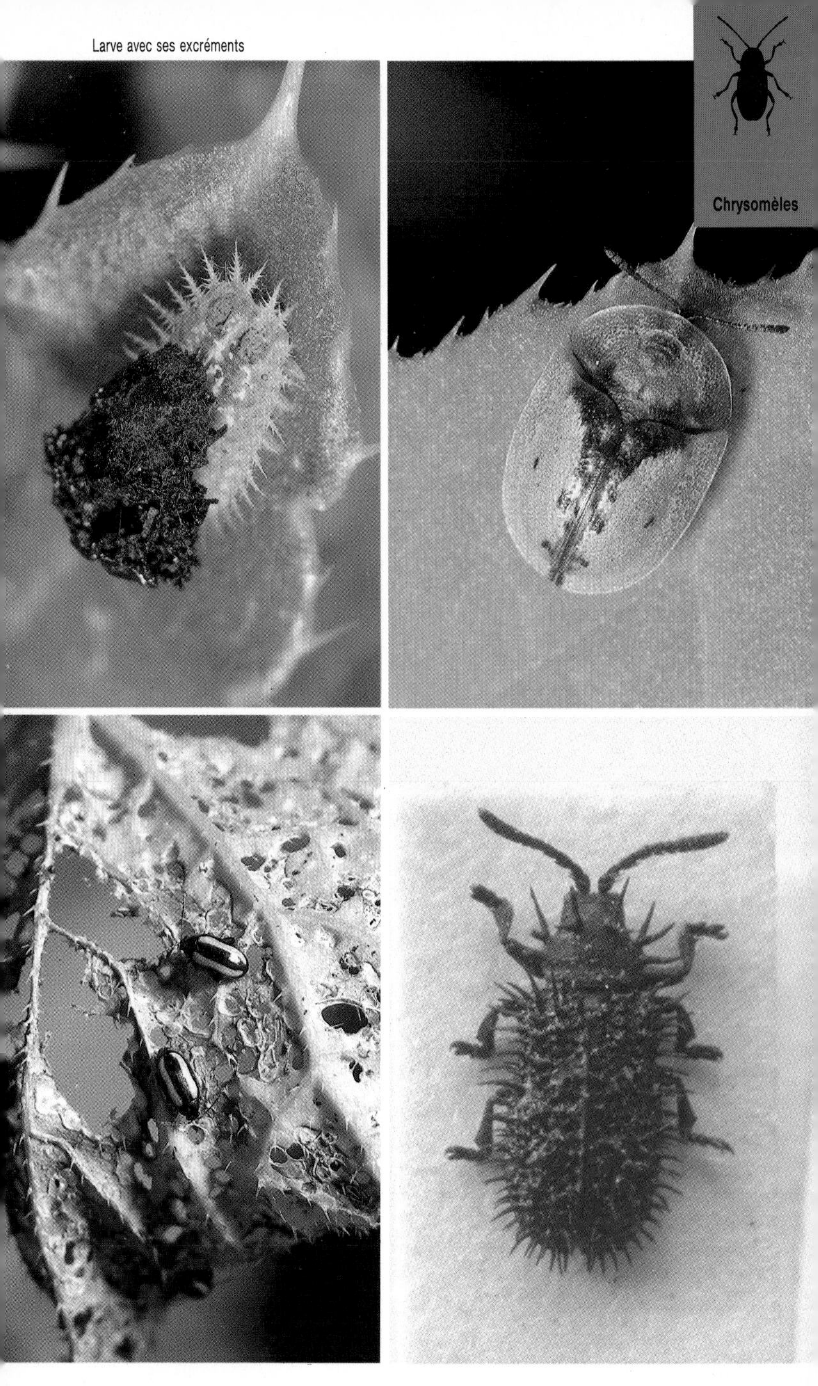

Otiorhynchus niger (F.) Le Grand Charançon noir

Photo p. 177 haut et bas gauch

Caractéristiques : 1 cm. Les curculionides se caractérisent par leur rostre long et mince ou court et gros, terminé par les mandibules. La plupart des 40 000 espèces répandues dans le monde entier ont un corps rond, bombé, recouvert d'écailles et foncé. Il existe toutefois des curculionides rouges, verts et bleus. En Europe, on connaît 1 500 espèces environ dont près de 400 font partie du genre *Otiorhynchus* et se ressemblent beaucoup.
Habitat : Forêts de conifères avec des épicéas.
Distribution : Forêts de conifères d'Europe à moyenne et haute altitude. Ne se rencontre pas en plaine. En France, elle est répandue dans les Vosges, le Jura et la Haute-Savoie. Dans le Valais et dans le Chalais, en France, on peut trouver la sous-espèce *mequignoni* Hoffmann qui a les élytres garnis d'une pubescence tomenteuse claire, et avec des fossettes élytrales profondes bien délimitées.
Fréquence : Espèce largement répandue, souvent courante dans les biotopes lui convenant.
Généralités : Les larves se nourrissent sous terre de racines. Les adultes mangent des aigui les d'épicéas. Bien que ces coléoptères puis sent vivre deux ans, ils n'ont pas besoin de plu de 1 à 2 g de nourriture. Les *Otiorhynchus* so faciles à distinguer des autres genres de Cu culionidae (charançons) grâce à leur rostr dilaté en avant. Les espèces appartenant à c genre sont en revanche très difficiles à sépar les unes des autres en raison de leur fasciès trè uniforme : coloration en général noire ou trè sombre ; élytres sillonés, ovales, ou plus c moins allongés. Chez ces espèces la parthén génèse est fréquente et les ♂ sont parfois trè rares.

Polydrosus sp.

Photo p. 177 haut droite.

Caractéristiques : 6 à 8 mm. Il existe en Europe une trentaine d'espèces appartenant au genre *Polydrosus*. Elles diffèrent par la taille et la couleur : vert, bleu ou noir avec des points bleus. Difficiles à identifier.
Habitat : Forêts de feuillus mixtes, forêts de conifères, bosquets, jardins et parcs redevenus sauvages.
Distribution : Forêts de feuillus d'Europe.
Fréquence : Espèce courante parfois.
Reproduction : On n'a encore jamais trouvé de ♂ dans certaines régions; les ♀ se reproduisent sans être fécondées, produisant uniquement des ♀. Il existe toutefois des ♂ dans de nombreuses régions. Accouplement, ponte, éclosion des larves et des nymphes comme chez la plupart des autres coléoptères. Espèce diurne.
Nourriture : Les larves mangent les racines de feuillus et de plantes basses.

Hylobius abietis (L.) Le Grand Charançon du pin

Caractéristiques : 8 à 13 mm. Brun avec de taches jaunes. Se confond facilement, ma espèce la plus connue et la plus courante par les Curculionidae.
Habitat : Forêts de conifères.
Distribution : De l'Europe jusqu'au Japon.
Fréquence : Se rencontre régulièrement, parfo en grand nombre.
Reproduction : Les ♀ déposent leurs œu dans les troncs d'épicéas et de pins qui vienne d'être abattus. Les larves se nourrissent so terre de racines et de bois mort. Elles ne ca sent pas de dégâts. Elles creusent dans le bo une galerie en angle droit où elles se nymph sent. Les adultes apparaissent au printemps.
Généralités : Les adultes causent des dégâts ils mangent le cambium et l'écorce des conif res et vivent très longtemps : 3 à 6 ans. Lor qu'ils sont très nombreux, ils s'attaquent ég lement aux jeunes épicéas et aux jeunes pins. peuvent dépouiller de leurs feuilles des plant tions entières et faire mourir les arbres.

Charançons

Curculio glandium Marsh.
Le Balanin des glands

Caractéristiques : 5 à 8 mm. Long rostre étroit, plus grand chez le ♂ que chez la ♀. Il existe en Europe une douzaine d'espèces très semblables, difficiles à identifier.
Habitat : Forêts de chênes, parcs.
Distribution : Forêts de feuillus d'Europe et d'Asie.
Fréquence : Espèce se rencontrant régulièrement, plus ou moins courante : rare dans le nord de l'Europe.
Reproduction : A l'aide de leur long rostre, les ♀ creusent dans les glands encore tendres un petit trou et y cachent un œuf. Lorsque le gland grandit, ce trou se ferme, si bien que l'on ne sait plus s'il contient ou non une larve. La larve n'a pas d'yeux et est apode. Elle mange le cœur du gland et se laisse tomber par terre avec lui. Puis elle creuse un trou vers l'extérieur et s'enfouit dans le sol pour se nymphoser. La nymphe hiverne et le jeune imago apparaît au printemps.
Nourriture : Glands.

Liparus glabrirostris (H.)
Le Charançon des pétasites

Caractéristiques : 15 à 20 mm. Est, avec quelques espèces semblables, le plus grand curculionide d'Europe. Difficile à identifier comme la plupart des 1 500 curculionides vivant en Europe.
Habitat : Prés, talus, éboulis dans les montagnes de moyenne et haute altitude ; endroits humides de préférence.
Distribution : Surtout dans le sud de l'Europe.
Fréquence : Espèce courante dans certaines régions, plus rare vers le nord.
Reproduction : Les ♀ creusent un trou dans les rhizomes des pétasites *(Petasitis officinalis* et *P. albus)* et y déposent un œuf. Les larves mangent le rhizome. Elles s'enfouissent dans le sol pour se nymphoser. Les adultes vivent sur les pétasites et le tussilage *(Tussilago farfara)* dont ils rongent les feuilles. Les pétasites poussant sur des sous-sols humides, on voit souvent cette espèce au bord des ruisseaux de montagne.
Nourriture : Les larves mangent les racines des pétasites, les adultes les feuilles (également tussilage).

Curculio nucum L.
Le Balanin des noisettes

Caractéristiques : 1 cm. Long rostre ; brun brun foncé. Ressemble beaucoup aux autr espèces de ce genre vivant en Europe.
Habitat : Bosquets, lisières des forêts, jardir parcs avec noisetiers.
Distribution : Au nord, jusqu'au sud de la Sca dinavie ; sinon, très répandu en Europe.
Fréquence : Plus rare que *Curculio glandium*
Reproduction : Voir *C. glandium*. En mai ou ju la ♀ creuse un trou dans les noisettes verte encore tendres et y cache un œuf. Si la lar mange la noisette, celle-ci tombe prématur ment. La larve quitte la noisette pour s'enfo dans le sol et y hiverner. Elle peut rester so terre pendant trois ans avant de se nymphose Les jeunes imagos apparaissent en mai.
Nourriture : Les adultes mangent les feuilles différents feuillus et d'arbustes. Les larves peuvent se développer que dans les noisette
Généralités : De nombreux curculionides o une nourrriture très spécifique.

Byctiscus betulae (L.)
Le Cigarier de la vigne

Caractéristiques : 5 à 7 mm. Vert métallique bleu brillant. Difficile à distinguer d'autres esp ces très semblables.
Habitat : Forêts de feuillus mixtes, haies, jardir parcs.
Distribution : Dans les régions tempérées d'E rope et de Sibérie jusqu'au Japon.
Fréquence : Se rencontre régulièrement. E pèce parfois courante dans les vignobles où e cause des dégâts.
Reproduction : Les ♀ enroulent une feuille y cachent un œuf. La feuille se flétrit, tombe la larve se développe dans les détritus. E s'enfouit dans le sol pour se nymphoser. L adultes apparaissent en automne, mais reste sous terre jusqu'au printemps. Ils sortent même temps que les premières feuilles sur l arbres et les arbustes et mangent les bourgeo et les feuilles tendres jusqu'à ce qu'ils soie arrivés à maturité sexuelle. Lorsque plusieu œufs se trouvent dans une feuille enroulée, proviennent de plusieurs ♀. Une ♀ roule de feuilles par jour, en tout 20 à 30.

Charançons

Byctiscus populi (L.)
Le Cigarier du peuplier

Caractéristiques : 5 mm environ. Difficile à identifier. Charançon vert ou bleu métallique. Le ♂ se reconnaît aux deux épines sur le pronotum.
Habitat : Cultures de peupliers, bosquets, bords des ruisseaux, des rivières et des lacs.
Distribution : Régions tempérées d'Europe.
Fréquence : Se rencontre régulièrement, parfois en grand nombre sur un arbre.
Reproduction : Voir *B. betulae*. Les ♀ roulent ou cousent ensemble les très jeunes feuilles de peuplier. Une fois enroulée, la feuille à 3 mm de diamètre. La ♀ fixe un œuf sur la partie supérieure du rouleau, à l'intérieur. La feuille se fane rapidement et tombe par terre. La larve se développe sur le sol, protégée par la feuille. Elle quitte ce cocon et creuse un trou dans le sol pour se nymphoser. Elle se nymphose au bout de un à deux ans.
Nourriture : Les adultes mangent les feuilles de peupliers ; les larves se nourrissent de substances végétales en décomposition.

Deporaus betulae (L.)
Le Rhynchite du boulea

Caractéristiques 5 mm. Noir métal que ; difficile à iden fier. Se repère, en ét aux feuilles de bo leaux enroulées.
Habitat : Jardir parcs, allées, marécages, forêts claires. Sur l bouleaux.
Distribution : Régions tempérées et chaud d'Europe et de Sibérie. Afrique du Nord.
Fréquence : Espèce commune, se rencontra régulièrement en forêt.
Reproduction : Avec son rostre, la ♀ fabriq sur le dessous de la feuille une poche ron dans laquelle elle introduit un œuf.
Nourriture : Les larves mangent les feuilles f nées et se nymphosent sous terre;
Généralités : Les feuilles enroulées ont la forn d'un étui.

Attelabus nitens (Sc.)
L'Attelabe du chêne

Caractéristiques : 5 mm environ. Rouge ou brun-rouge ; dos fortement bombé. Facile à identifier.
Habitat : Chênes, parcs, lisières des forêts.
Distribution : Régions tempérées d'Europe.
Fréquence : Espèce souvent très commune.
Reproduction : Les feuilles enroulées par la ♀ ressemblent à une boîte de conserve ou à un tonnelet. Le processus de fabrication est très compliqué. Plusieurs œufs y sont cachés. Pour finir, la ♀ mord le pétiole de la jeune feuille de chêne pour qu'elle tombe par terre. La larve mange la feuille fanée et s'enfouit dans le sol pour hiverner. L'adulte apparaît peu après. Ne se rencontre que sur les chênes.
Généralités : Chaque espèce a une méthode compliquée pour enrouler les feuilles dans lesquelles sont introduits les œufs. Le type de rouleau permet d'identifier mieux l'espèce dont il s'agit que l'observation du coléoptère lui-même.

Apoderus coryli (L.)
L'Apodère du noisetier

Caractéristiques : 6 à 8 mm. Même couleur même forme que l'Attelabe du chêne. Ma pronotum beaucoup plus étroit. Fémur roug noir chez l'Attelabe du chêne. Rostre différe (voir photo).
Habitat : Forêts de feuillus, parcs et jardins.
Distribution : Europe, Sibérie, jusqu'au Japor
Fréquence : Espèce courante.
Reproduction : Les adultes se rencontrent mai à août. Pendant l'hiver, ils dorment, enfou dans le sol. Les ♀ enroulent d'une maniè caractéristique les feuilles de noisetier, lesqu les ne se fanent toutefois pas et ne tombent pa Les larves se développent et se nymphosent s l'arbre, dans la feuille. La jeune générati apparaît à l'automne et hiverne. La ♀ dépo un à quatre œufs dans la feuille enroulée. L bonnes années, une deuxième génération développe. Dans ce cas, les larves hiverne dans les rouleaux tombés par terre et se ny phosent au printemps.
Nourriture : Feuilles de noisetier, plus rareme de bouleaux et d'aulnes.

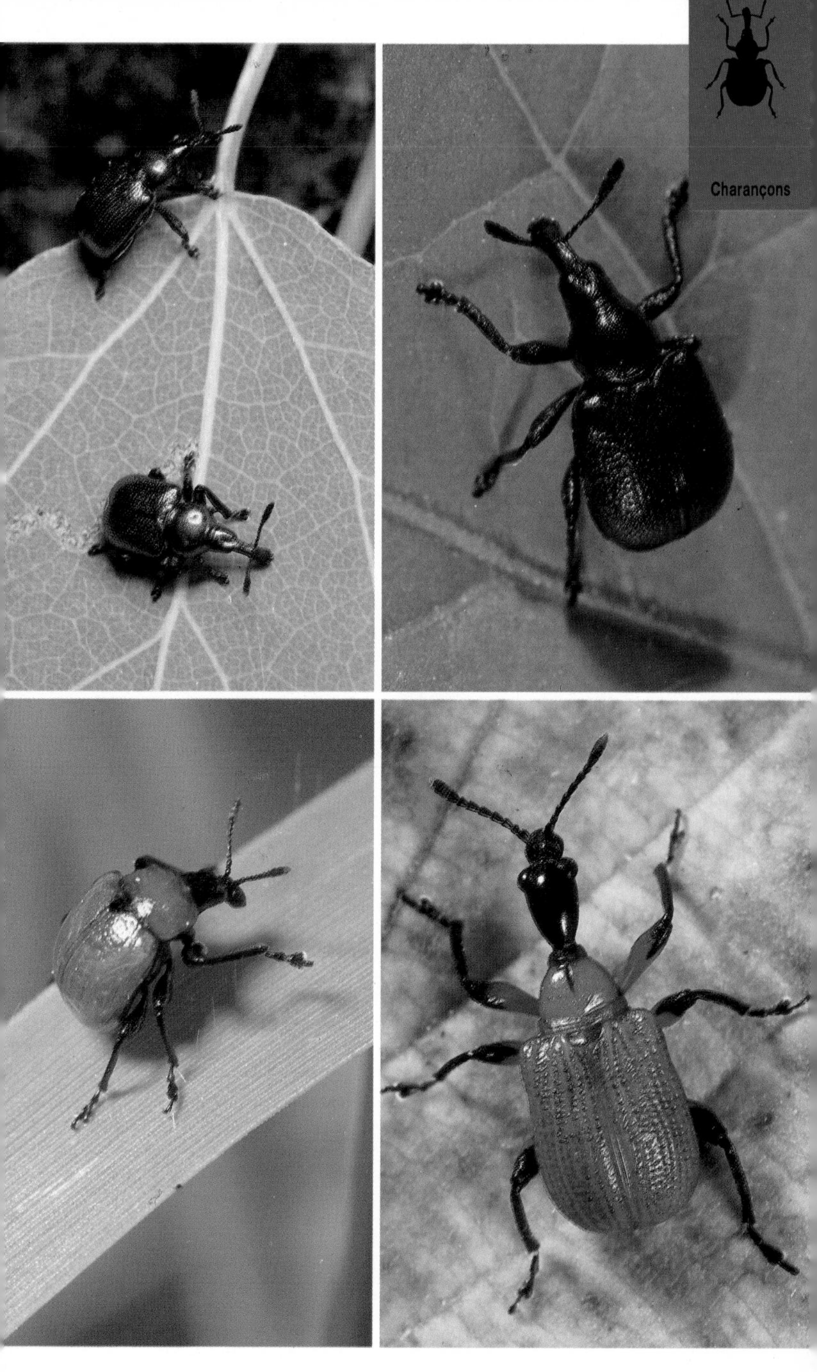

Chlorophanus viridis (L.)
Le Charançon vert

Caractéristiques : 8 à 11 mm. Bleu-vert ; côtés du pronotum et des élytres recouverts d'écailles vert-jaune. Il existe en Europe quelques espèces appartenant au genre *Chlorophanus*, difficiles à distinguer. *C. viridis* est la plus courante.
Habitat : Prés et autres endroits humides. Sur les aulnes ou dans l'herbe, sur les orties.
Distribution : Dans de nombreuses régions d'Europe.
Fréquence : Espèce courante.
Généralités : Bien que ce curculionide soit relativement courant dans nos régions, on ne sait pas grand chose de son comportement biologique et écologique. Les larves vivent sans doute sous terre et mangent la racine des saules et des aulnes. Il est difficile de rendre compte ici de toute la variété que l'on rencontre chez les curculionides. Se reporter à la bibliographie pour tout ce qui concerne l'identification des espèces et les caractéristiques biologiques et écologiques.

Sitophilus granarius (L.)
Le Calandre des grains

Caractéristiques : 25 à 35 mm. Brun châtain ou noirâtre, sans trace de tache plus claire sur les élytres, pilosité très fine sur le dessus. Rostre faiblement arqué. Corselet couvert de points allongés, espacés les uns des autres.
Habitat : Vit et se développe dans les grains de blé, de seigle, d'orge, d'avoine, de sarrasin, de millet, de pois-chiche, et plus rarement dans les châtaignes, les glands et les pâtes alimentaires. Se rencontre dans les greniers, les magasins, les réserves, mais jamais sur les plantes en plein champ.
Distribution : Espèce aujourd'hui cosmopolite.
Fréquence : Faisait autrefois des dégâts très importants dans les silos à grains ; elle peut toujours pulluler localement.
Reproduction : En Europe, trois à quatre générations se succèdent. Les premières pontes ont lieu en mars, au bout de 8 jours les larves apparaissent pour se nourrir de grains pendant 30 à 35 jours, elles se chrysalident et les adultes apparaissent une semaine plus tard. Les charançons peuvent vivre jusqu'à deux ans et demi.

Pissodes pini (L.)
Le Pissode du pin

Caractéristiques : 5 à 10 mm. Brun foncé ave des taches jaunâtres, plus ou moins grandes su le prothorax et les élytres. Les huit espèce vivant en Europe sont inféodées à un arbre e particulier : *Pissodes pini* aux épicéas malade et morts, d'autres aux épicéas ou aux sapins.
Habitat : Forêts de conifères avec des épicéa
Distribution : Dans de nombreuses région d'Europe, sauf en Scandinavie et en Espagne d Sud.
Fréquence : Se rencontre régulièrement. Caus parfois des dégâts.
Reproduction : Les ♀ déposent sous l'écorc des épicéas malades ou morts des paque d'œufs. Les larves creusent des galeries irré gulières sous l'écorce. Elles se nymphoser dans une enveloppe fibreuse. Les adultes so tent rapidement. Ils peuvent vivre plusieu années et peuvent se reproduire toute l'anné Aussi rencontre-t-on en même temps des œuf des larves, des nymphes et des adultes.
Nourriture : Espèce phytophage.

Phyllobius argentatus (L.)
La Phyllobie argentée

Caractéristiques : 4 à 6 mm. Vert brillant, fém rougeâtre ou foncé. Genre représenté par de formes et des espèces variées. 25 espèces d *Phyllobius* en Europe. Vert ou brun-gris, écaille claires et foncées, d'où l'impression de tache Difficile à identifier.
Habitat : Forêts de feuillus mixtes, parcs red venus sauvages et grands jardins ; souvent dar les feuillus, plus rarement sur les conifères.
Distribution : Régions tempérées d'Europe d'Asie.
Fréquence : Parfois très courant.
Reproduction : Tandis que les adultes vivent e haut des arbres et mangent les feuilles, le larves vivent sous terre et mangent les racine Elles se nymphosent et hivernent sous ter dans un berceau nymphal.
Nourriture : Les petites larves mangent les rac nes tendres ; elles peuvent par la suite caus des dégâts importants en mangeant les gross racines et l'écorce des petits arbres.

Ips typographus (L.) Le Scolyte typographe

Caractéristiques : 4 à 6 mm. Petit coléoptère cylindrique, noir brillant, recouvert de poils brunâtres ; pattes robustes, rappelant celles des aphodies. Antennes courtes et terminées en massue. Élytres excavés à l'arrière et pourvus de quatre petites dents de chaque côté. Tête cachée sous le grand prothorax. Le bouclier et les élytres sont de même largeur si bien que le corps de ce coléoptère a la même largeur partout, ce qui lui permet de se faufiler dans ses galeries. Ce genre est représenté en Europe centrale par sept autres espèces qui sont difficiles à identifier. Le Scolyte typographe est l'espèce la plus courante.
Habitat : Forêts de conifères, épicéas.
Distribution : Forêts de conifères d'Europe et d'Asie du Nord. En montagne, jusqu'à la limite de la végétation arborescente.
Fréquence : Très variable ; prolifère parfois. Infeste parfois les arbres qui ont déjà été attaqués, par exemple par des chenilles. Mais, lorsque ces animaux sont très nombreux, ils s'attaquent également aux arbres en bonne santé. De temps à autre, cette espèce cause des dégâts majeurs dans la culture des conifères. Du fait de la sylviculture moderne, le Scolyte typographe n'aurait plus guère de chance de se reproduire en masse.
Reproduction : Le Scolyte typographe fait partie des coléoptères corticoles dont il existe plus de 100 espèces en Europe. Il creuse entre le bois et l'écorce des galeries pour y déposer les œufs. Les larves creusent à leur tour un réseau de galeries caractéristique entre l'écorce et le bois. Plus elles grandissent, plus les galeries sont larges. Elles sont apodes. Leur peau est relativement molle et elles n'ont pas de couleur particulière. Les larves se nymphosent à l'extrémité des galeries et les jeunes imagos sortent à l'air libre en creusant à nouveau des galeries. Les ♀ commencent par creuser une galerie longitudinale d'une à trois ramifications sous l'écorce tout en enlevant les débris. La galerie est élargie au niveau de l'entrée, formant la loge nuptiale. Il y a 1 ♂ par loge nuptiale. Toutes les ♀ arrivant les jours suivants sont fécondées (polygamie). Chaque ♀ creuse une loge pour y déposer ses œufs. Les larves creusent ensuite des galeries de plus en plus larges. Le berceau nymphal se trouve à l'extrémité de la galerie.
Nourriture : Jeune bois et jeune écorce des épicéas, des pins ou des mélèzes ; bois « préparé » par des champignons.

Pityogenes chalcographus (L.) Le Scolyte rongeur

Caractéristiques : 2 mm. Réseau de galeries typique.
Habitat : Forêts de conifères des régions tempérées et froides d'Eurasie.
Distribution : De l'Europe de l'ouest jusqu'au Japon.
Fréquence : Variable selon les années et les régions. Espèce parfois très courante là où il y a beaucoup d'épicéas endommagés.
Reproduction : Deux à trois générations par an, la période de repos nymphal étant très courte. Généralement, les adultes hivernent, parfois les larves et les nymphes.
Nourriture : Liber des épicéas et des pins.

Onthotomicus sp.

Caractéristiques : Ce genre est proche du genre *Ips* dont il se distingue par l'extrémité des élytres se terminant presque verticalement et non pas d'une manière graduée comme chez *Ips*. Le segment 2 des antennes est distinctement plus court que le 1er. 2,5 à 3 mm de long.
Habitat : Ces insectes sont confinés aux forêts de conifères.
Distribution : Toute l'Europe.
Fréquence : Apparaît parfois en grande quantité.
Reproduction : Cette espèce comme la précédente fait des galeries sous l'écorce des arbres où la ♀ pond ses œufs.

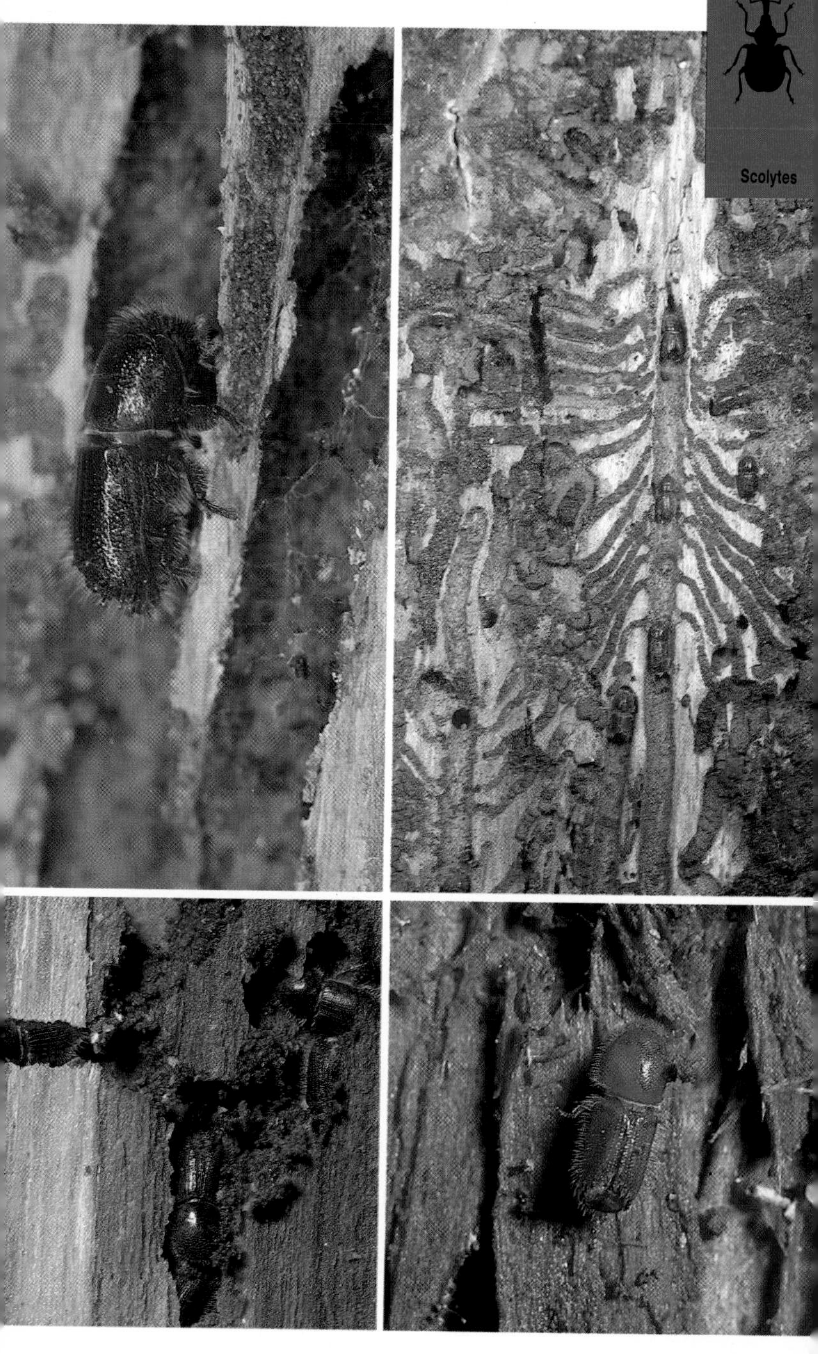
Scolytes

Agriotes lineatus L.
Le Taupin des moissons

Caractéristiques : Pronotum un peu plus large que long, brièvement arrondi en avant. Sutures prosternales longuement et largement évasées sur la moitié de leur longueur environ. Élytres marqués sur les côtés, longuement acuminés en arrière. Forme générale convexe. Dessous brun noir, dessus plus clair.
Habitat : Sur les buissons ou sous les pierres en été.
Distribution : Toute la France, jusqu'à 1 500 m environ. Commun dans toute l'Europe, Asie Mineure, Caucase, Sibérie.
Fréquence : Régulièrement commun.
Reproduction : Le cycle évolutif dure 4 à 5 ans. Les œufs sont déposés dans le sol, les larves sont essentiellement terricoles et elles s'attaquent aux parties souterraines de diverses plantes parmi lesquelles le blé, le maïs, l'avoine, l'orge, la pomme de terre, le trèfle...
Généralités : C'est une espèce très nuisible aux céréales.

Denticollis linearis (L.)
Le Taupin linéaire

Caractéristiques : 9 à 12 mm. Pronotum sans fossette discale de chaque côté du sillon longitudinal médian. Antennes allongées, dentées en scie. Interstries des élytres tous identiques. Cette espèce saute très faiblement.
Habitat : Toute la France, mais surtout en basse montagne, où on les rencontre sur les ombellifères et autres plantes basses, ainsi que sur les chênes et les saules. Assez commune dans les lieux frais ombragés jusqu'à 1 500 m.
Distribution : Presque toute l'Europe ; Asie Mineure et Sibérie.
Fréquence : Cette espèce est répandue, quoique rarement commune.
Reproduction : La larve se développe dans le bois carié des arbres non résineux.

Athous hirtus (H.)
Le Taupin hirsute

Caractéristiques : Antennes courtes, dépassant les pointes postérieures d'un article seulement chez le ♂, ne les atteignant pas chez la ♀. 12 à 17 mm. Élytres de forme générale convexe. Dessous brun noir, dessus plus clair, légère pilosité.
Habitat : Partout sur les arbustes, dans les bois. Vole par temps lourd.
Distribution : Toute la France, jusqu'à 1 500 m environ. Commun dans toute l'Europe, Asie Mineure, Caucase, Sibérie.
Fréquence : Espèce partout abondante.
Reproduction : Le cycle évolutif a lieu près et dans le bois carié de souches de divers feuillus : chênes, noyers, peupliers, etc.

Ampedus sanguineus L.
Le Taupin sanguin

Caractéristiques : Élytres toujours concolores, généralement rouge vif, parfois ferrugineux. De nombreuses autres espèces proches telle *A. cinnabarinus* n'ont pas un pronotum aussi développé.
Habitat : Souvent dans les scieries, parfois sur les ombellifères, jusqu'à 1 200 m.
Distribution : En France, répandu au sud d'une ligne allant approximativement des Vosges au Cantal et aux Landes. Presque partout en Europe, Asie Mineure, Iran, Sibérie.
Fréquence : Localement abondant.
Reproduction : La larve se développe dans la carie rouge des grumes et des souches de divers conifères : pins, épicéas ; elle se nourrit de larves de xylophages.

Larve

Apis mellifica L. L'Abeille domestique

Caractéristiques : 13 à 15 mm. Thorax recouvert, surtout sur les côtés, de poils jaunâtres, apparaissant également sur les anneaux de l'abdomen. Antennes deux fois plus longues que le diamètre des yeux. Langue aussi longue que la tête. Vit en société. Trois castes : la reine (♀ féconde), les faux-bourdons (♂) et les ouvrières qui forment une grande partie de la colonie et qui sont plus petites. Contrairement à la reine, elles possèdent des glandes qui produisent la cire, ainsi qu'une longue langue servant à récolter le nectar. Les faux-bourdons n'ont pas d'aiguillon à l'extrémité de l'abdomen. Cet aiguillon comporte un crochet qui, lorsque l'abeille pique un vertébré homéotherme, reste enfoncée dans la peau et est arrachée en même temps que les glandes sécrétant le venin. Les abeilles domestiques se distinguent ainsi des guêpes qui peuvent piquer plusieurs fois sans perdre leur aiguillon.

Habitat : Forêts claires et lisières des forêts, prés et jardins. L'abeille domestique a été introduite par l'Homme dans presque toutes les régions du monde, dans les habitats appropriés.

Distribution : Zones cultivées dans les régions tempérées et tropicales du monde entier. Introduite par l'Homme. N'existe généralement pas à l'état sauvage en Europe.

Fréquence : Plus ou moins courante selon l'habitat. Contrôlée par l'Homme (apiculture).

Reproduction : Les reines de la nouvelle génération se développent dans les cellules royales de la ruche. La première qui a éclos tue les autres reines et quitte la colonie pour son vol nuptial. Les faux-bourdons éclos au cours de l'été s'envolent également en essaims et s'accouplent. La jeune reine revient alors dans la ruche, laquelle est alors abandonnée par la vieille reine et par une partie de l'essaim pour fonder une nouvelle colonie. Il peut y avoir plus de 50 000, parfois plusieurs centaines de milliers d'abeilles dans une colonie. La reine contrôle le comportement des ouvrières en les nourrissant avec une substance particulière, la gelée royale. Les larves destinées à devenir des ouvrières sont nourries normalement par les ouvrières. Lorsque la reine meurt, les ouvrières s'en aperçoivent rapidement et construisent des alvéoles plus grandes pour les larves qu'elles nourrissent de manière plus abondante. Ainsi de nouvelle reines apparaissent. La qualité et la quantité d nourriture donnée aux larves est déterminant Les reines qui vivent quatre à cinq ans peuve pondre plus de 100 000 œufs qui sont fécondé Des œufs non fécondés sortent les faux-bou dons. Les ouvrières vivent encore quelque semaines pendant lesquelles elles se livrent des activités très précises : elles nettoient ruche, construisent les alvéoles, nourrissent le larves et apportent le pollen et le nectar. Pu elles meurent rapidement. La reproduction n'e donc assurée que par la reine et par quelque mâles, les faux-bourdons. Les ouvrières s'occu pent de plusieurs générations à la fois. E prévision des périodes de pénurie, notammen pour l'hiver, elles constituent des réserves d miel, produit à partir du nectar des fleurs. Le abeilles produisent plus ou moins de miel su vant les races. Elles ont également plus o moins tendance à piquer. L'abeille domestiqu africaine est la plus redoutée. Les Abeilles éle vées en Europe sont généralement pacifiques

Généralités : Voilà déjà plusieurs millénaires qu l'homme a domestiqué les Abeilles domesti ques. A l'origine, elles vivaient dans des trou dans les arbres, dans des niches ou dans de trous creusés dans la terre où elles constru saient leurs alvéoles hexagonales. L'apicultu offre aux abeilles un abri comportant des rayon où elles sont soignées et nourries l'hiver.

L'Abeille africaine introduite au Brésil en 1956 des fins expérimentales s'est rapidement re pandue en Amérique du Sud et, après avo traversé les Andes, est arrivée à Panama e 1983.

Voir aussi p. 278, 279

Xylocopa violacea (L.) Le Xylocope violacé

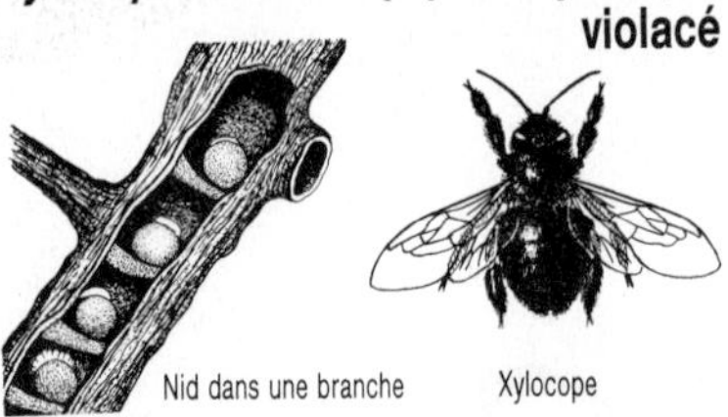

Caractéristiques : 3 cm. Noir-bleu brillant. Poils noirs. Une des plus grandes abeilles de nos régions.
Habitat : Terrains en friches ensoleillés.
Distribution : Sud de l'Europe, bassin méditerranéen ; toute la France.
Fréquence : Se rencontre presque partout en France.
Reproduction : Avec leurs puissantes mandibules, les ♀ creusent dans les branches, les poutres ou les poteaux des galeries pouvant avoir jusqu'à 30 cm de long et divisées en quinze chambres. Elles remplissent ces alvéoles de pollen, puis y déposent un œuf.
Nourriture : Pollen et nectar.

Panurgus calcaratus (Sc.) La Panurge des piloselles

Caractéristiques : 1 cm. Abeille difficile à identifier ; pattes postérieures très larges ; corps très velu.
Habitat : Vole beaucoup et se rencontre presque partout où il y a des fleurs et des arbustes en fleurs, surtout sur les fleurs des épervières *(Hieracium)* et du pissenlit *(Taraxacum)*.
Distribution : Dans toute l'Europe.
Fréquence : Espèce courante.
Reproduction : Vit seule comme les andrènes. Rampe sur les fleurs jusqu'à être couverte de pollen qu'elle enlève avec ses pattes dans son nid. Les larves mangent ce pollen ; elles se nymphosent et les adultes apparaissent l'année suivante.
Nourriture : Pollen des composées.

Andrena vaga Pz. L'Andrène vagabonde

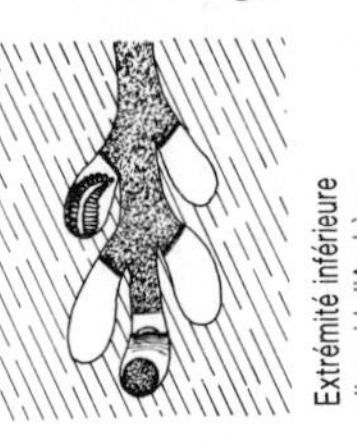

Caractéristiques : 2 cm ; thorax recouvert de poils blancs ; reste du corps noirâtre. Colonies caractérisées par de petits tas de sable coniques de 3 cm de haut environ. Groupe difficile à identifier, 125 espèces environ en Europe.
Habitat : Chemins, remblais, terrains sablonneux.
Fréquence : Espèce courante dans certaines régions ; grandes colonies composées de centaines ou de milliers d'Andrènes.
Reproduction : Les abeilles qui ont éclos au printemps s'accouplent. Puis les ♀ creusent des galeries descendant à 30 à 50 cm sous terre et se terminant par de larges alvéoles. Ces alvéoles sont remplies de pollen dont se nourrissent les larves. La période d'activité ne représente que quelques semaines au printemps.
Nourriture : Pollen des fleurs de saules.

Eucera longicornis (L.) L'Eucère longicorne

Corbeille à pollen sur le ventre
Corbeille à pollen sur les pattes postérieures

Caractéristiques 1,5 cm. Antennes très longues chez les ♂ ♀ difficiles à identifier. Petites pattes très velues. La corbeille à pollen se trouve sur les pattes postérieures, et non sur le ventre.
Habitat : Prés secs avec peu de végétation, talus ensoleillés avec un sous-sol sablonneux.
Distribution : Dans presque toute l'Europe, mais localisée dans les régions qui ont les biotopes lui convenant.
Fréquence : Espèce plutôt commune en France.
Reproduction : Les Eucères longicornes creusent chacun leur nid dans le sol. Ce nid possède plusieurs galeries latérales qui sont toutes remplies de pollen et de nectar et reçoivent chacune un œuf. C'est là que la larve mange, mue, se nymphose et se transforme en abeille.
Nourriture : Nectar de vesces et de langues de bœuf (buglosses).

Osmia bicolor (Schr.) L'Osmie bicolore

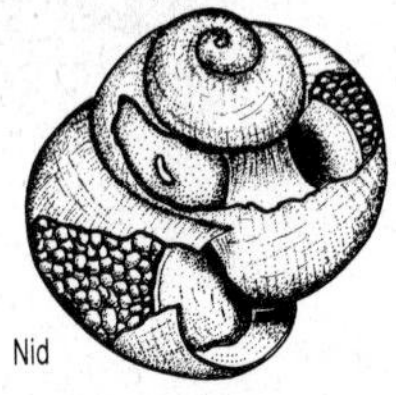

Caractéristiques : 1 cm environ. Difficile à identifier par son aspect, mais comportement caractéristique : construit son nid avec un mélange d'argile et de salive dans des endroits caractéristiques : *O. rufa* dans les interstices des bâtiments ; *O. bicolor* dans des coquilles d'escargot vides.
Habitat : Forêts mixtes, bois clairs, rarement dans les jardins et les parcs.
Distribution : Nombreuses régions d'Europe.
Fréquence : Relativement courante.
Reproduction : Ces abeilles qui vivent seules portent une corbeille à pollen sur le vent cherchent une coquille d'escargot vide pour déposer leurs œufs et qu'elles remplissent c pollen et de nectar. Elles la camouflent en recouvrant d'aiguilles et d'herbes. Les cloiso sont formées par des feuilles mâchées.
Généralités : Les 90 représentants de la famil des Megachilidae se caractérisent par des ni construits de manières très diverses. Il existe e Europe une cinquantaine d'espèces appart nant au genre *Osmia*. Certaines ont des refle métalliques sur l'abdomen.

Anthidium punctatum Lat. L'Anthidie ponctuée

Caractéristiques : 1 cm environ. Il existe en Europe une dizaine d'espèces appartenant au genre *Anthidium*, caractérisées par des anneaux noirs et jaunes, rappelant ceux des guêpes. Mais on s'aperçoit immédiatement qu'il s'agit d'abeilles. Espèces difficiles à identifier.
Habitat : Zones découvertes. Construit son nid dans des trous sous l'herbe.
Distribution : Nombreuses régions d'Europe.
Fréquence : Apparaît régulièrement dans certains endroits.
Reproduction : En vol, ressemble aux volucelles : s'arrête au-dessus d'une fleur, suce le nectar et repart. Parfois même comportement au-dessus du nid. Construit son nid avec c duvet de certaines plantes qu'elle arrache ave ses puissantes mandibules, des aiguilles ou d molènes. Certaines espèces collent leurs cell les sur le dessous des pierres avec de la résin D'où le nom de « résiniers ».
Généralités : Les anthides sont proches d mégachiles qui enroulent des morceaux de feu les. Les larves se développent dans ces peti rouleaux. Les espèces de mégachiles vivant e Europe se reconnaissent à leurs griffes et l'absence de ventouses.

Dasypoda altercator (Harr.) (= plumipes Pz.) L'Abeille à culottes

Caractéristiques : Jusqu'à 1,5 cm. Se reconnaît aux poils roux recouvrant les tibias et les métatarses des pattes postérieures, formant des « culottes ». Ramasse et transporte une quantité énorme de pollen et de nectar : en 7 voyages, peut transporter 300 mg de pollen, quantité suffisante pour nourrir les larves vivant dans une alvéole.
Habitat : Sols sablonneux et ensoleillés avec peu de végétation.
Distribution : Dans une grande partie de l'E rope.
Fréquence : Ne se rencontre pas partout.
Reproduction : La ♀ creuse une galerie po vant descendre jusqu'à 50 cm sous terre et do l'extrémité inférieure est très ramifiée et re semble à une grappe de raisin. Chaque alvéo contient une « balle » de nectar et de poll reposant sur trois supports et sur laquelle e déposé l'œuf. A la surface du sol, la terre e répartie de manière homogène, si bien que trou n'est guère visible. Cette espèce vit e communauté, mais n'est pas sociale.
Généralités : *D. hirtipes* est aussi courante q *D. altercator*.

Bombus terrestris L.
Le Bourdon terrestre

Caractéristiques : 25 à 28 mm. Les bourdons se caractérisent par leur corps robuste et très velu. La plupart d'entre eux ont un long rostre avec lequel ils pénètrent dans le calice des fleurs. Mais ce n'est pas le cas du Bourdon terrestre. Pour atteindre le nectar, il doit faire un trou sur le côté de la fleur. Différence de forme et de couleur entre les individus et les ♂ et les ♀.
Habitat : Les ♀ fécondées apparaissent en avril. Elles volent au-dessus des chatons de saule en fleurs.
Distribution : Dans toute l'Europe.
Fréquence : Espèce courante.
Reproduction ; nourriture : Voir autres *Bombus*.

Bombus lapidarius (L.)
Le Bourdon des pierres

Caractéristiques : 20 à 25 mm. Corps foncé, brun-rouge à l'extrémité.
Habitat : Presque partout.
Distribution : Régions tempérées d'Europe et d'Asie.
Fréquence : Espèce très courante.
Reproduction : Les premières ♀, fécondées en automne, apparaissent en avril. Elles construisent leurs nids sous des tas de pierres. A la fin de la saison, 100 à 500 animaux vivent dans ces nids. Les premiers bourdons qui apparaissent élèvent les plus jeunes : première étape dans l'apparition d'une société, comme chez les Abeilles domestiques.

Bombus agrorum (F.)
Le Bourdon des champs

Caractéristiques : 20 à 22 mm. Difficile à identifier : sur le corps, poils hérissés. Jaune-gris délavé.
Habitat : Prés, lisières des forêts.
Distribution : Nombreuses régions d'Europe.
Fréquence : Courante.
Reproduction : Avec de la mousse et de la cire, les ♀ construisent une cellule d'où sort la première génération, laquelle construit d'autres cellules et s'occupe des larves, si bien que la ♀ peut se consacrer entièrement à la ponte. Les bourdons asexués se partagent le travail ; les uns s'occupent à l'intérieur, les autres à l'extérieur : ils ramassent le pollen et le nectar.

Bombus sylvarum (L.)
Le Bourdon des bois

Caractéristiques : 2 cm. Raies brunes et jaune variant d'un individu à l'autre.
Habitat : Clairières, layons dans les forêts moyenne et basse altitude.
Distribution : Toute l'Europe sauf le nord.
Fréquence : Espèce courante.
Reproduction : Les ♀ fécondées en automn hivernent par terre ou dans les fentes des a bres. Les premières appparaissent en mai sur lamier et l'ajuga. Elles construisent leurs nid dans d'anciens nids d'oiseaux ou dans de terriers de mammifères.
Nourriture : En automne, généralement ombell fères et scabieuses.

Bombus hortorum (L.)
Le Bourdon des jardins

Caractéristiques : 24 à 28 mm. Face ventral jaune pâle permettant mieux d'identifier cett espèce que les bandes noires, jaunes et blar ches apparaissant sur le dos. Peut êtr confondu avec *B. ruderans* dont il ne se distir gue que par son ventre jaune brillant.
Habitat : Zones découvertes, jardins.
Distribution : Nombreuses régions d'Europe.
Fréquence : Espèce courante.
Reproduction : Les nids qui sont très peuplés e automne sont construits à la fois au-dessus d sol et sous terre. Comme chez la plupart de bourdons, ils sont en mousse et pourvus, l'intérieur, d'une couche étanche.

Bombus pratorum (L.)
Le Bourdon des prés

Caractéristiques : Jusqu'à 2 cm. Difficile identifier. Tête et extrémité de l'abdomen du ♂ recouvert de poils jaunes.
Habitat : Jardins, terrains buissonneux.
Distribution : Nombreuses régions d'Europe.
Fréquence : Courante.
Reproduction : C'est l'un des premiers signe annonciateurs du printemps. Ces bourdon s'occupent de la première génération de bou dons asexués qui prendront la relève de la ♀ Les ♂ et les ♀, les futures reines, arrivent maturité en été. Ils s'accouplent après le v nuptial. Tandis que les ♂ meurent rapidemen les ♀ gagnent leurs quartiers d'hiver.

Abeilles,
guêpes,
tenthrèdes

Acantholyda erythrocephala (L.)
La Lyde bleue

Caractéristiques : 10 à 12 mm. Bleu acier.
Habitat : Espèce inféodée aux pins. Les œufs sont pondus de préférence dans les plantations âgées de 10 à 15 ans.
Distribution : Europe, sauf dans le sud.
Fréquence : Variable, mais se rencontre régulièrement, parfois en masse.
Reproduction : Les *Acantholyda* apparaissent en avril et mai. Les œufs allongés sont fixés par deux sur les aiguilles en haut des arbres. Les petites larves construisent un cocon ; chaque larve a ses propres conduits. Il y a peu d'excréments dans le cocon. Les larves se laissent descendre par terre pour se nymphoser ; elles creusent un trou dans l'humus et hivernent souvent plusieurs fois avant de se nymphoser au printemps. Se reposent alors plusieurs semaines de suite.
Nourriture : Aiguilles de pins.
Généralités : Les dégâts causés sur les arbres déjà endommagés ne font pas mourir les arbres, mais en diminuent la rentabilité.

Rhodogaster viridis (L.)
La Tenthrède verte

Caractéristiques : 1 cm. Vert pâle. Espèce difficile à identifier, car la famille des tenthrédinides compte 4 000 espèces dans le monde, dont plus d'une centaine en Europe.
Habitat : Terrains buissonneux, forêts de feuillus mixtes, jardins et parcs.
Distribution : Régions tempérées d'Europe et d'Asie jusqu'au Japon.
Fréquence : Espèce courante, se rencontrant régulièrement.
Reproduction : Les adultes et les larves se rencontrent tout l'été. Lorsqu'il fait chaud, les Tenthrèdes vertes chassent les insectes entre les buissons et dans l'herbe, puis les tuent et en sucent l'intérieur. Elles s'avèrent utiles dans la lutte contre les Doryphores qu'elles poursuivent volontiers. Les larves — également appelées fausses chenilles, car, contrairement aux chenilles de papillons, elles ont des pseudopodes thoraciques et abdominaux — mangent les feuilles d'aulnes, de peupliers ou de saules ; également les feuilles de renoncules.

Cimbex femoratus (L.)
Le Cimbex du bouleau

Caractéristiques : 2,5 cm. Les membres de famille des cimbicides se reconnaissent à le antennes terminées en massue. Ce sont beaux animaux ornés de dessins noirs et jaun
Habitat : Espèce inféodée aux bouleaux ; ne que là où il y a beaucoup de bouleaux.
Distribution : Nombreuses régions d'Europe.
Fréquence : Se rencontre régulièrement ; n nuisible.
Reproduction : Les larves ressemblent à d chenilles de papillons, mais se reconnaisse facilement à leurs trois paires de pattes thora ques et à leurs huit paires de pattes abdomi les. Les larves qui mesurent 3 à 4 cm se rep sent toute la journée, enroulées sur une feuil le soir, elles se tiennent sur le bord d'une feu et mangent les feuilles jusqu'aux nervur L'imago tortille les petites branches de bo leaux.
Généralités : Les Mouches à scie (symphit constituent un groupe difficile.

Tenthredo mesomelas L.
La Tenthrède brune

Caractéristiques : 9,5 à 13 mm. Antennes forme variable, mais habituellement le dern segment est deux fois plus long que lar Mesopleure et mesosternum généralem vert-jaunâtre avec des raies noires presq verticales sur les parties latérales du thorax.
Habitat : Sur les fleurs dans les prairies.
Distribution : Commune partout. Toute l'E rope, l'Asie Mineure, va même jusqu'au Japo
Fréquence : Espèce commune.
Reproduction : La larve est polyphage sur *A tium lappa, Polygonum persicaria*, etc.

Abeilles,
guêpes,
tenthrèdes

Xiphydria camelus (L.)
Le Sirex-Chameau

Caractéristiques : 1 à 2 cm. Thorax recouvert par un bouclier allongé sur lequel se trouve la tête, légèrement décollée du corps.
Habitat : Aulnaies, prés, forêts de bouleaux.
Distribution : Dans toute l'Europe jusqu'à l'extrême sud. A l'est, jusqu'en Sibérie.
Fréquence : Se rencontre régulièrement.
Reproduction : Du point de vue biologique, ressemble aux Siricidae. Les larves creusent des galeries dans les branches des aulnes et se nourrissent de la sève qui en sort. La larve se nymphose sous l'écorce. L'imago creuse un petit trou pour sortir. Les ♀ ont un ovipositeur extrêmement long avec lequel elles percent des trous dans le bois tendre pour y déposer leurs œufs. Ce processus est très compliqué et peut durer jusqu'à deux heures. Au total, chaque ♀ pond plusieurs centaines d'œufs.
Nourriture : Les larves digèrent la cellulose du bois grâce à des champignons. La ♀ recouvre ses œufs avec des substances provenant de son intestin et contenant ces champignons.

Urocerus gigas (L.)
Le Sirex géant

Caractéristiques : 1 à 4 cm. ♂ toujours plus petit et plus difficile à observer que les ♀ qui volent au milieu et en haut des arbres.
Habitat : Forêts de conifères.
Distribution : Nombreuses régions d'Europe.
Reproduction : Avec leur ovipositeur (voir *Xeris spectrum*), les ♀ creusent sous l'écorce de différents conifères des trous de un cm de profondeur dans lesquels elles déposent leurs œufs. En un été, une ♀ peut pondre jusqu'à 1 000 œufs. Dans le bois, les larves creusent une galerie de 40 cm de long tout en compressant tellement fort les copeaux que la galerie ne se voit presque plus. Les qualités du bois apprécié par l'Homme n'étant guère modifiées, les larves du Sirex géant ne causent pas de dégâts contrairement à de nombreuses larves de coléoptères vivant également dans le bois. Les larves se nymphosent dans le bois, dans un berceau nymphal. Le développement dure plusieurs années.

Xeris spectrum (L.)
Le Sirex spectre

Caractéristiques : 1,5 à 3 cm. Avec son ovipo siteur qui est aussi long que son corps, la ♀ es presque deux fois plus grande que le ♂. Corp brun foncé à noir, cylindrique, comme chez l plupart des Siricidae. L'ovipositeur est un appa reil compliqué avec lequel cet animal peut per cer dans le bois dur des trous de un cm d profondeur. Il se compose de deux soies qu sont enfoncées alternativement dans le bois Leur extrémité est dentelée en scie ; le côt intérieur est pourvu de petites pelles qui trans portent les détritus.
Habitat : Forêts de conifères.
Distribution : Europe, Sibérie, Afrique du Norc
Fréquence : Se rencontre régulièrement.
Reproduction : On sait peu de choses de l pariade et de l'accouplement qui se produisen sans doute en haut des arbres. Les ♀ dépo sent leurs œufs sous l'écorce des épicéas, de pins et des sapins et choisissent de préférenc des arbres malades ou affaiblis. Le développe ment dure trois à six ans.

Sirex juvencus (L.)
Le Sirex commun

Caractéristiques : 1,5 à 3 cm. Noir-bleu. S distingue de *S. noctilio* par ses antenne rouge-orange. Large anneau or-rouge sur l'ab domen des ♂.
Habitat : Généralement, pinèdes, parfois dan les plantations d'épicéas.
Distribution : Presque dans le monde entier Europe, Japon, Australie, Amérique du Nord.
Fréquence : Se rencontre régulièrement.
Reproduction : Les ♀ cherchent des arbre malades ou blessés ou qui viennent d'être aba tus et déposent sous l'écorce huit à dix œufs l'aide de leur ovipositeur. Chaque femelle peu pondre une centaine d'œufs. Les larves sor blanches, elles n'ont pas d'yeux ; elles ont d petites pattes thoraciques, mais pas de patte abdominales. Elles creusent des galeries de plu en plus larges qu'elles remplissent derrière elle de copeaux compressés. Pour se nymphose elles creusent une petite cavité sous l'écorce, l berceau nymphal. Le développement dure tro à six ans.
Nourriture : Bois.

Vespa crabro L. Le Frelon

Caractéristiques : 2 à 3,5 cm. Facilement identifiable grâce à sa taille et aux dessins apparaissant sur l'abdomen. Représentant des guêpes sociales (Vespidae). Leurs ailes sont toujours reliées par un petit crochet et repliées au repos. Elles ont toutes un aiguillon avec lequel elles se défendent et essayent de tuer leurs ennemis. La piqûre des Frelons peut, dans certains cas très rares, être mortelle pour l'Homme, selon la sensibilité de chacun et l'endroit où se produit la piqûre : une piqûre à la tête est plus dangereuse qu'une piqûre au pied. Les bovins et les chevaux peuvent également mourir de plusieurs piqûres de Frelons. Ceci arrive toutefois exceptionnellement, car les frelons sont des animaux très pacifiques qui ne piquent que lorsqu'ils se sentent très menacés, par exemple lorsqu'on détruit leur nid.
Habitat : Forêts de feuillus mixtes, jardins, parcs, terrains buissonneux.
Distribution : Dans toute l'Europe, régions tempérées de Sibérie, Afrique du Nord, Amérique du Nord.
Fréquence : Variable, se rencontre général ment régulièrement. Espèce courante les ar nées où il fait chaud.
Reproduction : Les ♀ fécondées hivernent ; a début de l'été, elles commencent à construir un nid avec un matériau ressemblant à u parchemin. Au bout de quelques semaines, le ouvrières asexuées prennent la relève et s'oc cupent des « travaux domestiques » : elles ne toyent, construisent des rayons et vont che cher la nourriture. La reine se consacre à ponte. A la fin de la saison, il y a environ 5 000 fr lons. Les ♂ et les ♀ apparaissent à la fin d l'été et s'accouplent à l'automne. Dès les pr mières gelées, des milliers de frelons meurent toutes les ouvrières et les ♂, et même la vieil reine. Seules les ♀ fécondées se retirent dar leurs quartiers d'hiver, derrière des morceau d'écorce, dans les fentes dans le bois, dans le trous dans les arbres ou dans les greniers.
Nourriture : Insectes atteignant parfois la tail d'une abeille. Après avoir tué leurs proies, i leur coupent la tête et mangent l'intérieur.

Vespula germanica (F.) La Guêpe germanique

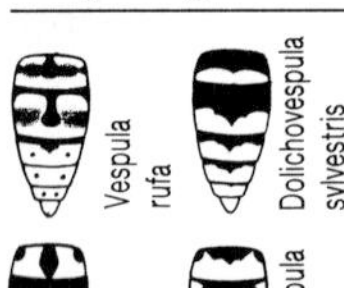

Caractéristiques : 1 à 2 cm. Réplique en miniature du Frelon. Difficile à distinguer de nombreuses autres guêpes, également courantes en Europe.
Habitat : Jardins, agglomérations, forêts claires.
Distribution : Régions tempérées et sub-arctiques d'Europe et d'Asie, Amérique du Nord.
Fréquence : Espèce courante, très courante les étés chauds et lourds.
Reproduction : Les ♀ qui hivernent construisent leur nid dans les trous abandonnés par les souris ou les taupes. Elles y construisent quelques rayons et y élèvent la première génération d'ouvrières. Celles-ci prennent la relève au cours de l'été : elles vont chercher la nourriture, construisent les rayons, nettoient les cellules. A la fin de la saison, le nid a une circonférence de 20 à 30 cm et abrite environ 3 000 animaux. Les ♂ fécondent les ♀ à l'automne, dans le nid. Les ♂ proviennent des œufs non fécondés c la reine, parfois de ceux des ouvrières. Le larves muent trois fois et se nymphosent dar un cocon qu'elles ont construit dans le nid.
Nourriture : Les guêpes attrapent en vol d'au tres insectes et de petits animaux. Les proie sont mâchées et transformées en boulettes. Le ouvrières donnent ces boulettes à manger au larves et à la reine. Plus tard dans l'année, elle lèchent le jus des fruits mûrs.
Généralités : Les bandes noires et jaunes o nant le corps des abeilles sont un signal po leurs prédateurs, notamment pour les oiseau Les oiseaux apprennent rapidement que le piqûres d'abeilles font mal. Le guêpier qui r mange que des hyménoptères constitue ur exception : en secouant la tête, il tue l'abeille c la guêpe.

Voir aussi p. 13

Dolichovespula saxonica (F.)
La Guêpe saxone

Caractéristiques : 10 à 18 mm. Espèce difficile à identifier, mais très connue : guêpe des greniers et des cabanes de jardin. Malheureusement, leurs nids sont souvent détruits par peur de se faire piquer. Ceci se produit rarement, car les guêpes ne piquent que lorsqu'elles se sentent menacées. Leur aiguillon n'est pas barbelé contrairement à celui des abeilles. Celles-ci meurent après avoir piqué, car l'aiguillon reste enfoncé dans la peau et se détache du corps de l'abeille lorsqu'on le retire. Par contre, l'aiguillon des guêpes se retire facilement.
Habitat : Zones cultivées.
Distribution : Dans toute l'Europe, Sibérie, Amérique du Nord.
Fréquence : Espèce courante, se rencontrant régulièrement.
Reproduction : Voir la Guêpe germanique.
Nourriture : Insectes, araignées attrapés en vol. Jus de fruits mûrs.

Polistes gallicus (L.)
La Poliste française

Caractéristiques : 10 à 15 mm. Jolie guêpe sociale (Vespidae), difficile à identifier, mais espèce de ce genre la plus courante en Europe non méridionale.
Habitat : Prairies, terrains buissonneux, lisières des forêts et layons.
Distribution : Régions tempérées d'Europe.
Fréquence : Espèce généralement courante.
Reproduction : Plusieurs ♀ fécondées construisent ensemble un nid sur une tige ou une pierre ; ce nid n'a pas d'enveloppe extérieure protectrice et se compose d'un seul gâteau et de quelques cellules. Peu après la ponte, la ♀ la plus forte mange les œufs des autres ♀ jusqu'à ce que celles-ci jouent uniquement le rôle d'ouvrières. Si la ♀ la plus forte meurt, une autre prend sa place. En ce qui concerne la régulation de la température du nid, voir *P. nimpha*.
Nourriture : Petits insectes et araignées qui sont tués, mâchés et transformés en une boule solide. Ces boules sont transportées dans le nid et servent à nourrir la reine et les larves.

Vespula rufa
La Guêpe rousse

Caractéristiques : 10 à 20 mm. Couleur ro[...]geâtre par dessus les bandes noires et jaune[s] ornant l'abdomen, d'où le nom.
Habitat : Prairies, prés secs, talus ensoleillés.
Distribution : Dans de nombreuses région[s] d'Europe jusqu'à l'ouest de la Sibérie. Amériqu[e] du Nord.
Fréquence : Espèce relativement courante, s[e] rencontrant régulièrement.
Reproduction : La ♀ creuse dans la terre u[n] petit trou dans lequel elle construit les premiè[-]res alvéoles pour le futur nid. Quelques sema[i]nes plus tard, les ouvrières prennent la relèv[e]. Elles construisent un nid comportant trois à cin[q] rayons et plusieurs centaines d'alvéoles et q[ui] atteint bientôt la taille d'un poing. Plusieur[s] dangers menacent le nid : il peut y entrer de[s] parasites qui mangent les larves ; il peut êtr[e] découvert par une buse qui le déterre avec se[s] longues pattes et enlève les rayons pour s'em[-]parer des larves. La buse ne craint pas le[s] piqûres de guêpe.

Polistes nimpha Chr. La Polist[e] méridional[e]

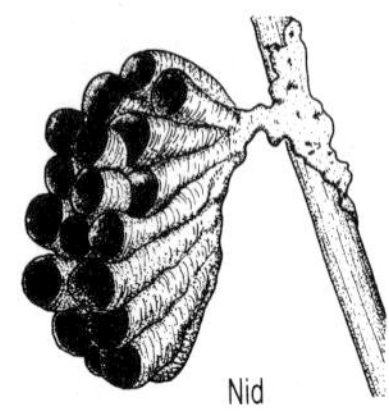

Caractéristiques [...] 12 mm. Ressemble [...] *P. gallicus*.
Habitat : Talus ens[o]leillés et secs, terrain[s] pierreux. Préfère le[s] endroits chauds.
Distribution : Toute [la] France, où elle préfère les endroits chaud[s]. Espèce commune en Europe méridionale.
Fréquence : Espèce rare à la limite de son ai[re] de dispersion ; sinon courante.
Reproduction : Voir *P. gallicus*. Nid construit d[e] la même manière, comportement social légèr[e]ment différent. Réussit à régler la températu[re] à l'intérieur du nid : lorsqu'il fait très chaud, ce[s] guêpes apportent de l'eau qu'elles crachent s[ur] le gâteau et provoquent des courants d'air po[ur] faire évaporer l'eau. La fraîcheur ainsi obten[ue] pénètre dans le nid. Lorsqu'il fait froid, ce[s] guêpes tremblent de tous leurs muscles pour s[e] réchauffer.

♀ (reine)

Philanthus triangulum (F.) Le Philanthe apivore

Caractéristiques : 12 à 18 mm. A l'aspect typique d'une guêpe. Grosse tête, antennes renflées au milieu. Le Philanthe apivore fait partie des guêpes fouisseuses (Sphecidae), représentées par 5 000 espèces dans le monde, dont plus de 300 en Europe. Adaptation très intéressante en ce qui concerne la reproduction. Toutes ces espèces vivent solitaires.
Habitat : Zones sèches et chaudes à caractère de steppe.
Distribution : Dans de nombreuses régions d'Europe jusqu'en Sibérie. Ne se rencontre pas dans le Nord.
Fréquence : Espèce autrefois beaucoup plus courante. L'Homme n'est pas directement responsable de la diminution de cette espèce qui est plutôt due à la destruction de son habitat, les zones sèches ayant été transformées en champs. D'une manière générale, le Philanthe est rare dans le nord.
Reproduction : A la mi-juin, les jeunes Philanthes sortent de terre. Vers midi, ils se posent sur les fleurs pour attraper les abeilles qui sucent le nectar. D'autres proies sont dédaignées. Les Philanthes se battent avec leur victime et tombent par terre avec elle. Pendant le combat, le Philanthe apivore pique l'abeille qui ne meurt pas, mais est paralysée. Lorsque celle-ci ne bouge plus, le Philanthe compresse le ventre de l'abeille pour faire sortir et sucer l'intérieur sucré de l'estomac. Le Philanthe apivore s'oriente avec ses yeux et son odorat. Il s'approche d'une fleur, la secoue pour voir s'il y a une abeille. Si c'est le cas, il descend plus bas jusqu'à ce qu'il sente l'odeur caractéristique du miel. Puis il se jette sur sa proie. Si l'on dépose sur une fleur un petit morceau de bois de la taille d'une abeille et enduit de miel, le Philanthe se précipite dessus, persuadé qu'il s'agit d'une abeille.
Les Philanthes apivores vivent seuls. Les ♀ creusent dans le sol une galerie pouvant mesurer un m de long et se terminant par cinq à sept loges. Dans chaque loge, la ♀ dépose 3 ou 4, au maximum six abeilles. Pour se nourrir, les ♀ ont besoin d'une abeille de plus que les ♂. Lorsque suffisamment d'abeilles paralysées ont été apportées dans le trou, la ♀ dépose un œuf dessus. La larve blanche, ressemblant à un ver, mange les abeilles. Après les avoir toutes mangées, elle se nymphose. Le développement d
un an.
Les guêpes fouisseuses ne tuant pas le proies, mais se contentant de les paralys leurs réserves de nourriture ne pourrissent p Tandis que les Philanthes apivores ne chass que les Abeilles domestiques, d'autres guêp fouisseuses chassent les abeilles sauvages, guêpes, les araignées, les papillons, les colé tères, les pucerons, les mantes religieuses, larves de tenthrèdes, les mouches, les mous ques, etc. La plupart des guêpes fouisseus sont spécialisées dans une ou plusieurs espèc et ont mis au point des méthodes spéciales p attraper et tuer leurs proies. Les Philanth apivores entourent avec leurs pattes les abeil paralysées de manière que la tête soit toujo orientée vers l'avant. L'abeille est transport dans le nid. Il est étonnant de voir comment Philanthe apivore retrouve facilement le nid s'orientant avec ses yeux. Il retient la place chaque buisson, de chaque touffe d'herbes e position des herbes près du nid. Si l'on mod ce paysage, il ne retrouve pas son nid. Ap chaque visite, l'entrée du nid est refermée p le protéger des ennemis, notamment des c léoptères et des ichneumons qui paralysent larves.
La manière dont les larves se nymphosent également très intéressante : la larve tisse cocon de manière que la nymphe se trouve s une tige de soie et ne touche ainsi jamais le ou les parois. Ainsi l'humidité ambiante ne pe pas entraîner l'apparition de champignons su nymphe — adaptation fort utile les années o pleut beaucoup.
Nourriture : Surtout abeilles domestiques. Su également le nectar des fleurs.

Ammophila sabulosa (L.)
L'Ammophile des sables

Caractéristiques : 18 à 28 mm. Corps élancé. Les deux premiers segments abdominaux ressemblent à un pédoncule. Milieu de l'abdomen brun rouille. Reste de l'abdomen brun foncé brillant ou noir. Peut être confondue avec d'autres ammophiles (Sphecidae). Groupe englobant de nombreuses espèces.
Habitat : Endroits chauds et sablonneux avec peu de végétation.
Distribution : Nombreuses régions d'Europe.
Fréquence : Espèce relativement courante seulement dans les biotopes lui convenant.
Reproduction : Voir le Philanthe apivore. Les Ammophiles des sables se rencontrent de juin à octobre. Lorsqu'il y a du soleil, elles se posent sur les fleurs du thym *(Thymus)*, des scabieuses *(Knautia)* ou des centaurées et sucent le nectar. Elles attrapent des larves de papillons et de tenthrèdes qu'elles paralysent en les piquant plusieurs fois dans le ventre et qu'elles saisissent avec les pattes pour les transporter dans leur nid et les manger.

Cerceris arenaria (L.)
Le Cercéris des sables

Caractéristiques : 10 à 16 mm. Les dix espèces de cerceris vivant en Europe se reconnaissent à leur abdomen présentant un étranglement au niveau de chaque segment. Elles se distinguent plus par leur comportement que par leur aspect extérieur. Certaines attrapent des abeilles sauvages, d'autres, comme le Cercéris des sables, seulement des charançons.
Habitat : Sols sablonneux avec peu de végétation et très ensoleillés. Versants exposés au sud.
Distribution : Nombreuses régions d'Europe.
Fréquence : Ne se rencontre que dans les biotopes lui convenant généralement à plusieurs, car il s'agit de guêpes sociales.
Reproduction : Chaque ♀ creuse sa propre galerie avec son abdomen. Un petit tas de terre est laissé à l'entrée.
Nourriture : Les cercéris paralysent les curculionides qu'ils donnent à manger aux larves. Les adultes mangent également le nectar des fleurs.

Bembex rostrata (L.)
Le Bembex à rostre

Caractéristiques : Jusqu'à 2,5 cm. Espèce robuste. Se reconnaît au labre terminé en rostre. Corps jaune-noir.
Habitat : Prés secs avec un sol sablonneux. Préfère les endroits couverts de fleurs. Espèce thermophile.
Distribution : Europe jusqu'au sud de la Scandinavie, Asie Mineure, Afrique du Nord.
Fréquence : Espèce parfois courante.
Reproduction : Les Bembex à rostre volent de juillet à août. Les ♀ creusent leurs trous uniquement avec leurs pattes. Elles évacuent le sable, descendent jusquà un mètre sous terre et y creusent plusieurs trous où, dans les semaines suivantes, elles apportent de nombreuses volucelles (Syrphidae) et des mouches (diptères). Les larves ont sans cesse besoin de nourriture fraîche. Les Bembex à rostre se jettent sur leurs proies, les paralysent en les piquant, puis les prennent avec leurs pattes et les transportent dans leur trou bien fermé. Pour l'ouvrir, ils ne lâchent pas leurs proies.

Sphex maxillosus F.
Le Sphex rouge

Caractéristiques : 15 à 25 mm. Guêpe fouisseuse typique. Difficile à identifier, ressemble beaucoup aux vespides, mais les guêpes fouisseuses ne replient pas leurs ailes au repos.
Habitat : Prairies près des forêts. Espèce thermophile.
Distribution : Dans le sud de l'Europe centrale, surtout dans le bassin méditerranéen, en Asie Mineure, et en Afrique du Nord.
Fréquence : Assez commune en France. Plus courante dans le sud.
Reproduction : Voir le Philanthe apivore. En été, vers midi, on peut voir les adultes sucer le nectar des fleurs de thym. Leur nid ne se trouve qu'à quelques centimètres sous le sable, généralement non loin des forêts. De la galerie principale partent plusieurs galeries latérales conduisant aux loges où sont déposés les œufs. Avant de se nymphoser, les larves ont besoin de cinq larves d'orthoptères qui sont capturées par l'adulte qui les pique pour les paralyser et les emmène dans le trou qui n'est pas fermé. Espèce sociale.

Abeilles,
guêpes,
tenthrèdes

Anoplius viaticus L.
Le Pompile commun

Caractéristiques : 1 à 2 cm. Il existe en Europe plus d'une centaine d'espèces difficiles à identifier. Elles sont toutes brun-noir et se déplacent particulièrement bien avec leurs longues pattes.
Habitat : Prairies avec un sol sablonneux.
Distribution : Nombreuses régions d'Europe.
Fréquence : Espèce courante.
Reproduction : Les ♀ détectent leurs proies grâce à leur odorat. Dès qu'elles trouvent une araignée, elles la piquent pour la paralyser, lui arrachent les pattes (pour qu'elle ne puisse plus s'enfuir si elle se réveille) et la saisissent par ses filières pour la transporter jusqu'au nid en marchant à reculons. Les adultes creusent des trous dans le sol ; ils y enterrent l'araignée (une araignée par larve) et y déposent un œuf. Parfois, d'autres pompiles de la même espèce déterrent l'araignée, mangent l'œuf, pondent eux-mêmes un œuf dans le trou et l'enterrent à nouveau.
Nourriture : Les adultes mangent la sève des plantes ; les larves se nourrissent d'araignées.

Ectemnius spinipes (Morawitz)
L'Eumène

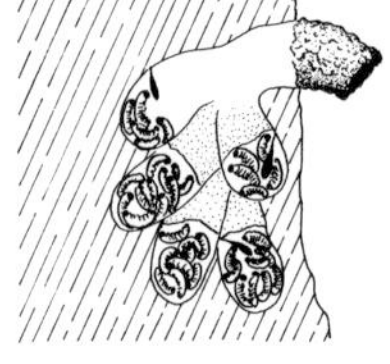
Nid avec les larves

Caractéristiques : 10 à 15 mm. Les bandes noires et jaunes ne permettent pas d'identifier cette espèce, car elles varient fortement d'un individu à l'autre ; il existe en outre de nombreuses espèces semblables dans nos régions. Ailes repliées au repos comme chez les Vespines, mais cette espèce rappelle plutôt les guêpes fouisseuses.
Habitat : Fossés argileux, parois argileuses raides. Les adultes volent dans les prés fleuris.
Distribution : Dans certaines régions d'Europe.
Fréquence : Plutôt rare.
Reproduction : Les ♀ creusent dans les parois argileuses raides des trous dont l'extrémité a la forme d'un doigt. Les larves sont nourries avec de nombreuses larves de curculionides *(Phytonomus)*.

Chrysis ignita (L.) La Chryside enflammée

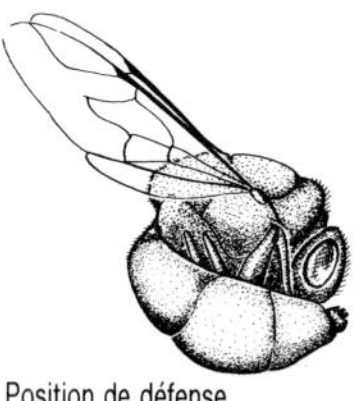
Position de défense

Caractéristiques : 1 cm environ. Couleur or ou cuivre. La couleur est très variable. Il existe en Europe près de 100 espèces de chrysides ou Guêpes d'or.
Habitat : Près de *Oplomerus spinipes* : parois argileuses formant le bord des ruisseaux.
Distribution : Dans presque toute l'Europe. Espèce parfois très courante.
Reproduction : L'été, les chrysides se posent sur les fleurs des carottes sauvages et en boivent le nectar. Les œufs sont toujours déposés dans les nids de *Oplomerus spinipes*. Les larves se nourrissant également de larves de curculionides, les chrysides n'ont pas besoin de nourrir leurs larves. Elles n'ont pas d'aiguillon ou possèdent parfois un aiguillon très court. Elles se mettent en boule pour se défendre contre *Oplomerus spinipes*.

Chrysis trimaculata Först.
La Chryside à trois macules

Caractéristiques : 1 cm environ. Dos brillant couleur cuivre ; difficile à identifier. Voir *C. ignita*.
Habitat : Parois argileuses, gravières, poteaux pourris, petits abris en argile.
Distribution : Dans les régions chaudes d'Europe.
Fréquence : Parfois courante.
Reproduction : Comme toutes les *Guêpes d'or*, vit en parasite dans le nid d'autres guêpes — généralement plus fortes. En cas de danger, cette guêpe se met en boule et fait la morte. Les parties molles du ventre sont ainsi protégées et aucun aiguillon ne peut pénétrer dans les parties dures. Parfois la guêpe se défend et transporte cette « boule » hors de son nid. Les larves des Guêpes d'or mangent les larves des guêpes et des proies qui ont été capturées. Puis elles se tissent un cocon, hivernent et se nymphosent au printemps. Chez certaines espèces de chrysides, il peut y avoir plusieurs générations par an.
Nourriture : Lèche souvent la substance sucrée sécrétée par les pucerons.

Formica rufa L. La Fourmi rousse

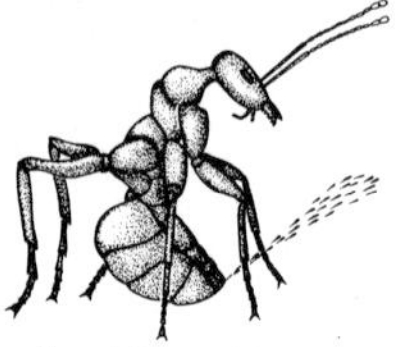
Fourmi éjectant de l'acide

Caractéristiques : 5 à 10 mm. Corps caractéristique des fourmis. Difficile à identifier.

Habitat : Forêts de feuillus et de conifères. Les fourmis construisent des fourmilières partout où les rayons du soleil peuvent arriver jusqu'à terre.

Distribution : Europe, sauf dans le sud. Régions tempérées de Sibérie, Amérique du Nord.

Fréquence : Espèce autrefois beaucoup plus courante ; se rencontre régulièrement. Les fourmis deviennent de plus en plus rares : du fait de la modification de la teneur en acide de l'air et du sol, certains champignons avec lesquels les fourmis vivent en symbiose disparaissent, diminuant ainsi les chances de survie des fourmis.

Reproduction : Les fourmis vivent en société. Une fourmilière comprend généralement de 100 à 1 000 reines et jusqu'à 1 million d'ouvrières. Par contre, les fourmilières des fourmis rousses n'ont qu'une reine. On ne connaît pas encore aujourd'hui les raisons et les avantages de ces différentes structures sociales. Cycle annuel des fourmis monogynes (une reine) et des fourmis polygynes (plusieurs reines) : en mars, les ♀ déposent dans un endroit particulier du nid des œufs d'où sortiront plus tard des animaux sexués et ailés. Ils reçoivent des ouvrières une nourriture particulière qui n'est pas donnée aux ouvrières se développant plus tard. La nourriture des reines contient une substance sécrétée par la glande salivaire de la lèvre inférieure. La naissance d'une reine, d'un mâle ou d'une ouvrière asexuée se décide les premiers jours, en fonction de la quantité d'hormones se trouvant dans la nourriture. Peu après l'éclosion, les fourmis ailées quittent la fourmilière pour le vol nuptial. Pendant l'accouplement, la ♀ reçoit un sperme pour toute sa vie : il est conservé dans une poche spéciale et, au moment de la ponte, la ♀ féconde elle-même les œufs — ou pond des œufs non-fécondés d'où sortiront des ouvrières ou des ♂. La fourmilière est construite à moitié sous terre, à moitié en surface. Tous les stades — reines et ouvrières — y hivernent. La température y reste à p près constante. En été, lorsqu'il y a beaucc de soleil, l'aération est assurée par des che nées. Lorsqu'il fait froid, les ouvertures s fermées. En hiver, les fourmis se retirent sc terre et sont protégées du froid par le h monticule. Après le vol nuptial, les ♀ féc dées cherchent des nids déjà construits pour enfouir ou construisent à plusieurs un nouve nid. Elles cherchent alors un tronc d'arbre pou ou un vieil arbre où elles apportent dans semaines suivantes des aiguilles, des brindil et de la mousse pour faire un petit monticule. n'est que lorsque les ouvrières de la premi génération se sont développées, que les ♀ consacrent entièrement à la ponte.

Les reines monogynes ne tolèrent aucune au ♀ à proximité d'elles. Après la fécondati elles pénètrent dans une fourmilière habitée des fourmis-esclaves *Serviformica fusca*. reine tue et mange les ♀ vivant dans la fo milière et devient la nouvelle reine des ouvrièr Sa progéniture est élevée par les fourmis esc ves. Au cours de l'année, le nombre de fourr rousses augmente tandis que celui des fourr esclaves diminue. Mais comme une seule re ne peut pas pondre à elle seule autant d'œ que plusieurs reines à la fois, la colonie me petit à petit ; à la mort de la reine, les ouvrièr doivent également mourir. Les fourmilières c fourmis polygynes vivent par contre pend des dizaines d'années, devenant de plus en p puissantes.

Nourriture : Généralement, insectes et pe animaux. Les fourmis sont utiles pour la fo détruisant par exemple les pucerons et chenilles. Mais leur mets favori est le miel c'est-à-dire une substance sucrée sécrétée les pucerons. En un été, une colonie de fourn peut engranger jusqu'à 500 kg de miellat.

Nid
Position de défense

Lasius niger (L.)
La Fourmi noire

Caractéristiques : 5 à 10 mm. Difficile à identifier rapidement.
Habitat : Zones découvertes.
Fréquence : Fourmi la plus courante en Europe.
Reproduction : Voir la Fourmi rousse. Les nids des Fourmis noires se trouvent sous les pierres, les vieilles souches d'arbres, les arbres abattus. Ils n'abritent qu'une seule ♀. Lorsque plusieurs ♀ se rencontrent au moment de la fondation de la colonie, elles se battent jusqu'à ce qu'il n'y en ait plus qu'une. Les animaux sexués ailés volent de mai à juillet.
Nourriture : Miellat des cochenilles et pucerons.

Manica rubida (Lat.)
La Fourmi rouge

Caractéristiques : Juste 1 cm. Brun-rouge ou jaune. Les membres de la famille des Myrmicidae portent un aiguillon à l'extrémité de l'abdomen. La piqûre est douloureuse pour l'Homme.
Habitat : Forêts des montagnes.
Distribution : Régions tempérées d'Europe et d'Asie.
Fréquence : Espèce courante.
Reproduction : Les nids se trouvent dans le sol ou sous les pierres. Les ♀ fondent toutes seules de nouveaux nids en été. Polygyne. Vole de mai à août.
Nourriture : Miellat. Les colonies de pucerons ne sont défendues que modérément.

Lasius flavus F.
La Fourmi fauve

Caractéristiques : 3 à 4 mm. Uniformément jaune pâle.
Habitat : Souvent à proximité des habitations où elles peuvent causer des dégâts.
Distribution : Presque cosmopolite.
Fréquence : Commune partout.
Nourriture : Elle s'intéresse aux pucerons.

Camponotus ligniperda (Lat.)
La Four charpentiè

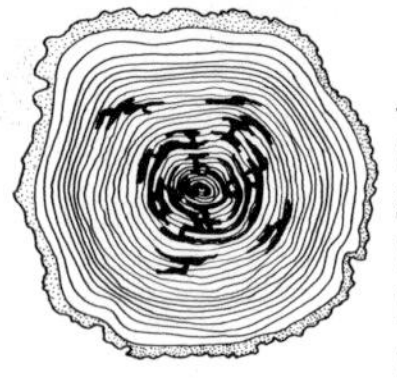

Nid dans le bois

Caractéristiques : à 18 mm.
H. : Forêts mixtes.
D. : Régions tem rées d'Europe.
Fréquence : Co mune.
Reproduction : Nid sous les souches ou dan sol. Polygyne. Les ♀ volent les œufs se tr vant dans le nid de la Fourmi rousse. E élèvent ces œufs comme des ouvrières.
Nourriture : Miellat.

Myrmica rubra (L.)
La Petite Fourmi rouge

Caractéristiques : 5 mm ; difficile à identi comme toutes les fourmis. ♀ toujours p grandes que les ♂ et que les ouvrières.
Habitat : Forêts de feuillus et de conifères.
Distribution : Nombreuses régions d'Europe
Fréquence : Espèce courante.
Reproduction : Voir la Fourmi rousse.
Nourriture : Miellat ; espèce parfois prédatri
Généralités : Avec 3 000 espèces, les myrm nes ou *fourmis à nœuds* forment le groupe fourmis le plus important. Leur représentan mieux connu est la Fourmi coupeuse de feui tropicales qui coupe des feuilles en petits m ceaux pour élever des champignons.

Smicromyrme rufipes (F.)
La Mutille commune

Caractéristiques : 5 mm. ♀ toujours aptè courent par terre. ♂ ailés, posés sur les fle Couleur variable.
Habitat : Paléarctique.
Fréquence : Plutôt localisée.
Reproduction : La famille des Mutillidae représentée par 2 000 espèces dans le mon dont une vingtaine en France. Ces insec vivent en parasites dans les nids d'insectes *rufipes* dépose ses œufs dans le nid de diffé tes guêpes fouisseuses (Sphecidae). Les lar mangent les larves des guêpes fouisseus ainsi que leurs réserves de nourriture. Se ny phosent dans le même cocon

♀

Fourmis

Biorhiza pallida (O.)
Le Cynips des bourgeons de chêne

Caractéristiques : 4 mm. Diamètre des galles : jusqu'à 4 cm. Les cynipides sont très difficiles à identifier, mais se reconnaissent souvent aux galles.
Habitat : Chênes.
Distribution : Nombreuses régions d'Europe. Asie Mineure.
Fréquence : Espèce courante.
Reproduction : En hiver, les ♀ sortent des galles souterraines. Pour pondre, elles grimpent jusqu'en haut des chênes. Des galles ressemblant à des pommes de terre se forment à l'extrémité des branches. De ces galles sortent en été des ♀ ailées et des mâles ailés ou aptères. Les ♂ meurent après le vol nuptial. Les ♀ s'enfouissent sous terre pour pondre. Le développement dure deux ans.
Nourriture : Gélatine se formant dans les galles.
Généralités : Les œufs déposées un par un ont une forme allongée. Chez de nombreux cynipides apparaissent régulièrement des générations parthéno-génétiques.

Diplolepis rosae Le Cynips des bédégars

Cynips des bédégars et bédégar

Caractéristiques : 5 mm environ. Se reconnaît à la galle appelée bédégar.
Habitat : Rosiers sauvages et nombreuses variétés de rosiers cultivés.
Distribution : Dans presque toute l'Europe.
Fréquence : Espèce courante.
Reproduction : De la galle comportant plusieurs loges sortent non seulement des ♀, mais également de nombreux ichneumons qui ont réussi à pénétrer dans cette boule dure. Il y a un ♂ pour 100 ♀. Reproduction presque exclusivement parthénogénétique, c'est-à-dire que les ♀ non fécondées pondent des œufs capables de se développer.
Généralités : De nombreux cynipides vivent en parasites dans les galles d'autres espèces. On y trouve également des hyperparasites, c'est-à-dire des parasites vivant dans d'autres parasites.

Cynips quercusfolii L.
Le Cynips des galles du chêne

Caractéristiques : 3 à 5 mm. Les anima asexués sont plus grands que les anima sexués. Galles sphériques apparaissant sur feuilles de chênes.
Habitat : Vit sur le chêne.
Distribution : Nombreuses régions d'Europe.
Fréquence : Espèce se rencontrant réguliè ment, parfois très courante.
Reproduction : En hiver, une ♀ sort d'une ga mesurant 2 cm et ne comportant qu'une lo Elle dépose ses œufs sur les bourgeons enc fermés. En été apparaissent des ♂ et des minuscules qui s'accouplent. Les œufs donne des galles en pomme. Les œufs sont toujo déposés dans les nervures, sur le dessous d feuilles. Comme chez de nombreux cynipid également reproduction asexuée.
Généralités : De nombreuses galles renferme différents parasites qui tuent les larves et ma gent la gélatine qui se forme dans les galles.

Andricus fecundator (Htg)
Le Cynips des artichauts du chên

Caractéristiques : 2 mm. Galles mesurant 2 c ressemblant à des artichauts. Vit sur différent espèces de chênes.
Habitat : Forêts de chênes, jardins, parcs.
Distribution : Dans presque toute l'Europe.
Fréquence : Espèce courante.
Reproduction : Les ♀ apparaissent en hiver déposent leurs œufs sur des fleurs ♂. La ga en forme de cône contient une autre galle da laquelle ces animaux se développent. Les ♂ les ♀ qui éclosent en été s'accouplent ; le larves produisent de minuscules insectes qui reproduisent de manière asexuée.
Généralités : Le nombre exact d'espèces cynipides vivant en Europe n'est pas enc vraiment connu. La plupart d'entre eux vive sur les chênes. Leur corps est généralement a et aplati sur le côté. Les nervures des ailes sc identiques chez tous les cynipides et les dist guent des familles voisines.

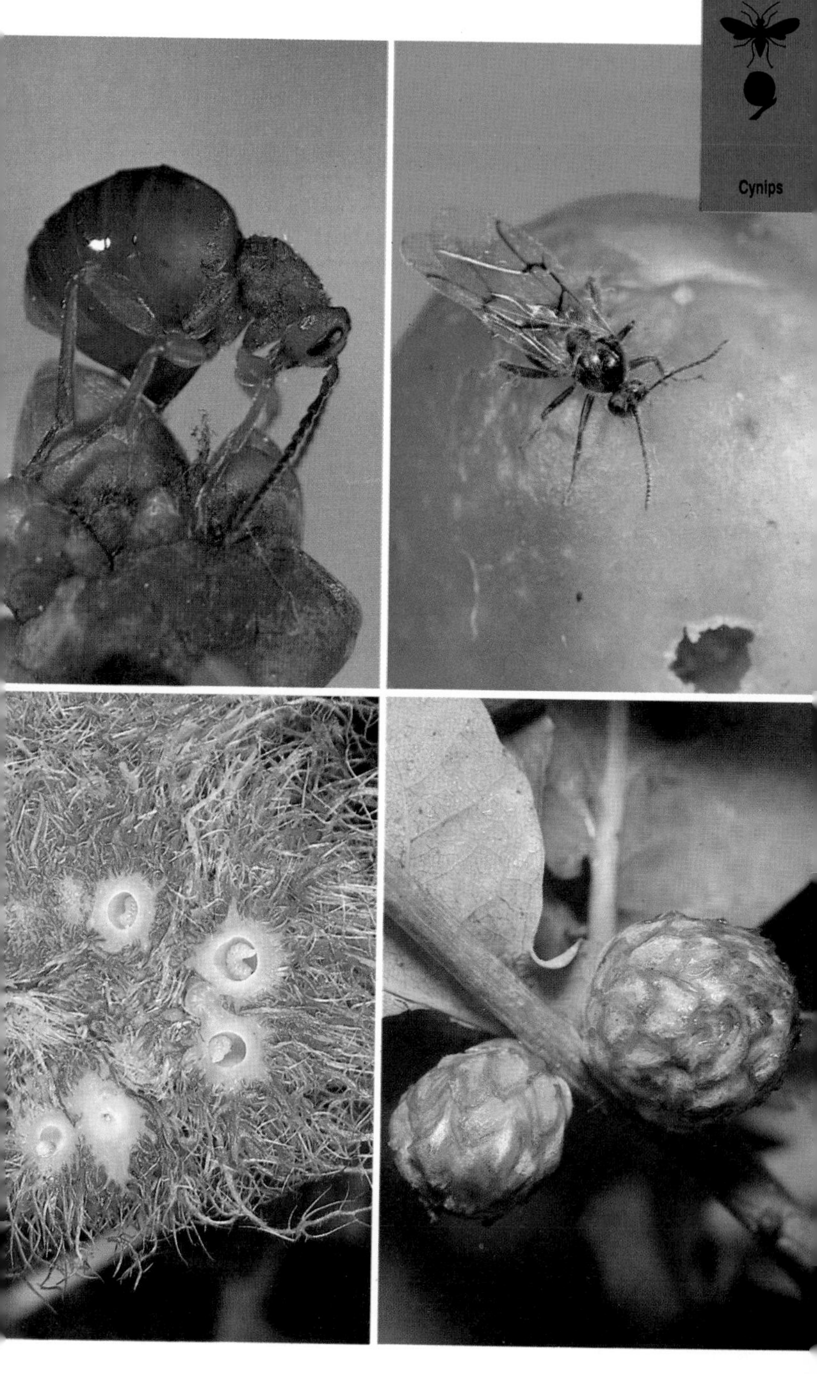
Cynips

Rhyssa persuasoria (F.)
La Rhysse persuasive

Caractéristiques : 2 à 3,5 cm. Les ♀ se reconnaissent à leur tarière aussi longue que leur corps et qui leur servent également à se défendre. La piqûre d'un ichneumon est parfois très douloureuse, même s'il n'injecte pas de venin.
Habitat : Forêts de feuillus mixtes.
Distribution : Nombreuses régions d'Europe, Amérique du Nord.
Fréquence : Se rencontre régulièrement.
Reproduction : Avec leur longue tarière, les ♀ cherchent des larves de Sirex vivant dans les arbres abattus sur lesquelles elles déposent un œuf. Les larves vivent et se nymphosent dans le bois ; elles éclosent l'année suivante.

Dolichomitus dux (Tschek)
L'Ichneumon de la Rhagie chercheuse

Caractéristiques : 20 mm. Abdomen sans soies. Tarière assez longue, moins toutefois que celle de la Rhysse persuasive. Corps noir, pattes rousses.
Habitat : Forêts de feuillus.
Distribution : Europe centrale ; France : Hautes Alpes.
Fréquence : Localement commun.
Reproduction : Cet Ichneumon est parasite des larves de la Rhagie chercheuse *(Rhagium inquisitor)*. Sa larve est ectoparasite, c'est-à-dire qu'elle reste externe.

Amblyteles armatorius (Först.)
L'Ichneumon armé

Caractéristiques : 2 cm environ. Abdomen cerclé de noir et de jaune. Mais difficile à identifier. Pattes robustes comme tous les ichneumons. Marche et vole bien. Pas de tarière.
Habitat : Forêts mixtes.
Distribution : Dans presque toute l'Europe.
Fréquence : Se rencontre régulièrement. Espèce parfois abondante lorsque la nourriture disponible est suffisante.
Reproduction : Les ichneumons jouent un rôle important dans le maintien de l'équilibre naturel. Dès qu'une espèce de nuisible prolifère anormalement, l'ichneumon spécialisé dans cette espèce réagit rapidement.

Ephialtes manifestator (L.)
L'Ichneumon commun

Caractéristiques : 3 cm de long. Difficile à identifier rapidement.
Habitat : Forêts mixtes. Surtout sur les arbre tombés ou abattus, à la recherche de larves c cérambycides. Palpe avec ses pattes le tror des arbres de haut en bas.
Distribution : Nombreuses régions d'Europe.
Fréquence : Se rencontre régulièrement.
Reproduction : Lorsque la ♀ repère une larv de cérambycide, elle creuse avec sa longu tarière un trou dans le bois, opération qui du 20 à 45 minutes. Un seul œuf est posé s chaque larve. Seulement 14 œufs par ♀ .

Protichneumon pisorius (L.)
L'Ichneumon reclus

Caractéristiques : 2 à 3 cm. Corps robuste, nc et jaune, dépourvu de tarière.
Habitat : Forêts de conifères, jardins et parc laissés à l'abandon.
Distribution : Dans presque toute l'Europe.
Fréquence : Se rencontre régulièrement.
Reproduction : Ces ichneumons parasitent le larves de sphinx et de papillon de nuit. Celles-vivant toujours en surface, les ♀ n'ont pa besoin de tarière. Les chenilles de papillc parasitées vivent jusqu'au moment où elles s transforment en chrysalide.
N. : L'imago se nourrit de nectar et de miella

Apanteles glomeratus (L.)
Le Microgaster

Caractéristiques : 3 mm. Ailes vitreuses ave une tache triangulaire noire sur le bord supé rieur. Difficile à identifier.
Habitat : Partout où vivent des piérides d chou : champs, prés, prairies, jardins, parcs.
Distribution : Dans toute l'Europe.
Fréquence : Espèce parfois très courante, s rencontrant régulièrement.
Reproduction : Cet ichneumon ne parasite qu les chenilles de la piéride du chou dans laquel il dépose jusqu'à 150 œufs. Les chenilles me rent avant de se nymphoser, alors les larves d l'ichneumon les quittent pour se nymphos dans un cocon jaune près de la chenille.

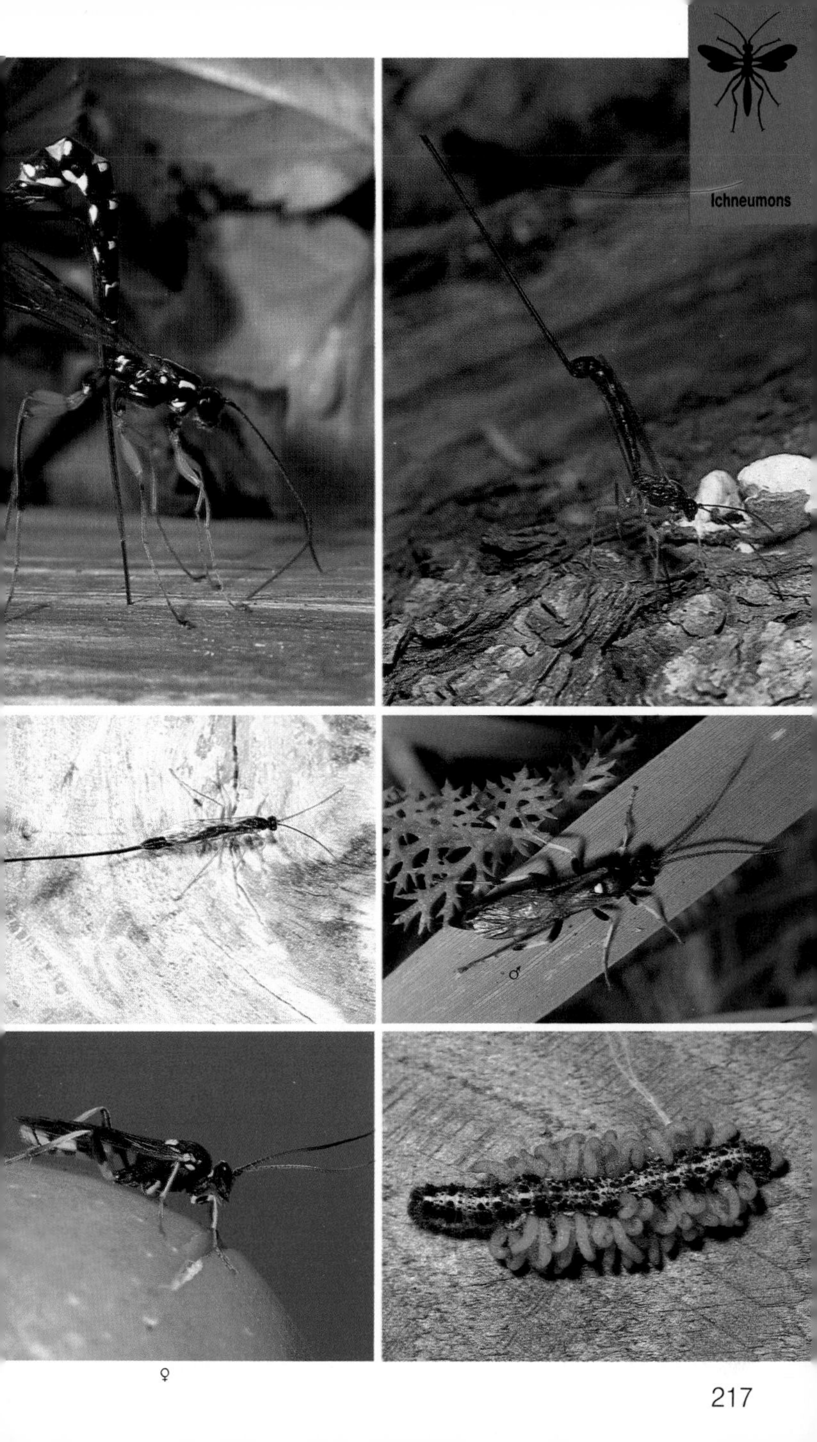

Rhyacophila sp.
Phrygane

Caractéristiques : 10 à 20 mm selon les espèces. Ailes antérieures et postérieures bien développées, reliées en vol par une série de petits crochets et donc solidaires. Toutefois, beaucoup de trichoptères ont de nombreux points communs avec les papillons dont ils constituent phylogénétiquement parlant le groupe frère, et forment avec eux les Amphiesmenoptera. Mais leurs ailes sont velues et généralement dépourvues d'écailles. Les ♀ sont nettement plus grandes que les ♂. Les trichoptères se reposent le jour, ne devenant actifs qu'au crépuscule. Ils restent près de l'eau, leurs larves vivant dans l'eau. De nombreuses larves de trichoptères protègent leur abdomen mou avec un fourreau, lequel permet souvent d'identifier plus facilement l'espèce que l'observation de l'imago. Ce fourreau est fabriqué avec des brindilles, des petits cailloux, des petites coquilles d'escargot, etc. Nous ne pouvons représenter ici que 2 des 5 400 espèces de Trichoptères vivant dans le monde. Beaucoup d'entre elles se rencontrent couramment en France (des centaines). Pour les identifier, il faut souvent avoir recours à des ouvrages spécialisés ou à un spécialiste.
Habitat : Terrains buissonneux et humides, jardins, parcs, prés ; dans la végétation bordant les ruisseaux et les rivières où ces animaux apparaissent souvent en grand nombre. Larves aquatiques.
Distribution : Europe.
Fréquence : Apparaît souvent en grand nombre l'été. Le soir, des myriades de trichoptères dansent au-dessus de l'eau, ou à une certaine distance ce celle-ci, au-dessus des arbres. Certaines espèces vivent près des eaux courantes, d'autres près des eaux stagnantes. De nombreuses espèces sont très exigeantes quant à la qualité de l'eau et se raréfient du fait de la pollution de l'eau.
Reproduction : Voir *Chaetopteryx funerea.*
Nourriture : Certaines espèces sont phytophages, se nourrissant d'algues et de plantes minuscules poussant au fond de l'eau. D'autres construisent des filets en forme d'entonnoirs pour capturer et manger de petits animaux. Les larves de *Rhyacophila* constituent une exception : elles ne construisent ni fourreaux, ni filets.

Chaetopteryx funerea Geoff.
(= villosa) (F.) *syn. nova*
La Phrygane-Mouche en deuil

Caractéristiques : 2 à 3 cm. Très velue ; vole e hiver. Difficile à identifier.
Habitat : Les larves vivent dans les eaux sta gnantes et coulant lentement. Les adultes s rencontrent dans les forêts, le long des rivière et parfois dans les agglomérations.
Distribution : Dans presque toute l'Europe, mai nombre variable suivant les régions.
Fréquence : Espèce souvent commune, voir très commune.
Reproduction : S'accouplent en hiver, pendan les douces soirées où il ne gèle pas. Les trichop tères se sont adaptés d'une manière étonnant à la vie aquatique. Ils ont tendance à éclore tou presque en même temps, d'où l'apparition d véritables nuées, même si elles ne sont pa aussi impressionnantes que celles formées pa les éphémères. Au moment de l'accouplemen et de la ponte, ils dansent d'une manière tout fait caractéristique au-dessus de l'eau. Ce com portement attire les truites qui les gobent. Le pêcheurs en profitent et remuent leurs mouche artificielles en imitant la danse des trichoptères Les œufs qui sont recouverts d'une substanc gélatineuse gonflant dans l'eau sont déposés e cordons ou en boules dans l'eau, sur les plante ou les morceaux de bois. Le corps des larve n'est chitinisé qu'au niveau de la tête. L'abdo men est mou et souvent protégé par un four reau. Les larves respirent à l'aide de trachées Le fourreau est fabriqué avec des petits caillous des morceaux de bois et des feuilles. Les larve des trichoptères sont mangées par de nom breux autres animaux aquatiques, par exempl par des poissons.
Généralités : La plupart des espèces de trichop tères vivant dans nos régions sont nocturnes. L jour, elles restent cachées dans les buissons sur le dessous des feuilles ou dans les fente des arbres. La nuit, ces animaux s'approcher souvent en grand nombre près des lumières.

Fourreaux de différentes espèces de larves et filet

Panorpa communis L. La Mouche-Scorpion

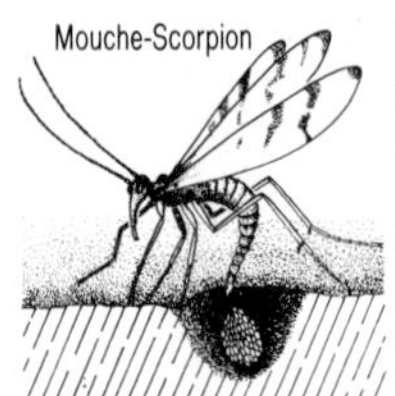

Caractéristiques : 18 à 20 mm. Envergure : 2,5 à 3 cm. Tête prolongée par un rostre. Nombreuses nervures sur les ailes ornées de taches irrégulières. Extrémité de l'abdomen effilée chez la ♀ (ovipositeur) ; l'abdomen du ♂ se termine par le gonopodium (appareil génital mâle) qui est relevé et ressemble à la queue d'un scorpion. Au moment de l'accouplement, le ♂ entoure ainsi l'abdomen de la ♀. Une dizaine d'espèces en France.
Habitat : Forêts de feuillus mixtes et humides, bords des ruisseaux recouverts de buissons, marécages, prés, jardins et parcs.
Distribution : Dans toute l'Europe.
Fréquence : Espèce parfois très courante, se rencontrant régulièrement.
Reproduction : Pendant l'accouplement, le ♂ produit sept petites boules de salive riches en protides et provenant chacune d'un conduit différent partant des glandes salivaires. Ce boulettes contiennent des substances impo tantes pour la formation des œufs et sont l chées par la ♀. Les œufs sont déposés par 1 à 20 dans la couche supérieure du sol. La larv a huit paires de pattes abdominales et troi paires de pattes thoraciques. Ces pattes s terminent en forme de doigts et permettent au larves de se déplacer dans les trous où elle vivent. Elles peuvent même se dresser sur leu pattes : elles se mettent à la verticale en s'a crochant au sol par quatre pseudopodes qui s déplient sous l'abdomen. Les larves se nymph sent sous terre et hivernent. Deux génération par an.
Nourriture : Ces animaux lèchent le nectar et miellat secrété par les pucerons, mais ils s nourrissent surtout d'insectes morts, de peti animaux et de détritus végétaux.
Généralités : Espèce proche de *Boreus wes woodi*.

Boreus westwoodi Hag. La Puce des neiges

Caractéristiques : 3 à 4 mm. Ressemble par sa forme à un grillon. Absence d'ailes : adaptation à l'habitat. Se rencontre sur les neiges éternelles, sur les glaciers et en plaine en hiver, sur la glace et la neige. Cette espèce n'est active que lorsque la température est de -5 °C. Tête prolongée par un « bec » très long, comme chez *Panorpa communis*. Longues pattes postérieures servant à sauter. ♀ pourvues d'une longue tarière.
Habitat : En hiver, dans les champs, les forêts mixtes, les jardins et les parcs. Se rencontre sur la neige.
Distribution : Dans toute l'Europe.
Fréquence : Espèce parfois courante, se rencontrant régulièrement. N'est pas encore connue de France.
Reproduction : Les premières Puces des neiges apparaissent en automne. Accouplement après une parade rituelle : le ♂ touche d'abord la ♀ avec ses longues antennes, essaye brusquement de l'attraper avec ses griffes, puis entoure la ♀ avec ses moignons d'ailes et relâche enfin la patte de celle-ci. C'est alors qu'a lieu transfert des spermes. Les œufs sont dépos un par un dans la couche supérieure du sol c ils hivernent. Les larves éclosent au printemp A la fin de leur développement, elles mesure 7 mm de long. Elles hivernent ; à la fin de l'é ou au début de l'automne, elles se nymphose sous terre, dans une petite loge qu'elles o creusée elles-mêmes ; les parois de la loge so consolidées avec de la soie. Les glandes séric gènes des larves de la Puce des neiges arrive jusqu'à la lèvre inférieure.
Nourriture : Ces animaux cherchent sur la gla et sur la neige de petits insectes morts ; ils nourrissent également de mousse et d'autr plantes. Ils étalent de la salive sur leur nourritu qui se décompose rapidement, puis aspire cette bouillie. Les larves se nourrissent mousse et de petites racines.

♂

Tipula oleracea L.
La Tipule des potagers

Caractéristiques : 15 à 23 mm. Longues pattes qui sont très fragiles au niveau des articulations et qui pendent en vol. Première paire d'ailes bien développée ; deuxième paire réduite à des balanciers. Grâce à ses longues pattes, se déplace bien dans les herbes hautes.
Habitat : Prairies, talus, vallées humides.
Distribution : Dans presque toute l'Europe, surtout dans l'ouest. Afrique du Nord.
Fréquence : Espèce courante, se rencontrant régulièrement.
Reproduction : Les œufs sont déposés dans le sol. Une ♀ peut pondre jusqu'à 1 000 œufs en un été. Les larves sont cylindriques et apodes, mais dotées de puissantes mandibules. Elles vivent sous terre où elles se nymphosent après avoir mué quatre fois. Deux générations par an.
Nourriture : Racines, feuilles, petites branches. Lorsqu'ils sont très nombreux, ces animaux peuvent causer des dégâts dans les jardins, mais ils sont utiles en forêts, contribuant à la formation de l'humus.

Tipula maxima P.
La Grande Tipule

Caractéristiques : 4 cm de long : c'est l'une de nos plus grandes tipules. Nervures des ailes variant légèrement d'une espèce à l'autre. Mandibules peu développées, servant uniquement à aspirer des gouttes de liquide. Pas d'ocelles : les tipules voient donc beaucoup moins bien que les mouches. Abdomen dépourvu d'aiguillon. Il n'y a donc aucune raison d'avoir peur de ces animaux.
Habitat : Prés humides ou inondés, terrains buissonneux, jardins, parcs.
Distribution : Dans de nombreuses régions d'Europe.
Fréquence : Espèce courante, se rencontrant régulièrement.
Reproduction : Voir *T. oleracea*. Vol lourd. Espèce active au crépuscule. Les imagos se rencontrent au début de l'été, la deuxième génération à la fin de l'été et au début de l'automne, comme chez *T. oleracea*. Mais ces deux espèces ne vivent pas au même moment dans le même habitat.
Nourriture : Détritus végétaux.

Trichocera hiemalis (DG.)
La Tipule hivernale

Caractéristiques : 5 mm. Ressemble à *Tipula oleracea* avec ses longues pattes, mais est nettement plus petite.
Habitat : Forêts, jardins, parcs, prairies, vallées en montagne, jusqu'à plus de 3 000 m.
Distribution : Dans toute l'Europe.
Fréquence : Ce sont sans doute les insectes les plus courants en hiver. Essaims parfois formés de milliers d'insectes. Espèce active au crépuscule et la nuit.
Reproduction : S'accouplent en automne après une danse impressionnante. Œufs déposés dans le sol. Les larves vivent sous terre. Elles ressemblent à des vers et ont des stigmates à chaque extrémité du corps. Petite corne sur le dos des pupes. Avant d'éclore, la pupe remonte à la surface.
Nourriture : Détritus végétaux
Généralités : Une espèce voisine ne se rencontre que dans les nids des chauves-souris dont elle mange les excréments.

Nephrotoma crocata (L.)
La Tipule safranée

Caractéristiques : 2,5 cm. Légèrement jaunâtre contrairement à *T. oleracea*. Corps décoré de la même manière que chez les autres tipules. Animaux inoffensifs qui ne piquent et ne mordent pas.
Habitat : Prairies, champs, jardins, parcs, forêts claires, fossés humides.
Distribution : Nombreuses régions d'Europe.
Reproduction : Vole de août à octobre. Ne vole donc pas en même temps que *T. oleracea*. Ces deux espèces ont le même type d'habitat et de comportement. Elles ne se croisent pas et ne se confondent pas, leur période de vol étant décalée.
Nourriture : Les larves vivent sous terre et se nourrissent de racines. Peuvent causer des dégâts dans les jardins lorsque leur densité atteint 400 par m^2. Les larves plus âgées sortent de terre la nuit et rongent les parties des plantes se trouvant en surface.

Culex pipiens L. Le Cousin commun

Caractéristiques : 5 mm de long ; ailes vitreuses. Lorsqu'il pique, ce moustique se met toujours à l'horizontale et palpe avec ses pattes antérieures. De nombreuses espèces semblables vivent en Europe.
Habitat : Petites étendues d'eaux stagnantes. Les larves peuvent se développer dans des tonneaux remplis d'eau de pluie ou dans des seaux où l'eau croupit depuis plusieurs années.
Distribution : Dans toute l'Europe jusque dans la toundra et jusqu'aux régions limitrophes.
Fréquence : Variable selon les saisons ; espèce très courante près des petites étendues d'eau et des rivières ; peut devenir un véritable fléau en été dans certaines régions.
Reproduction : Les ♀ fécondées hivernent dans les caves ou les trous. Elles se mettent à pondre en été. Les œufs nagent par paquets à la surface de l'eau. Le corps des larves est allongé et est recouvert sur le côté de soies devenant de plus en plus courtes vers l'arrière. Elles « pendent » à la surface de l'eau, respirant grâce à des cornets respiratoires, et se déplacent d'une manière saccadée. La nymphe se tient de la même manière à la surface de l'eau et son abdomen est légèrement recourbé.
Nourriture : Les larves se nourrissent dans l'eau de minuscules algues et de petits animaux. Pour pondre des œufs féconds, la plupart des ♀ ont besoin de boire le sang d'oiseaux ou de mammifères. Les ♂ se nourrissent de sucs végétaux. Ils n'ont pas de soies piquantes.
Généralités : Les moustiques du genre *Anopheles* qui se rencontrent en Europe sont proches du Cousin. Lorsqu'ils piquent, leur corps se baisse vers l'avant. Les larves se tiennent horizontalement sous la surface de l'eau. L'abdomen des nymphes est davantage recourbé. Les œufs sont pourvus de flotteurs. Pour transmettre la malaria, ces moustiques doivent piquer deux fois. Ils piquent une première fois pour prendre dans le sang les parasites de la malaria, lesquels, par un processus compliqué, passent de l'intestin aux glandes salivaires du moustique. Lorsque le moustique pique alors un homme, il lui transmet par sa salive la malaria. Cet apport de salive est indispensable, car le sang ne doit pas s'échapper dans le canal étroit du rostre du moustique. En Europe, les cousins ne transmettent généralement pas de maladies.

Chrironomus plumosus (L.) Le Chironome plumeux

Caractéristiques : 1 cm de long ; c'est l'une des plus grandes espèces de chironomes parmi les 1 000 espèces vivant en Europe. Thorax en forme de bosse sous laquelle presque toute la tête est cachée au repos. Les ♂ ont de longues antennes plumeuses et ne piquent pas. Les chironomes ne font pas partie des culicines, mais constituent une famille à part, représentée par de nombreuses espèces vivant dans presque tous les habitats. L'abdomen du ♂ dépasse nettement les ailes.
Habitat : Eaux et rives humides.
Distribution : Dans presque toute l'Europe et dans de nombreuses régions d'Asie et d'Afrique du Nord.
Fréquence : Espèce très courante dans les étendues d'eau riches en substances nutritives. Certaines espèces volent en essaims très importants.
Reproduction : L'accouplement se produit sur un buisson ou encore en vol. Les ♀ déposent leurs œufs sur l'eau. Ils gonflent et descendent au fond de l'eau. Larves ressemblant à des vers présentant de petits tubes à l'extrémité de l'abdomen, près des fausses pattes abdominales. Elles sont mangées par les poissons et les oiseaux aquatiques

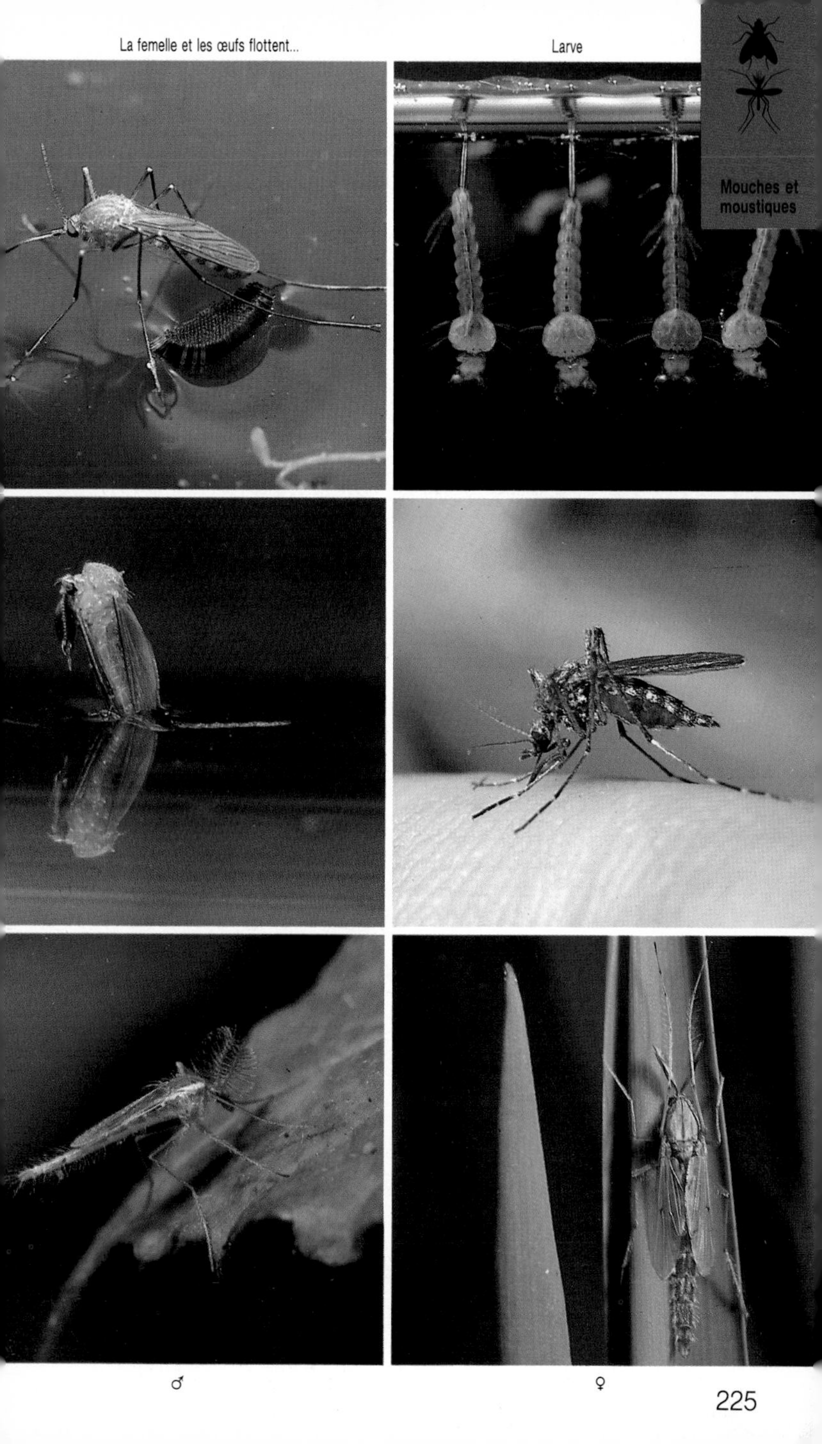
La femelle et les œufs flottent...
Larve
Mouches et moustiques
♂
♀

Simulium equinum (L.)
La Simulie cendrée

Caractéristiques : 2 à 5 mm. Corps petit, bossu, généralement noir. Grandes ailes. La famille des Simuliidae est représentée par de nombreuses espèces, difficiles à identifier. Elles sont presque toutes hématophages et leurs piqûres produisent des enflures sous la peau.
Habitat : Au bord des eaux coulant rapidement. Les imagos peuvent voler sur de longues distances et venir incommoder le bétail paissant loin de l'eau.
Distribution : Dans presque toute l'Europe.
Fréquence : Espèce parfois courante.
Reproduction : Se rencontre de mai à septembre. Les essains de ♂ dansent au-dessus des buissons ou des arbres. Plusieurs centaines d'œufs par ♀.
Nourriture : Les larves vivent serrées les unes contre les autres dans les cours d'eau et attrapent les particules de nourriture emportées par le courant. Les ♂ adultes se nourrissent de sucs végétaux ; seules les ♀ ont besoin de sang pour pondre des œufs féconds.

Chloromyia formosa (Sc.)
La Stratyiome de Scopoli

Caractéristiques : 1 cm. Corps à reflets métalliques. Large abdomen. Chez de nombreuses espèces, soies rigides à l'extrémité du segment thoracique (Stratyiomidae). Environ 100 espèces en Europe.
Habitat : Prairies, jardins et parcs.
Distribution : Dans toute l'Europe.
Fréquence : Espèce courante, les larves se rencontrant régulièrement, parfois en grand nombre, sur les tas de compost.
Reproduction : Œufs déposés un par un sur les sols humides et meubles, surtout dans les détritus de feuilles ou dans le compost.
Nourriture : Les larves se nourrissent de détritus végétaux. Elles contribuent à la formation de l'humus et devraient donc être appréciées des jardiniers.
Généralités : La plupart de ces espèces vivent dans l'eau.

Bibio marci (L.)
La Mouche de Saint Marc

Caractéristiques : 10 à 12 mm. Mouche robuste noire, très velue. On voit les ♂ voler avec leurs longues pattes postérieures qui pendent.
Habitat : Lisières des forêts, jardins, parcs.
Fréquence : Espèce parfois courante.
Reproduction : Les partenaires se rencontrent pendant la danse nuptiale. L'accouplement commence en vol et se termine parfois à terre ou dans un buisson. Les ♀ déposent leurs œufs dans l'humus. Les larves vivent ensemble dans l'humus ou sous les feuilles en forêt ou dans les vieilles souches d'arbres pourries. Arrivées à la moitié de leur développement, elles hivernent. Elles sont tellement peu sensibles au froid que, contrairement aux larves de nombreux autres insectes, elles ne sont pas obligées, même lorsqu'il gèle, de s'enfoncer sous terre. Les imagos volent de mars à avril. Ils meurent peu après avoir pondu. Une génération par an.
Nourriture : Les imagos se nourrissent de nectar et de sucs végétaux ; les larves, de racines.

Symphoromyia immaculata Meig.
La Symphoromyie de Meigen

Position au repos

Caractéristiques : 4 à 5 mm. D'un gris obscur, bord supérieur de l'occiput avec une rangée de longues soies noires. Face d'un gris clair, un point blanc à la base du front. Antennes d'un brun sombre. Thorax gris à villosité courte, plus longue sur le scutellum.
Habitat : Commun dans les herbes, dans les endroits découverts.
Distribution : Toute la France, toute l'Europe.
Fréquence : Espèce commune.
Reproduction : Les larves sont amphipneustiques, terrestres, saprophages, occasionnellement carnivores. Les Symphoromyies sont connues pour percer la peau pour sucer le sang humain (mais pas en France).

Mouches et
moustiques

Thereva nobilitata F. La Thérève noble

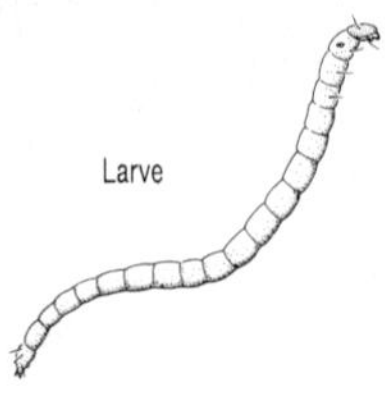

Caractéristiques : 9 à 12 mm. Abdomen avec sur le dessus une pubescence noire, dessous à pubescence jaune. ♀ dorée, des soies pâles sur les côtés des premiers segments, des soies courtes, rigides, noires, sur les deux derniers segments.
Habitat : Dans les jardins, les clairières des bois.
Distribution : Toute la France jusqu'à 2 200 m. Europe.
Fréquence : Espèce commune.
Reproduction : La larve et la nymphe sont dans la terre et dans le bois pourri. L'adulte est carnivore, c'est un prédateur vif. Les adultes volent de mai à septembre d'une manière très adroite. On ignore si ces animaux attrapent d'autres insectes au vol. Ils se posent souvent sur les fleurs dont ils boivent le nectar, ou se reposent au soleil sur le sable chaud. Les larves sont très longues et minces. Leur corps se divise en 19 parties distinctes. Étant apodes elles rampent comme des serpents. Elles se nymphosent en automne. Les adultes apparaissent au printemps.

Vermileo vermileo (F.) Le Ver-Lion

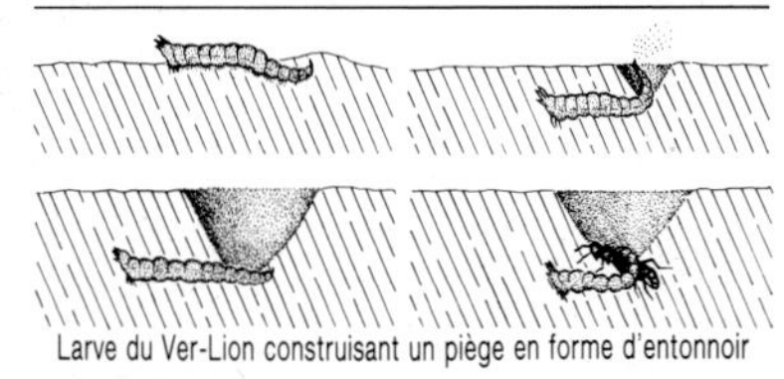
Larve du Ver-Lion construisant un piège en forme d'entonnoir

Caractéristiques : 1 cm. La larve du Ver-Lion est plus connue que l'adulte. Fait partie de la famille des rhagionides.
Habitat : Endroits chauds, secs et sablonneux avec peu de végétation. Versants exposés au sud.
Distribution : Bassin méditerranéen. N'existe pas au nord des Alpes.
Fréquence : Se rencontre régulièrement dans les biotopes lui convenant.
Reproduction : Les œufs sont déposés un par un dans le sable. Les petites larves construisent un entonnoir ; dès qu'un petit insecte y tombe, la larve l'entoure avec l'avant de son corps. Active la nuit.
Nourriture : Minuscules insectes ; fourmis.

Sylvicola fenestralis (Sc.) La Rhyphe à fenêtres

Caractéristiques : 6 mm de long environ. Cette mouche ressemble aux Tipulidae et aux Trichoceridae, mais ses pattes sont moins longues. Ailes transparentes ornées à l'avant de quelques bandes transversales foncées. Grands yeux. Il existe une quinzaine d'espèces de ce genre en Europe. *Sylvicola fenestralis* est la plus courante.
Habitat : Dépôts d'ordures près des agglomérations, tas de compost.
Distribution : Dans de nombreuses régions tempérées d'Europe.
Fréquence : Espèce parfois courante lorsque les larves trouvent assez de nourriture ; sinon relativement courante ou rare.
Reproduction : Les œufs sont déposés dans des détritus végétaux où les larves se développent.
Nourriture : Les larves se nourrissent de substances végétales en décomposition.

Larve

Tabanus bovinus L. Le Taon des bœufs

Caractéristiques : 2 à 2,5 cm ; corps robuste avec des bandes longitudinales de chaque côté du thorax et un large abdomen annelé. Côtés de l'abdomen plus rouges que chez *Tabanus sudeticus* qui est plus grand. Grands yeux composés et antennes courtes. Il existe plusieurs espèces semblables.
Habitat : Pâturages, lisières des forêts, jardins, grands parcs. Jusqu'à 2 000 m dans les alpages.
Distribution : Dans presque toute l'Europe, nord de l'Asie et Afrique du Nord-Ouest. Isolée.
Fréquence : Moins courante dans la majeure partie de l'aire de distribution. Souvent localisée mais assez commune en France. Cette espèce était beaucoup plus courante il y a encore 50 ans et était souvent un fléau pour les bovins et les chevaux. Diminution sans doute due au développement de l'élevage en étables. Aujourd'hui, le Taon des bœufs n'est répandu que dans certaines régions.
Reproduction : Comme les autres taons, les ♀ ont besoin de sang pour que les œufs puissent se développer. Les larves se développent dans le sol humide où elles mangent des larve d'autres insectes.
Nourriture : Sang de bœufs et de chevaux. E une fois, ce taon peut sucer jusqu'à 1 cm^3 d sang. Les pertes de sang ne sont jamais cons dérables, même lorsque plusieurs taons piquer en même temps et même si le sang continue couler, car le taon injecte dans la blessure ave sa salive une substance anticoagulante. Ce n'es que lorsque les taons sont très nombreux qu l'animal peut perdre beaucoup de sang, ce q se répercute sur son travail ou sur la productic de lait. Les piqûres des taons provoquent tout fois de fortes démangeaisons et des irritation

Haematopota pluvialis (L.) Le Taon des pluies

Caractéristiques : 1 cm environ. Facile à identifier, bien que pouvant être confondu avec certaines des 100 espèces de taons vivant en Europe. Seules les ♀ piquent.
Habitat : Se rencontre presque partout. Jusqu'à plus de 2 000 m.
Distribution : Région paléarctique d'Eurasie.
Fréquence : Apparaît régulièrement.
Reproduction : Après un vol nuptial de courte durée, les taons s'accouplent au sol. Puis les ♀ cherchent des mammifères — dont les êtres humains — pour obtenir la quantité de sang nécessaire pour pondre des œufs féconds. Elles s'orientent avec leurs yeux et avec leur odorat. Les œufs sont déposés par paquets sur les plantes près de l'eau. Les larves vivent dans l'eau et respirent par la peau, ce qui leur permet de ne pas remonter à la surface pendant plusieurs semaines. Elles se nymphosent sous terre. 2 générations par an.
Nourriture : Les ♂ se nourrissent de nectar et de sucs végétaux ; les ♀ de sang, mais également d'insectes.

Chrysops caecutiens L. Le Petit Taon aveuglant

Caractéristiques : 8 à 11 mm. Ressemble bea coup à d'autres espèces de *Chrysops*. Beau yeux vert-or.
Habitat : Voir le Taon des pluies.
Distribution : Nombreuses régions d'Europe.
Fréquence : Espèce parfois courante, se re contrant régulièrement.
Reproduction : Comme le Taon des pluie Seules les ♀ piquent, ayant besoin de sar pour pondre des œufs. Chaque espèce de tac pique dans une zone particulière : le Petit Tac aveuglant généralement dans la tête et la nuqu le Taon des pluies plutôt dans les membres.
Nourriture : Comme chez les autres espèce Les taons sont parfois cannibales.
Généralités : Piqûre douloureuse qui saigne. C croyait autrefois que ces piqûres rendaie aveugle. En piquant, le taon injecte une sub tance qui empêche le sang de coaguler. Il pe ainsi absorber plus de sang en peu de temps

Voir aussi p. 13

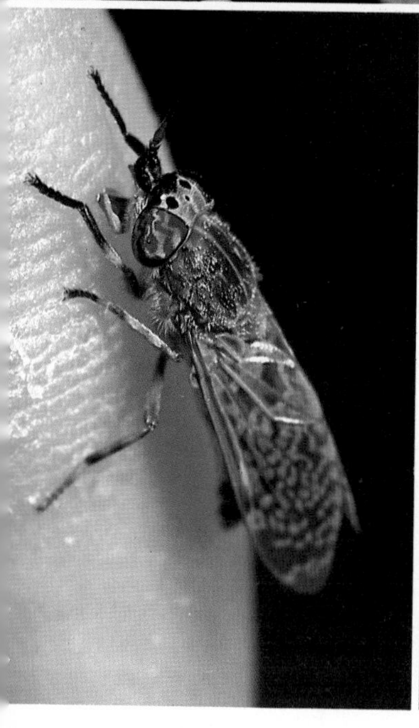

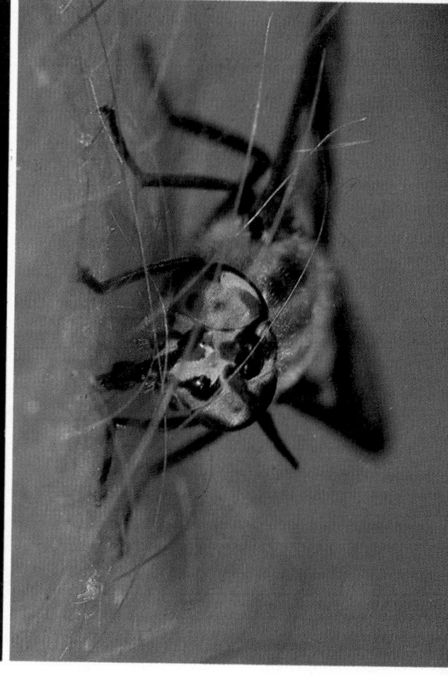

Asilus crabroniformis L.
L'Asile-Frelon

Caractéristiques : 15 à 30 mm. Abdomen noir jaunâtre rappelant celui d'un frelon ; il ne s'agit toutefois pas de mimétisme, car ces animaux savent très bien se défendre avec leur aiguillon. Pattes très velues servant à capturer les proies. Il existe en Europe plus de 200 espèces d'Asilidae.
Habitat : Lisières des forêts, champs.
Distribution : Nombreuses régions d'Europe.
Reproduction : Pendant presque tout l'été, ces mouches se rencontrent au soleil, sur les troncs d'arbres abattus. Dès qu'une mouche ou un autre insecte apparaît, elles se précipitent dessus et tuent leur proie en y enfonçant leur aiguillon. Elles aspirent ensuite les sucs grâce à leur long rostre. Ponte, larves et pupes comme chez *Laphria flava.*
Nourriture : Les larves se nourrissent de détritus végétaux et animaux. Les imagos chassent les mouches, les sauterelles et les guêpes.

Laphria marginata (L.)
La Laphrie marginée

Caractéristiques : 15 à 30 mm. Généralement plus grande que *L. flava.* Corps foncé ou noir.
Habitat : Lisières des forêts et clairières.
Distribution : Dans presque toute l'Europe.
Fréquence : Espèce assez commune.
Reproduction : Chez les mouches prédatrices dont fait partie *L. marginata*, l'accouplement est précédé par une parade nuptiale particulière : les ♂ volent devant les ♀ qui se reposent. Leurs pattes claires qui bougent de manière rythmée brillent alors dans le soleil. Lorsque la ♀ part, le ♂ la poursuit en volant d'une manière désordonnée et essaye de l'attraper pour s'accoupler. Les deux partenaires descendent alors généralement en vrilles et l'accouplement se termine au sol. La ♀ dépose ses œufs dans la couche supérieure du sol. Les larves vivent dans les bois, dans des galeries creusées par d'autres insectes et se nourrissent de détritus pourris.
Nourriture : Insectes. Ces animaux attrapent leurs proies en vol, les tuent et aspirent les sucs.

Laphria flava (L.)
La Laphrie jaune

Caractéristiques : 15 à 30 mm. Ressemble à un bourdon avec son abdomen très velu, noir et jaune. La tête des mouches prédatrices (Asilidae) est très mobile ; ces animaux ont une très bonne vue.
Habitat : Forêts de feuillus claires ; surtout clairières et bords des chemins.
Distribution : Dans presque toute l'Europe jusqu'à plus de 2 000 m.
Fréquence : Espèce assez répandue.
Reproduction : Les imagos se rencontrent du printemps à l'automne, surtout de juin à juillet. Les ♀ déposent leurs œufs sous des morceaux d'écorce ou sous les feuilles mortes. Les larves vivent dans des galeries creusées par des larves de coléoptères et se nymphosent dans ces galeries. Leur développement peut durer plusieurs années.
Nourriture : Les imagos chassent des insectes de toutes sortes. Grâce à leur rostre et à leur aiguillon, ils peuvent même transpercer la carapace des charançons et des buprestides.

Mikiola fagi (Htg)
La Cécidomyie du hêtre

Caractéristiques : 5 mm. Imago difficile à identifier. Galle typique sur le dessous des feuilles de hêtres. Généralement en grand nombre.
Habitat : Hêtraies, jardins, parcs.
Distribution : Nombreuses régions d'Europe.
Fréquence : Espèce commune, se rencontrant régulièrement. Cause parfois des dégâts sur les jeunes hêtres.
Reproduction : Une larve par galle qui tombe par terre en automne et se nymphose. Les adultes apparaissent au printemps. Les galles sont produites par une substance déposée par les larves dans les nervures des jeunes feuilles et contenant une hormone qui modifie la croissance des feuilles.
Généralités : Il existe en Europe plus de 1 200 espèces de Cecidomyiidae qui vivent très différemment et ne produisent pas toutes des galles. Longues pattes ; ailes velues ; antennes annelées.

›ir aussi p. 16

Bombylius major L.
Le Grand Bombyle

Caractéristiques : 8 à 12 mm. Avec son corps recouvert d'une toison de poils brun-or, ressemble à un petit bourdon ; mais son unique paire d'ailes et ses balanciers montrent qu'il s'agit d'une mouche. Le vol des Bombyliidae ressemble à celui des colibris. On en connaît plus de 100 espèces en Europe.
Habitat : Lisières des forêts, jardins et parcs.
Distribution : Europe et Asie jusqu'au Japon ; Afrique du Nord ; Amérique du Nord.
Fréquence : Espèce généralement courante.
Reproduction : Vole d'avril à mai. Les ♀ déposent leurs œufs dans les fleurs où ils sont recherchés par les andrènes ou à l'entrée des nids de ces abeilles solitaires. Les larves rentrent dans le nid et parasitent les larves d'abeilles. C'est là qu'elles se nymphosent.
Nourriture : Les imagos se nourrissent de nectar ; les larves parasitent différentes larves d'abeilles.
Généralités : Les bombylides se reposent souvent sur les pierres.

Bombylius discolor Mik.
Le Bombyle européen

Caractéristiques : 1 cm environ. Ressemble au *Bombylius major*, mais se reconnaît aux taches sur les ailes : celles du *B. major* sont bicolores, foncées et claires ; les ailes du *B. discolor* sont vitreuses et parsemées de points foncés plus ou moins gros. Le *B. major* ressemble à un petit bourdon ♂, mais n'a bien sûr qu'une seule paire d'ailes.
Habitat : Jardins, parcs, bords des chemins et lisières des forêts. Lorsqu'il y a du soleil, cherche du nectar.
Distribution : Dans presque toute l'Europe.
Fréquence : Espèce parfois très courante, se rencontrant régulièrement.
Reproduction : Voir *B. major* et *Anthrax morio*. Les larves parasitent les nids des abeilles sauvages.
Nourriture : Les imagos se nourrissent de nectar ; les larves de pollen et d'autres larves. Les mouches sortent par une petite fente se trouvant sur le dos de la pupe.

Anthrax morio (L.)
L'Anthrax demi-noir

Caractéristiques : 1 cm environ. Ressemble à *Bombylius major*, mais corps toujours foncé. Les bombylides se caractérisent par leur rostre presque aussi long que leur corps.
Habitat : Prés fleuris, jardins, parcs.
Distribution : Régions tempérées d'Eurasie.
Fréquence : Espèce parfois courante, se rencontrant régulièrement.
Reproduction : Les larves se développent dans les larves des ichneumons qui, elles-mêmes vivent dans les chrysalides des noctuelles du pin. Ce type d'hyperparasitisme est courant dans le monde animal, mais il s'agit généralement d'insectes minuscules. Lorsque les Anthrax demi-noir sont très nombreux, le nombre de Nonnes diminue (papillon de nuit redouté par les sylviculteurs).
Nourriture : Les imagos se nourrissent de nectar ; les larves mangent d'abord la nourriture de la larve-hôte, puis mangent la larve elle-même Se nymphosent ensuite.

Empis spec.
Empis

Caractéristiques : Mouche petite ou de taille moyenne, brune. Difficile à identifier. Profonde échancrure au bord de l'œil. Longue trompe permettant d'aspirer l'intérieur des proies ; longues pattes fines et velues.
Habitat : Jardins, prés, parcs, forêts de feuillus mixtes et claires.
Distribution : Dans toute l'Europe.
Fréquence : Espèce commune.
Reproduction : Tout en dansant, le ♂ offre à la ♀ un morceau d'une proie. Celle-ci se précipite dessus et veut s'enfuir avec. Mais le ♂ la poursuit et s'accouple en vol, tandis que la ♀ aspire l'intérieur de la proie. Ainsi ne peut-elle pas manger le ♂ pendant l'accouplement. Il arrive souvent que plusieurs ♂ et plusieurs ♀ dansent en même temps.
Nourriture : Petits insectes et autres petits animaux. Parfois cannibalisme.

Mouches et
moustiques

Conops quadrifasciata DG. Le Conops à quatre raies

Caractéristiques : 1 cm environ. Grosse tête. Abdomen étranglé à la base. *C. quadrifasciata* se distingue de ses semblables par une trompe très longue et noire ; des pattes rousses, avec le dernier article du torse brun.
Habitat : Prés fleuris, jardins, lisière des forêts.
Distribution : Dans presque toute l'Europe.
Fréquence : Espèce abondante.
Reproduction : Les larves des Conopidae vivent en parasites dans l'abdomen d'abeilles et de guêpes vivant solitaires ou en colonies. Les œufs sont déposés sur l'abdomen de ces animaux. Les larves y pénètrent et y vivent jusqu'au moment où elles se nymphosent. Avec leur long rostre, elles boivent les humeurs fluides remplissant le corps de leurs victimes. Pour respirer, elles accrochent leurs stigmates à ceux de leur hôte et respirent ainsi par les trachées de l'abeille. Elles se nymphosent dans ce qui reste de l'abeille morte. Les larves de *C. quadrifasciata* sont parasites de *Bombus lapidarius*.

Eristalis tenax (L.) L'Eristale tenace

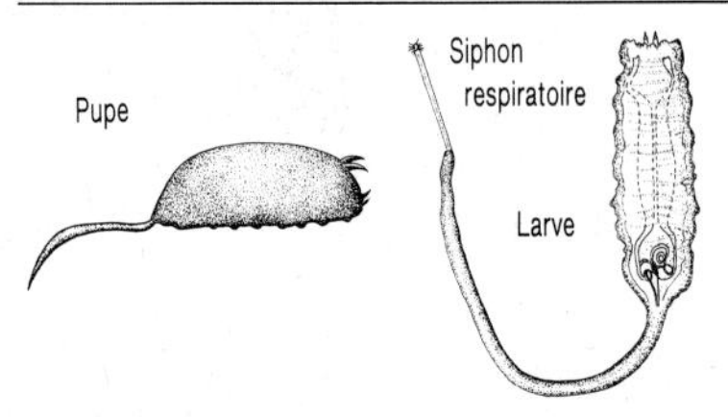

Caractéristiques : 15 à 20 mm. Ressemble un peu à une abeille.
Habitat : Jardins, tas de fumier, étables. Zones cultivées.
Distribution : Cosmopolite.
Fréquence : Une syrphide très courante.
Reproduction : Les adultes et les larves se rencontrent du printemps à l'automne. Les larves vivent dans des eaux très polluées, pauvres en oxygène, là où peu d'autres animaux peuvent survivre. Les larves et les pupes respirent par un long siphon situé à l'extrémité de l'abdomen, d'où le nom de ver à queue de rat.
Nourriture : Les larves filtrent l'eau sale et riche en substances nutritives, contribuant ainsi à la purification des eaux usées.

Sicus ferrugineus (L.) Le Sice ferrugineux

Caractéristiques : Avec 10 à 13 mm, le genre *Sicus* fait partie des Conopidae de taille moyenne ; les plus grands peuvent mesurer jusqu'à 3 cm. Corps allongé brun-rouille ne présentant pas la taille de guêpe caractéristique des autres Conopidae.
Habitat : Lisière des forêts, bords des champs.
Distribution : Europe et nord de l'Asie.
Fréquence : Espèce courante, régulière.
Reproduction : Voir *Conops quadrifasciata*. Grâce à quelques acrobaties, les ♀ réussissent à accrocher à l'abdomen des bourdons terrestres et des bourdons des pierres un œuf qui grâce aux petits crochets et aux petites épines dont il est pourvu, s'accroche dans la toison du bourdon qui le transporte jusqu'à son nid. Les larves vivent en parasites dans le nid des bourdons dont elles mangent la nourriture et les larves. Elles se nymphosent et hivernent dans le nid.
Nourriture : Les adultes se rencontrent tout l'été sur les fleurs dont ils boivent le nectar.

Syrphus sp. Syrphe

Caractéristiques : 1 cm environ. Abdomen noir et jaune rappelant celui d'une guêpe ; donne ainsi l'impression d'être dangereuse, mais n'a pas d'aiguillon. Les syrphides peuvent rester suspendus dans l'espace à la verticale et voler à reculons. Leurs ailes vibrent alors tellement vite qu'on ne voit plus que leur ombre. C'est la famille de mouches comprenant le plus grand nombre d'espèces. Plus de 300 en Europe.
Habitat : Prés, jardins, bords des chemins et lisières des forêts.
Distribution : Dans le monde entier sauf en Afrique du Sud.
Fréquence : Espèce courante se rencontrant régulièrement.
Reproduction : Les ♀ déposent souvent leurs œufs dans les œufs des coccinelles.
Nourriture : Les larves se nourrissent de pucerons, comme les larves de coccinelles. Du fait du grand nombre d'œufs pondus, elles peuvent être utiles lorsque les pucerons prolifèrent.

Mouches et
moustiques

Scaeva pyrastri (L.)
Le Syrphe du poirier

Caractéristiques : 2 cm. Représentant typique, ressemblant à une guêpe, des 4 500 espèces de syrphides vivant dans le monde.
Habitat : Jardins, prairies, lisières des forêts et bords des chemins. Ces mouches se posent souvent au soleil sur les composées.
Distribution : Dans presque toute l'Europe ; à l'est, jusqu'au Japon ; au sud, jusqu'en Afrique du Nord ; Amérique du Nord.
Fréquence : Espèce parfois très courante.
Reproduction : Les œufs sont déposés près de colonies de pucerons. Les larves se nourrissent uniquement de pucerons. Elles les piquent, les jettent en l'air et les aspirent.

Volucella pellucens (L.)
La Volucelle transparente

Caractéristiques : 15 mm. Ressemble à un bourdon terrestre, mais n'a qu'une paire d'ailes. Les différentes espèces de volucelles sont difficiles à identifier, certaines se ressemblant beaucoup.
Habitat : Prés, jardins, lisières des forêts, clairières.
Distribution : Espèce banale.
Reproduction : Les larves vivent dans les nids de bourdons et mangent les détritus et les bourdons morts. Elles parasitent rarement les œufs ; elles se nymphosent et hivernent dans le nid des bourdons qui ne les considèrent pas comme des prédateurs.

Episyrphus balteatus (DG.)
Le Syrphe à ceinture

1 cm. Espèce difficile à identifier, ressemblant à une guêpe. 500 espèces en Europe. Bon nombre d'entre elles se rencontrent en été sur les fleurs dont elles boivent le nectar. Certaines syrphides mesurent 4 mm, d'autres 30 mm. Certaines ressemblent à des bourdons, d'autres à des guêpes, des abeilles ou même des fourmis, d'où l'impression d'être dangereuses. Mais elles vivent dans le nid de ces animaux qui les considèrent comme des leurs et les tolèrent, même lorsqu'elles mangent leurs œufs.

Rhingia rostrata (L.)
La Rhingie long-nez

Caractéristiques : 1 cm. Abdomen sphérique, jaune. Thorax et tête noirs. Abdomen lisse.
Habitat : Pâturages, forêts mixtes, sur le fumier.
Distribution : Europe et ouest de l'Asie.
Fréquence : Espèce courante.
Reproduction : Les larves vivent sur les bouses de vaches et contribuent donc à leur disparition.
Nourriture : Les imagos se nourrissent de nectar ; les larves de bouses de vaches.
Généralités : Groupe apparenté aux mouches du genre *Lampetia* et *Eumerus* qui mangent les oignons et peuvent provoquer des dégâts importants dans les cultures.

Volucella bombylans (L.)
La Volucelle bourdon

Caractéristiques : 10 à 15 mm. Un peu plus grande que *V. pellucens*, mais est souvent confondue avec elle. Ces deux espèces ressemblent à un bourdon avec leur abdomen recouvert d'un pelage épais. La ressemblance est tellement forte que non seulement les bourdons, mais également de nombreuses personnes s'y trompent.
H. : Prés fleuris, jardins, bords des chemins.
Distribution : Europe, ouest de l'Asie.
Fréquence : Espèce généralement courante.
Reproduction : Les larves vivent dans le nid des bourdons, mais moins en parasites qu'en commensales : elles se nourrissent de détritus.

Pipiza quadrimaculata (Pz.)

Caractéristiques : 7 mm. Petit syrphide. Corps noir recouvert de points rouges.
Habitat : Champs de fleurs, bords des chemins et lisières des forêts ; jardins et parcs naturels.
Distribution : Dans presque toute l'Europe ; Amérique du Nord.
Fréquence : Espèce parfois commune, se rencontrant régulièrement.
Reproduction : Comme chez les autres syrphides. Adaptations très différentes à l'intérieur de ce groupe de mouches comprenant de nombreuses espèces.
Nourriture : Nectar et détritus (larves).
Généralités : De nombreuses espèces, difficiles à identifier, vivent en Europe.

Mouches et moustiques

Metasyrphus corollae (F.)
Le Syrphe des corolles

Caractéristiques : 10 à 15 mm. Espèce typique des syrphides. Vole très vite.
Habitat : Champs de fleurs, jardins, lisières des forêts, bords des chemins.
Distribution : Nombreuses régions d'Europe.
Fréquence : Espèce courante, se rencontrant régulièrement.
Reproduction : Fait partie de la centaine d'espèces de syrphides vivant en Europe et se nourrissant exclusivement de pucerons. Elles mangent d'abord les œufs, puis les pucerons eux-mêmes. Lors d'une expérience, une larve de *M. corollae* a mangé en huit jours 700 pucerons *(Aphis fabae)*. Les larves se nymphosent au bout de 8 à 14 jours, suivant la nourriture disponible. Elles restent alors dans la dernière enveloppe larvaire. Plusieurs générations par an.
Généralités : Les 300 espèces vivant en Europe imitent toutes un insecte dangereux : une abeille, une guêpe, un bourdon ou même un frelon. Elles se protègent ainsi de leurs prédateurs.

Myathropa florea (L.)
Le Syrphe des fleurs

Caractéristiques : 1,5 cm environ. Abdome orné de larges bandes noires et jaunes. Res semble à un frelon. Écusson noir recouvert d taches jaunes, imitant un Sphinx tête-de-mort
Habitat : Vole du printemps à l'automne. Activ surtout lorsqu'il y a du soleil ; cherche alors de fleurs pour boire le nectar. Champs de fleurs jardins, lisières des forêts, bords des chemins
Distribution : Dans presque toute l'Europe e dans les régions tempérées de Sibérie.
Fréquence : Espèce parfois très courante.
Reproduction : Voir les autres syrphides. Le petites larves mangent les œufs de pucerons les larves plus âgées mangent les larves d pucerons. Insectes très utiles les années où le pucerons prolifèrent, car ils se reproduisen rapidement et mangent une grande quantité d pucerons. Jouent un rôle important dans pollinisation de nombreuses plantes.

Hippobosca equina (L.)
L'Oestre du cheval

Caractéristiques : 8 mm. Corps large et aplati, caractéristique des hippoboscides, représentés par une trentaine d'espèces en Europe. Chaque espèce parasite un hôte différent : l'Oestre du cheval sur les chevaux, l'Oestre du mouton sur les moutons, l'Oestre du cerf sur les cerfs.
Habitat : Pâturages.
Distribution : Dans le monde entier.
Fréquence : Variable ; parfois parasite encombrant.
Reproduction : Les Oestres du cheval s'accouplent dans la toison des vaches et des chevaux. Les ♀ mettent au monde généralement seulement cinq larves. Les larves et les pupes se développent par terre ; les pupes hivernent.
Nourriture : Sang d'artiodactyles et de périssodactyles.
Généralités : Du fait de leur mode de vie très spécialisé, les Oestres ont peu d'ennemis naturels et n'ont donc pas besoin de proliférer. Mais pour survivre, ils doivent obligatoirement trouver l'hôte approprié.

Oestrus ovis (L.)
L'Oestre du mouton

Caractéristiques : 10 à 12 mm. Représentar des oestrides. Il existe une douzaine d'espèce en Europe.
Habitat : Pâturages.
Distribution : Dans le monde entier.
Fréquence : Espèce parfois très abondante.
Reproduction : Accouplement après une dans très rythmée à laquelle participent plusieurs ♂ et plusieurs ♀. Une fois écloses, les larve pénètrent dans les narines des moutons ; elle remontent dans les fosses nasales et se nourris sent de mucus. Les moutons éternuent souver et maigrissent. Les larves finissent par tombe par terre ; les pupes hivernent sous terre. A fin de leur développement, les larves mesurer presque 3 cm de long. Les premiers oestre apparaissent au printemps, lorsque les moutor sont conduits dans les pâturages. Les moutor atteints maigrissent et se tordent telleme qu'ils finissent par tomber.
Nourriture : Les larves se nourrissent de mucu

Hypoderma bovis (L.)
L'Hypoderme du bœuf

Caractéristiques : 15 mm. Difficile à identifier.
Habitat : Pâturages.
Distribution : Europe et régions tempérées d'Asie.
Fréquence : Parasite gênant dans le cas d'élevage intensif de bovins ; sinon isolé. Dans le cas d'élevage pour le cuir l'Hypoderme peut causer des pertes importantes par la mauvaise qualité du cuir qui est troué.
Reproduction : Dès qu'en été, un Hypoderme du bœuf surgit dans un champ, les animaux se paniquent. Cela veut dire qu'ils distinguent parfaitement les Hypodermes. Les ♀ ont une longue tarière téléscopique avec laquelle elles déposent leurs œufs sur les pattes et sur le dos de l'animal. Les larves pénètrent sous la peau et agrandissent les stigmates vers l'extérieur ; d'où une diminution de la valeur du cuir fabriqué à partir de la peau des bovins. Au printemps, la larve sort et se nymphose sous terre.
Nourriture : Tissu en décomposition, également sang de l'hôte.

Stomoxys calcitrans (L.)
La Mouche des étables

Caractéristiques : 5 à 8 mm. Ressemble à *Musca domestica* et à *Fannia canicularis*. Se reconnaît à son rostre replié ou allongé en avant au repos. Au repos, avant du corps soulevé contrairement aux mouches domestiques.
Habitat : Surtout dans les régions agricoles ; également en ville.
Distribution : Dans le monde entier.
Fréquence : Espèce parfois courante, se rencontrant régulièrement.
Reproduction : Quatre jours après avoir éclos, les ♂ et les ♀ s'accouplent. Œufs déposés dans le crottin du cheval ou les bouses de bovins. Une ♀ peut pondre jusqu'à 600 œufs en fonction du nombre de ♂ et de la température. Le développement complet ne dure que 14 jours.
Nourriture : Détritus organiques et sang de mammifères.
Généralités : En piquant, ces mouches peuvent transmettre de dangereux agents pathogènes : bactéries, nématodes et protozoaires par exemple.

Musca domestica L.
La Mouche domestique

Caractéristiques : 1 cm. Pas d'aiguillon. L[illegible] yeux se touchent sur le front chez le ♂, ma[illegible] non chez la ♀.
Habitat : Bâtiments, jardins, champs.
Distribution : Dans le monde entier.
Fréquence : Parfois en masse.
Reproduction : Les premières Mouches dome[illegible]tiques apparaissent aux fenêtres ou dans l[illegible] greniers dès mars. La ♀ dépose jusqu[illegible] 150 œufs sur les détritus, les poubelles ou l[illegible] tas de fumier. Les larves éclosent rapidement [illegible] se développent. Elles s'enfouissent sous ter[illegible] pour se nymphoser. Le développement e[illegible] extrêmement rapide si bien qu'en Euro[illegible] moyenne il peut y avoir jusqu'à cinq génératio[illegible] par an. Après avoir pondu une première fois, [illegible] ♀ repond plusieurs fois de suite ; en 60 [illegible] 70 jours, elle peut pondre jusqu'à 1 000 œufs
Nourriture : Détritus, surtout produits contena[illegible] du sucre.
Généralités : Peut transmettre certaines ma[illegible]dies.

Fannia canicularis (L.)
La Fannie caniculaire

Caractéristiques : 5 à 7 mm ; aussi grande q[illegible] la Mouche des étables, mais pas de rost[illegible] piquant. Vole en zigzag à l'horizontale ; souve[illegible] autour des lampes dans les pièces.
Habitat : Dans les habitations de mars à oct[illegible]bre. Également dans la nature.
Distribution : Dans le monde entier.
Fréquence : Se rencontre régulièrement, parf[illegible] en masse.
Reproduction : Les ♀ déposent leurs œu[illegible] dans des endroits humides, par exemple da[illegible] les fosses à purin, sur les tas de fumier ou da[illegible] les détritus animaux ou végétaux. On a parf[illegible] découvert des larves dans l'intestin et la ves[illegible] d'êtres humains. Les larves s'enfouissent da[illegible] la couche supérieure du sol pour se nymphos[illegible] et pour hiverner. Plusieurs générations par [illegible] Les larves ont une forme curieuse : leur co[illegible] est entouré d'épines et de poils.
Nourriture : Les larves se nourrissent de détri[illegible] animaux et végétaux et contribuent donc à l[illegible] destruction.

Scathophaga stercoraria (L.) Le Scatophage du fumier

Caractéristiques : 9 à 10 mm. S'approche des bouses fraîches et se pose dessus. Corps recouvert d'une épaisse toison de poils jaune-rougeâtre hirsutes. Au repos, les ailes ne sont pas couchées en toit ou à plat comme chez les autres diptères, mais sont relevées à l'oblique et décollées du corps. Antennes noires. Tache foncée au milieu du bord antérieur des ailes.
Habitat : Excréments de mammifères, surtout de ruminants ; tas de fumier.
Distribution : Nombreuses régions d'Europe, d'Asie et d'Amérique du Nord.
Fréquence : Espèce généralement courante, souvent en groupe sur les excréments.
Reproduction : Grâce à leur odorat extrêmement sensible, les Scatophages du fumier détectent rapidement une bouse de vache fraîche. Après s'être nourri, les ♂ commencent le vol nuptial auquel participent bientôt les ♀. L'accouplement a lieu dans l'herbe. Après l'accouplement, le ♂ n'abandonne pas la ♀, mais l'accompagne jusqu'à la bouse de vache où elle dépose ses œufs ; pendant ce temps, le ♂ chasse les autres ♂. Les œufs sont pourvus d[e] chaque côté de protubérances en forme d'aile[s] qui émergent du fumier et jouent sans doute u[n] rôle important dans le développement des œuf[s]. Elles empêchent en tous cas les œufs de s'en[-]foncer dans le fumier. Les larves se développen[t] très rapidement dans la bouse qui se sèch[e] progressivement. Elles se nymphosent et hive[r]nent sous terre.
Nourriture : Tandis que les mouches lèchent [le] jus des bouses de vaches et chassent les insec[-]tes qui s'en approchent, les larves se nourris[-]sent des composants végétaux et bactériens s[e] trouvant dans les bouses. Elles contribuent ain[si] à leur disparition.

Lipara lucens Meig. La Mouche cigarière

La Mouche cigarière

Caractéristiques : 7 mm. N'aime pas voler. Ailes microptères chez quelques-unes des 300 espèces de Chloropidae vivant en Europe. Espèce difficile à identifier, mais se reconnaît à la manière caractéristique dont les larves mangent les roseaux, causant parfois des dégâts importants.
Habitat : Roseaux.
Distribution : Nombreuses régions d'Europe.
Fréquence : Espèce courante.
Reproduction : Les ♀ déposent leurs œufs dans les nœuds des tiges des roseaux. Les larves injectent dans la plante une hormone qui comprime la pousse et favorise la croissance de la gaine. Le roseau gonfle et prend la forme d'un cigare mesurant 25 cm de long et 1,5 cm d'épaisseur. Les larves se nymphosent et hivernent dans ce cigare.
Nourriture : Roseaux.

Drosophila melanogaster Meig. La Mouche du vinaigre

Caractéristiques : 2 à 4 mm. Petite mouch[e] pourvue de grandes ailes. Abdomen annelé.
Habitat : Apparaît en été et en automne là où [il] y a des fruits gâtés dont elle boit le jus.
Distribution : Dans le monde entier.
Fréquence : Apparaît régulièrement, parfois [en] masse.
Reproduction : Les partenaires se rencontre[nt] sur les fruits gâtés et se mettent à danser, ava[nt] de s'accoupler. Les ♀ peuvent pondre jusqu['à] 400 œufs. Le développement complet peut [ne] durer que deux semaines lorsque les conditio[ns] sont favorables.
Généralités : La drosophile est très souve[nt] étudiée par les généticiens, car elle se reprodu[it] et se développe très rapidement et possède [un] petit nombre de grands chromosomes. L[es] principales découvertes de la génétique m[o]derne sont en partie dues à cette petite mouch[e].

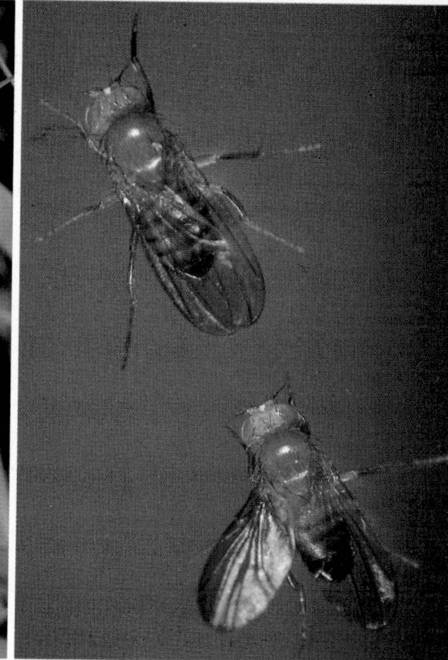

Calliphora vicina R.-D.
La Mouche bleue

Caractéristiques : 7 à 12 mm. Corps robuste et velu ; reflets bleus sur l'abdomen. Il existe en Europe une bonne centaine d'espèces.
Habitat : Agglomérations, près des étables. Sur les excréments.
Distribution : Dans presque tous les pays.
Fréquence : Se rencontre régulièrement, parfois en grand nombre.
Reproduction : Les mouches bleues ont un excellent odorat ; les odeurs mixtes sont captées différemment par les jeunes mouches et les mouches plus âgées, par les ♂ et par les ♀. Les ♀ déposent leurs œufs sur des animaux morts, parfois dans des plaies ouvertes ou sur les tas de fumier. Le développement dure deux à trois semaines. Plusieurs générations par an. Les larves se nymphosent dans le substrat.
Nourriture : Détritus végétaux et animaux.
Généralités : Ces mouches contribuent à l'équilibre naturel, détruisant rapidement les substances en décomposition. Elles peuvent transmettre certains agents pathogènes.

Sarcophaga carnaria (L.)
La Mouche à damier

Caractéristiques : 1,5 cm environ. Mouche foncée ou noire faisant partie de la famille des Calliphoridae, représentée par une centaine d'espèces en Europe.
Habitat : Se rencontrent souvent dans les agglomérations, sur les tas de fumier ; dans la nature, sur les fleurs très odorantes.
Distribution : Nombreuses régions d'Europe et d'Afrique.
Fréquence : Espèce parfois courante, se rencontrant régulièrement.
Reproduction : Vit sur la viande sur laquelle ces mouches peuvent en quelques jours déposer plusieurs centaines d'œufs d'où sortent, quelques heures plus tard, lorsque la température ambiante est élevée, des larves qui se nourrissent de morceaux de viande en décomposition et se nymphosent au bout d'une semaine. Plusieurs générations par an.
Généralités : Il ne faut surtout pas manger ces morceaux de viande, car l'on risque de s'empoisonner ; de plus, les larves peuvent transmettre des maladies.

Lucilia caesar (L.)
La Mouche verte

Caractéristiques : 8 à 12 mm. Reflets ver métallique sur le thorax et l'abdomen.
Habitat : Zones cultivées, surtout dans le agglomérations ; près des restes d'animau des cadavres ; sur le sapropel (vases organi ques qui sont à l'origine du pétrole).
Distribution : Nombreuses régions d'Europe e de Sibérie.
Fréquence : Espèce parfois très commune.
Reproduction : Les mouches se posent sur le fleurs très odorantes, les phalles impudiques, l fumier, les détritus ou les cadavres qu'elle trouvent grâce à leur odorat. C'est là qu'elles s nourrissent, s'accouplent et pondent leur œufs. Certaines larves vivent en parasites su les blessures des animaux homéothermes. Elle se développent très rapidement.
Généralités : Plusieurs centaines d'œufs pa ♀. Mais les oiseaux chanteurs, les chauves souris et surtout le froid et la pluie provoquer de telles pertes qu'un œuf a statistiquement trè peu de chances de se transformer en mouche

Tachina fera (L.)
La tachinaire

Caractéristiques : 9 à 16 mm. Abdomen noir e jaune. Fait partie de la famille des Tachinidae représentée par plusieurs milliers d'espèce dans le monde, dont environ 500 en Europe.
Habitat : Forêts de feuillus mixtes. Espèc diurne. Les tachinides peuvent être observée et attrapées facilement les jours où il y a d soleil et peu de vent.
Distribution : Régions tempérées d'Europe.
Fréquence : Se rencontre régulièrement. Trè courante lorsqu'il y a beaucoup de Nonne (lépidoptères Noctuidae).
Reproduction : Les œufs sont déposés sur le plantes dont se nourrissent *Lymantria dispar* e *L. monacha* et les *Agrotis*. Les petites larve s'accrochent sur les œufs des papillons e parasitent leurs larves. Ces chenilles sont dite parasitées.
Nourriture : Les imagos se nourrissent de necta et de miellat. Les larves parasitent les chenille de noctuelles.

Pulex irritans (L.) La Puce de l'homme

Caractéristiques : 2 à 3 mm. Aptère ; corps déprimé sur le côté. Pièces buccales faites pour sucer et piquer ; pattes postérieures robustes permettant aux puces de faire des bonds de 35 cm de long et 20 cm de haut, soit 100 fois la longueur de leur corps. C'est comme si quelqu'un mesurant 1,65 m faisait un saut de 165 m de long.
Habitat : Suit l'Homme.
Distribution : Cosmopolite.
Fréquence : Grâce aux progrès de l'hygiène, est devenue rare dans les pays occidentaux. Encore très commune dans les pays tropicaux.
Reproduction : La ♀ pond jusqu'à 400 œufs. Petites larves apodes, ressemblant à un ver. Elles se développent dans les fentes, sous les tapis, etc. Développement rapide, avec plusieurs générations par an, lorsqu'il fait sec et chaud.
Généralités : Transmettait autrefois la peste.

Ceratophyllus sp. Ceratophylle

Caractéristiques : On connaît dans le monde 1 100 espèces de puces dont une seule est inféodée à l'Homme. Toutes les autres espèces vivent sur les chiens, les chats, les moutons, les blaireaux, les hérissons, les lièvres et beaucoup d'autres mammifères, ainsi que sur les oiseaux. Mais cette spécialisation n'est pas toujours absolue. Ainsi les puces des chats ou des chiens se rencontrent parfois sur l'Homme, mais généralement uniquement lorsqu'elles ne trouvent pas de chiens ou de chats. Les puces se ressemblent toutes. On les distingue à la forme de leur tête et à leurs soies.
Habitat : Les puces vivent sur des homéothermes ; les larves se développent dans les nids se trouvant à terre ou sur les arbres.
Distribution : Cosmopolite.
Fréquence : Se rencontrent régulièrement, pullulent parfois.
Reproduction : Cycle annuel : contrairement à la Puce de l'homme, une ou plusieurs générations du printemps à l'automne. Les imagos hivernent.
Nourriture : Sang et détritus animaux.

Stylops sp.

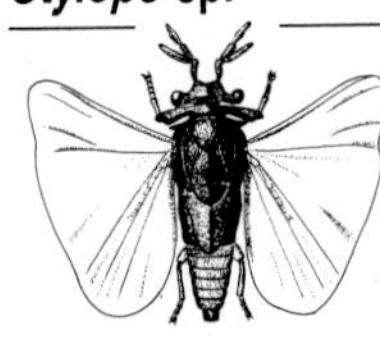
Position en vol

Caractéristiques : 1 à 7 mm. Ailes antérieures très courtes chez le ♂ ; ailes postérieures bien développées, repliées au repos. Les ♀ aptères restent dans la dernière enveloppe larvaire et ne quittent jamais leur hôte. 250 espèces dans le monde, dont 60 en Europe. Les strepsiptères comprennent les Mengeoidea qui parasitent le petit poisson d'argent et les Stylopoidea qui sont beaucoup plus courants et parasitent les abeilles et les guêpes. Les insectes parasités par les strepsiptères sont dits « stylopisés ». Les strepsiptères sont holométaboles, c'est-à-dire qu'ils subissent une métamorphose complète : œuf, larve, pupe et imago. Ils sont classés près des coléoptères. Du fait de la forte réduction de certains organes et de l'adaptation complète à la vie de parasite, leur systématique n'est pas encore bien connue.
Habitat : Prés, jardins, terrains buissonneux.
Distribution : Dans toute l'Europe.
Fréquence : Espèce courante, se rencontrant régulièrement. Les strepsitères sont difficiles à voir, émergeant à peine sur le dos des abeilles et des guêpes.
Reproduction : Les ♂ sont actifs le soir. Ils cherchent une ♀, s'accouplent, puis meurent. Ils ne vivent que pendant quelques heures. 1 000 larves ou plus par ♀. Les larves quittent leur hôte, sautent sur une fleur et y attendent une autre abeille pour se faire transporter jusqu'à son nid et parasiter une larve. Elles muent quatre fois, se nymphosent et se transforment en imago dans la larve. La larve du strepsiptère se nymphose en même temps que la larve-hôte. L'extrémité de son corps en forme de sac émerge entre les anneaux de l'abdomen de la guêpe.

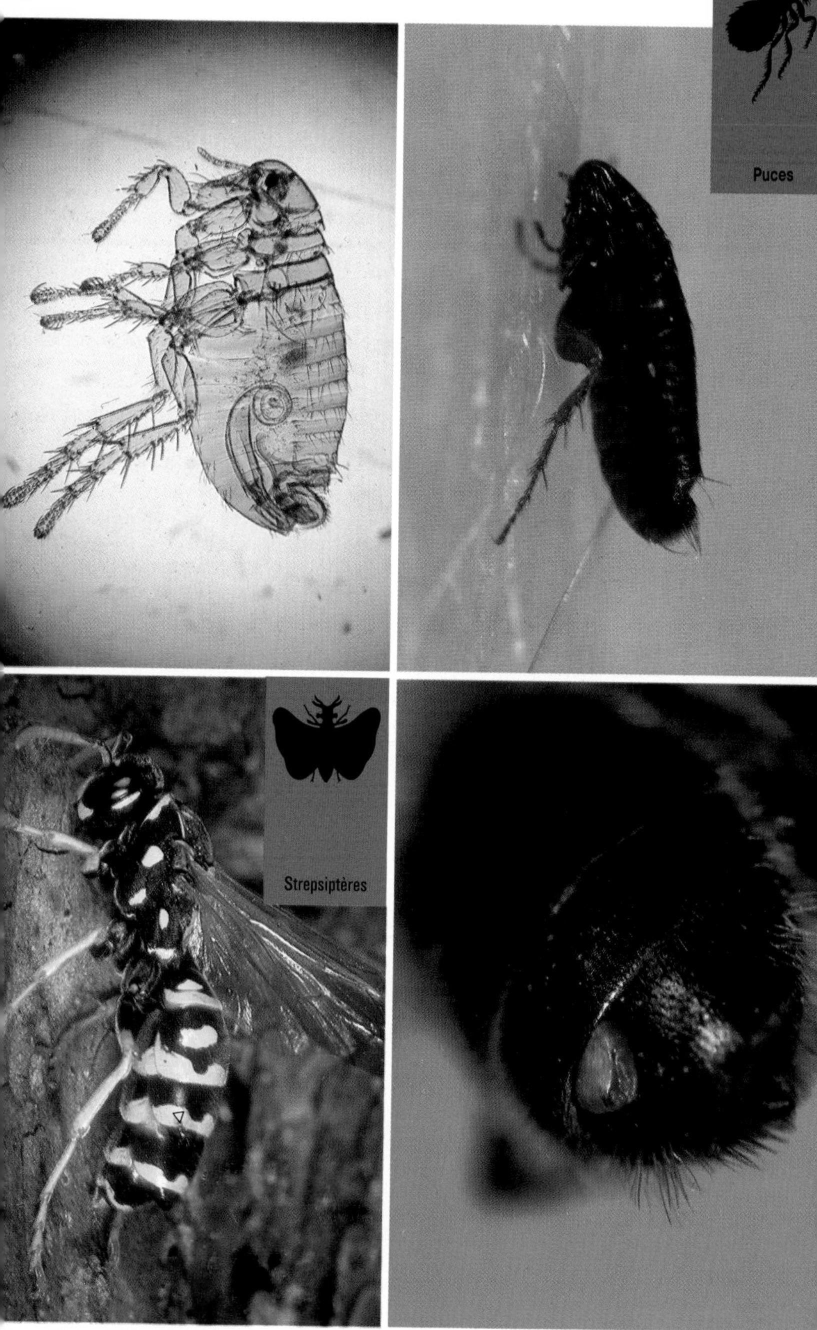

Poliste française parasitée par un *Stylops*

Stylops *melitta* ♀ sur *Andrena*

Euscorpius italicus Le Scorpion d'Italie

Caractéristiques : 4 cm de long environ. Abdomen terminé par une capsule renfermant l'aiguillon venimeux, utilisé par les scorpions pour se défendre : le scorpion rabat sa « queue » sur le dos et pique à plusieurs reprises sa proie. Il est tout à fait faux de croire qu'en cas d'extrême danger le scorpion se suicide en se piquant lui-même ; en effet, les scorpions sont immunisés contre leur venin. Appendices de forme différente, rappelant ceux des crustacés : les premiers (chélicères) sont petits et servent à attraper la nourriture ; les seconds (pédipalpes) sont pourvus de pinces puissantes servant à maintenir la proie. Les quatre paires de pattes suivantes permettent au scorpion de se déplacer. Les scorpions sont classés dans le groupe des arachnides, groupe faisant partie de l'embranchement des arthropodes. Parmi les 600 espèces vivant dans les régions tropicales et sub-tropicales, seules quelques espèces se rencontrent dans le sud de l'Europe.
Habitat : Versants secs et recouverts d'éboulis avec peu de végétation ; espèce nocturne se cachant pendant la journée sous les pierres et les troncs d'arbres.
Distribution : Bassin méditerranéen, Asie Mineure.
Fréquence : Localisé. Présent en France.
Reproduction : Accouplement précédé par une danse délicate au cours de laquelle le ♂ dépose un spermatophore vers lequel il conduit la ♀. Mise au monde de 30 à 35 larves qui rampent sur le dos de la mère laquelle les transporte et les nourrit pendant les premières semaines. Avec leurs griffes, les larves s'accrochent tellement bien à leur mère qu'elles ne tombent pas même lorsque celle-ci bouge brusquement pour capturer une proie.
Nourriture : Les scorpions se nourrissent de petits invertébrés, par exemple d'araignées, mais également de vers, de mouches et de coléoptères. Ils attrapent leur proie avec leurs pinces, mais ne la tuent que lorsqu'elle se défend trop violemment. Ils la coupent en petits morceaux grâce à leurs chélicères.

Araneus diadematus Cl. L'Épeire diadème

Caractéristiques : Jusqu'à 17 mm. Croix blanche sur le dos permettant de reconnaître facilement cette épeire. Le groupe des épeires (Araneidae) comprend plusieurs centaines d'espèces. Toutes les araignées ont quatre paires de pattes sur le céphalothorax. La tête porte les mâchoires, formées par les chélicères et les pédipalpes. Abdomen toujours apode, généralement renglé. ♂ souvent très petit. ♀ beaucoup plus grosse, son abdomen étant rempli d'œufs. On connaît, dans le monde, 30 000 espèces d'araignées ; mais ce nombre ne cesse de croître, l'examen de l'appareil génital permettant de découvrir régulièrement de nouvelles espèces.
Habitat : Arbustes, arbres, jardins.
Distribution : Dans toute l'Europe ; Sibérie.
Fréquence : Espèce parfois très courante, se rencontrant régulièrement.
Reproduction : Voir les espèces suivantes.
Nourriture : Petits animaux.
Généralités : La morsure de l'épeire n'est pas aussi dangereuse que ce que l'on croit généralement. Elle provoque des rougeurs et une enflure locale, mais n'est jamais mortelle pour l'Homme. Les toiles d'araignée sont de véritables chefs-d'œuvre. Avec leurs glandes séricigènes, elles produisent des fils extrêmement longs, très fins, élastiques et relativement solides, avec lesquels elles fabriquent, selon des règles bien précises, des pièges pour capturer leurs proies. Même les juvéniles âgées de quelques jours seulement tissent déjà des toiles ressemblant à celles de leur mère. Ces araignées vivent dans des toiles qu'elles suspendent entre les feuilles ou les petits arbrisseaux et qui sont toujours fabriquées de la même manière : elles commencent par tendre des fils qu'elles mangeront par la suite, lorsqu'ils seront devenus inutiles. Puis viennent un Y et plusieurs spirales auxquelles est accrochée la spirale servant de piège ; les fils de cette spirale sont collés par de petites gouttelettes qui durcissent au bout de deux jours et doivent alors être remplacées.

Araniella cucurbitina Cl.
L'Araignée courge

Caractéristiques : 7 mm. Vert brillant. 4 à 5 rangées de points noirs sur l'abdomen.
Habitat : Forêts mixtes, terrains buissonneux, jardins et parcs.
Distribution : Régions tempérées d'Eurasie.
Fréquence : Espèce commune.
Reproduction : Ces araignées se rencontrent en mai et juin à la lisière des forêts, sur les buissons et les conifères ; elles se tiennent généralement au milieu de leurs toiles (voir *A. diadematus*), guettant leurs proies. Les ♂ ne s'approchent qu'au moment de l'accouplement. Lorsqu'une ♀ est prête à s'accoupler, elle reste immobile jusqu'au moment où elle est fécondée. Le ♂ doit alors disparaître rapidement pour ne pas être dévoré par la ♀. Ce comportement très courant chez les arachnides est très important pour la ♀ qui attrape rarement des proies et doit donc manger le ♂ pour pouvoir pondre des œufs. Ceci se produit beaucoup plus rarement lorsque la nourriture disponible est abondante.

Araneus quadratus Cl.
L'Épeire carrée

Caractéristiques : 1 cm environ. Abdomen sphérique, couleur rouille, avec quatre points blancs. Bon camouflage permettant à cette araignée de se condondre avec les feuilles mortes.
Habitat : Lisières des forêts, clairières, buissons, jardins et parcs.
Distribution : Nombreuses régions d'Europe et du nord de l'Asie, surtout dans les forêts de feuillus.
Fréquence : Espèce relativement courante, voire abondante.
Reproduction : Accouplement le plus souvent en septembre. Les ♂ sont beaucoup plus petits que les ♀ qui guettent leurs proies au milieu de leurs toiles qui ont environ 60 cm de diamètre.
Généralités : Grâce à leurs toiles, ces araignées peuvent attraper jusqu'à 500 insectes par jour. Sur un hectare de forêt, il peut y avoir jusqu'à 500 000 araignées qui, en une saison peuvent attraper plus de 100 kg d'insectes.

Nuctenea umbratica Cl.
L'Épeire nocturne

Caractéristiques : 8 à 14 mm. Corps brur Dessins foncés, cerclés de blanc sur le dos.
Habitat : Espèce active au crépuscule qui, l jour, se cache sous l'écorce des arbres, dans le fentes des arbres ou entre les arbres abattus.
Distribution : Dans presque toute l'Europe.
Fréquence : Espèce courante.
Reproduction : Voir *A. diadematus* pour la fabr cation des toiles. Voir *A. cucurbitina* pour l'ac couplement. La ♀ enveloppe ses œufs dans u petit cocon rigide pour les protéger du vent e de la pluie et pour empêcher la formation d champignons. Certaines ♀ se cachent près d nid pour le surveiller ou transportent le coco sur leur dos. Ceci s'observe surtout chez le araignées qui ne fabriquent pas de pièges, mai chassent leurs proies. Certaines araignée nourrissent elles-mêmes les larves, d'autres le abandonnent rapidement, laissant les larves s nourrir elles-mêmes.

Araneus ceropegius (Walk.)
L'Épeire des bois

Caractéristiques : ♂ 7 mm ; ♀ 15 à 17 mr Dessins blancs ressemblant à une feuille d chêne sur le corps foncé.
Habitat : Terrains buissonneux, champs, jardins
Distribution : Dans presque toute l'Europe.
Fréquence : Espèce commune, se rencontran régulièrement.
Reproduction : Ces araignées construisent leur pièges à 50 cm au-dessus du sol, entre le buissons ou les plantes céréalières. L'araigné se suspend en haut de la toile, dans un pet « baldaquin » qui la protège de la pluie et d soleil, ce qui est très important car cette espèc d'araignée aime beaucoup la chaleur et tiss toujours sa toile dans des endroits ensoleillés e non protégés du vent. Elle capture surtout d petits papillons, de petites sauterelles et de tipules. Accouplement et ponte en automne. Le œufs hivernent. Les ♀ cachent leurs cocon dans les fentes des arbres ou sous l'écorce.

Araignées

Eresus niger (Pet.)
L'Araignée cinabre

Caractéristiques : ♂ 8 à 11 mm. Abdomen très coloré ; les deux paires de pattes postérieures sont rouge vermillon. Quatre grands points et deux petits points blancs ou noirs cerclés de blanc. ♀ 10 à 16 mm. Céphalothorax jaune ocre ; dessins foncés ou noirs.
Habitat : Terrains sablonneux, secs et chauds, avec peu de végétation, où ces araignées creusent des trous dans lesquels elles s'enfouissent.
Distribution : Dans certaines régions de France et du bassin méditerranéen.
Fréquence : Espèce courante dans certaines régions.
Reproduction : Ces araignées ne tissent pas de toiles ; elles restent dans leurs trous et attrapent avec leurs pattes les petits insectes passant à proximité. Accouplement dans le trou. Après l'accouplement, les ♀ ne mangent jamais les ♂. Ces araignées vivent en société ; on les rencontre parfois en colonie.

Micrommata rosea Cl.
(= *virescens* Cl.)
La Sparasse rose ou verte

Caractéristiques : ♂ 9 mm environ ; ♀ jusqu'à 13 mm. Corps vert pâle ; bandes rougeâtres sur le dos des ♂. Ces araignées se déplacent très rapidement et guettent leurs proies sur de jeunes pousses de la même couleur qu'elles.
Distribution : Nombreuses régions d'Europe et du nord de l'Asie, surtout dans les forêts de feuillus.
Fréquence : Espèce très courante dans certaines régions, mais difficile à découvrir à cause de la couleur verte servant de camouflage.
Reproduction : Les petits ♂ s'approchent prudemment des ♀ et, par un comportement particulier, leur signalent qu'elles ne doivent pas les manger. L'accouplement pose toujours un problème pour ces araignées qui réagissent rapidement.
Nourriture : Petits insectes saisis brusquement.

Pholcus phalangioides (Fuess.)
L'Araignée à longues pattes

Caractéristiques : 5 mm. Longues pattes faisa[nt] penser aux faucheux, d'où le nom latin *phala[n]gioides*. Ces araignées se suspendent souve[nt] la tête en bas à leurs toiles qui semblent trè[s] fragiles et tremblent tellement en cas de dange[r] qu'on les distingue à peine. Quelques espèce[s] en Europe.
Habitat : Bâtiments, forêts mixtes, jardins.
Distribution : Dans presque toute l'Europe.
Fréquence : Espèce très commune, se renco[n]trant régulièrement.
Reproduction : Pendant l'été, la ♀ transpor[te] sous elle les œufs pour les protéger ; elle le[s] tient avec ses chélicères et doit donc les dépo[]ser pour attraper sa nourriture. Ses pièce[s] buccales sont tellement petites qu'elle ne pe[ut] absorber que de la nourriture liquide. Aussi ce[s] araignées injectent-elles dans leur proie d[u] poison et des substances qui la décomposent[;] elles aspirent ensuite cette nourriture.
Généralités : Poison mortel pour les proie[s] mais non pour l'Homme.

Diaea dorsata (F.)
La Thomise arrondie

Caractéristiques : 5 à 7 mm. Vert brillant[;] dessus de l'abdomen brun.
Habitat : Buissons, cimes des arbres, jardins [et] parcs.
Distribution : Europe de l'Ouest ; à l'est, ju[s]qu'au Caucase.
Fréquence : Espèce souvent courante, se re[n]contrant régulièrement.
Reproduction : Juste avant l'accouplement, [la] ♀ se fige et reste dans cette position jusqu['à] la fin de l'accouplement. Pour transférer s[es] spermes, le ♂ monte sur la ♀, alors que che[z] *Eresus niger*, il se met sous elle.
Nourriture : Guette et attrape les insectes s[ur] les feuilles et les fleurs.
Généralités : Ces araignées savent très bien [se] camoufler : certaines imitent des parties [de] fleurs ; elles sont parfois vertes, parfois jaune[s,] parfois ornées de dessins. Elles tiennent leu[rs] pattes antérieures loin du corps, comme l[es] crabes, et peuvent ainsi marcher à reculons [ou] de côté. Certaines changent même de coule[ur]

Araignées

Misumena vatia (Cl.)
L'Araignée-Citron

Caractéristiques : ♂ 4 mm, ♀ 10 mm. Longues pattes antérieures serrées l'une contre l'autre comme chez les crabes et étendues à l'horizontale, permettant à cette araignée de se déplacer latéralement, en avant et en arrière. Couleur du corps variant suivant l'endroit où l'araignée se trouve : sur les fleurs claires, corps blanc et jaunâtre ; sur les fleurs foncées, corps brunâtre. La couleur varie également avec la nourriture.
Habitat : Champs de fleurs, jardins, clairières. Guette les insectes posée dans les fleurs.
Distribution : Région paléarctique d'Europe et d'Asie.
Fréquence : Espèce courante, mais difficile à repérer à cause du camouflage.
Reproduction : Les Araignées-Citron (ou Araignées-Crabes) se rencontrent tout l'été. Accouplement dans les fleurs. Ponte en automne. Les œufs hivernent.
Nourriture : Abeilles, guêpes, mouches et autres insectes cherchant du nectar et du pollen.

Lycosa tarentula (Walck.)
La Tarentule, ou Lycose de Narbonne

Caractéristiques : 3 cm environ ; paraît plus grande à cause de ses longues pattes. La Tarentule fait partie de la famille des Lycosidae. Araignées remarquables par la manière dont elles chassent et guettent leurs proies. Les tarentules creusent des trous dans lesquels elles guettent leurs proies. Avec leurs puissantes pinces, elles injectent du venin dans leurs proies.
Habitat : Zones découvertes avec peu de végétation ; pâturages et terrains en friches.
Distribution : Europe du Sud.
Fréquence : Espèce parfois très courante, jamais rare dans les habitats appropriés.
Reproduction : Avant l'accouplement, comportement compliqué pour rendre l'autre partenaire moins agressif.
Nourriture : Insectes vivant par terre.
Généralités : Piqûre normalement pas dangereuse pour l'Homme.

Salticus scenicus (Cl.)
Le Saltique chevronné

Caractéristiques : ♂ 4 mm, ♀ 8 mm. Abdc men et céphalothorax zébrés.
Habitat : Espèce thermophile : sur les rocher ensoleillés, les prés secs et chauds, les mur des maisons, dans les cabanes en bois.
Distribution : Europe, Sibérie jusqu'au Japor Afrique du Nord, Amérique du Nord.
Fréquence : Espèce parfois très courante, s rencontrant régulièrement.
Reproduction : Ces araignées (Salticidae) n tissent pas de toiles. Corps orné de dessins trè colorés ; la ♀ est généralement plus belle qu le ♂. Vue excellente ; pendant la danse nup tiale, le ♂ reconnaît la ♀ à sa couleur. Le couleurs des araignées ne doivent donc pa toujours être considérées comme un camou flage ou un signal. Des substances chimique sont également sécrétées pendant la parac nuptiale ; elles calment la ♀.
Nourriture : Chasse de petits animaux en s pendant à un fil pour ne pas tomber.

Pardosa hortensis (Thor.)
La Pardose des jardins

Caractéristiques : 6 mm. Petite araignée brur se déplaçant de manière très agile ; ne constru pas de piège, mais chasse. Espèce difficile identifier, car la famille des Lycosidae compor de nombreuses espèces, parfois très sembla bles.
Habitat : Prés, champs, jardins, forêts.
Distribution : Dans toute l'Europe.
Fréquence : Espèce très commune.
Reproduction : Les premières araignées sorte fin mars des fentes des arbres ou des cabane en bois. Mais ce n'est qu'en juin que l'on rencor tre les ♀ avec leurs paquets d'œufs accroché à leur dos mamelonné. Au bout de trois sema nes, après avoir mué deux fois dans leur coco les jeunes araignées quittent l'enveloppe pr tectrice, aidées par leur mère qui déchire l'enve loppe. La mère les transporte encore pendar une dizaine de jours ; elle les protège des préd teurs mais ne les nourrit pas. Elles se nourris sent de *vitellus* jusqu'au moment où elles d viennent autonomes.
Nourriture : Petits insectes.

Araignées

Argyroneta aquatica (Cl.) L'Argyronète

Caractéristiques : 8 à 15 mm. ♂ plus grand que la ♀ contrairement à ce qui se passe chez presque toutes les autres araignées. Les Argyronètes vivent sous l'eau ; elles ne peuvent donc être confondues avec aucune autre espèce. Elles construisent une cloche mesurant environ 2 cm et doivent remonter régulièrement à la surface pour faire une nouvelle provision d'air frais. De petites bulles d'air restent accrochées aux poils et aux lamelles formant la couche superficielle de la peau ; lorsqu'elle redescend, l'araignée se débarrasse de ces petites bulles d'air dans sa cloche. Les ♀ construisent toujours, entre les plantes aquatiques, des cloches remplies d'air où elles vivent et chassent de petits insectes aquatiques ; les ♂ se rencontrent également souvent entre les tiges des plantes remplies d'air.
Habitat : Eaux stagnantes ou coulant lentement. Lacs et mares propres, riches en oxygène et en plantes aquatiques ; souvent dans les lacs marécageux.
Distribution : Régions tempérées d'Europe ; à l'est, jusqu'au Japon. Nouvelle-Zélande.
Fréquence : Espèce autrefois beaucoup plus courante, aujourd'hui seulement dans certaines régions. Les Argyronètes sont sociales et se rencontrent souvent en grand nombre dans les eaux leur convenant.
Reproduction : La ♀ consolide la paroi supérieure de sa cloche pour y déposer ses œufs et les surveiller d'en bas. Les larves muent quatre fois avant de quitter la cloche. Pendant ce temps, leur mère les approvisionne en air frais. Leur développement durent relativement longtemps. Les Argyronètes mettent 2 ans avant d'arriver à maturité sexuelle. Les imagos hivernent.
Nourriture : Petits insectes aquatiques que l'araignée pique et décompose grâce à une substance chimique, avant de les aspirer.
Généralités : Parmi toutes les araignées, c'est l'Argyronète qui a le venin le plus dangereux. Le nombre d'accidents est toutefois relativement réduit, car les hommes sont rarement en contact avec ces araignées.

Pisaura mirabilis (Cl.) L'Admirable

Caractéristiques : 11 à 13 mm. Araignée brune avec, sur le dos, des raies longitudinales claires.
Habitat : Jardins, parcs, prairies.
Distribution : Europe et nord de l'Asie.
Fréquence : Espèce surtout courante dans les vallées en plaine ; sinon relativement commune.
Reproduction : Pour ne pas être dévoré pendant l'accouplement, le ♂ calme la ♀ en lui offrant en cadeau une mouche enveloppée dans des fils. L'accouplement se produit pendant que la ♀ est occupée avec la mouche. De juin à juillet, on rencontre les ♀ tenant avec leurs chélicères leur cocon rempli d'œufs. Elles fixent le cocon sphérique, bleu-vert, sur des feuilles maintenues ensemble par des fils et le surveillent jusqu'à l'éclosion des petites araignées. Celles-ci restent pendant huit à dix jours dans une cloche tissée par la mère autour du cocon, sous les feuilles.
Nourriture : Petits insectes ; ne construit pas de pièges.

Tegenaria atrica Ko. La Tégénère

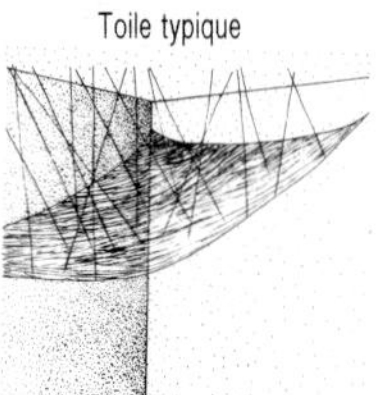

Caractéristiques : 1[illegible] à 18 mm. Brun o[illegible] brun foncé. Corps très velu.
Habitat : Bâtiments trous.
Distribution : Europe jusqu'en Sibérie.
Fréquence : Espèce parfois très courante ; se rencontre régulièrement.
Nourriture : Surtout mouches et moustiques.
Généralités : Il n'y a aucune raison d'avoir peur de ces araignées : leurs chélicères sont tellement faibles qu'elles ne peuvent pas traverser la peau de l'Homme. Ces araignées tissent dans les angles des toiles triangulaires, mesurant 50 cm de long et se terminant par un entonnoir dans lequel elles se tiennent. Dès que la toile se recouvre de poussière, l'araignée en tisse une autre par-dessus. Fait partie de la famille des Agelenidae. On connaît deux espèces très semblables ; *T. atrica* est la plus grande et la plus foncée.

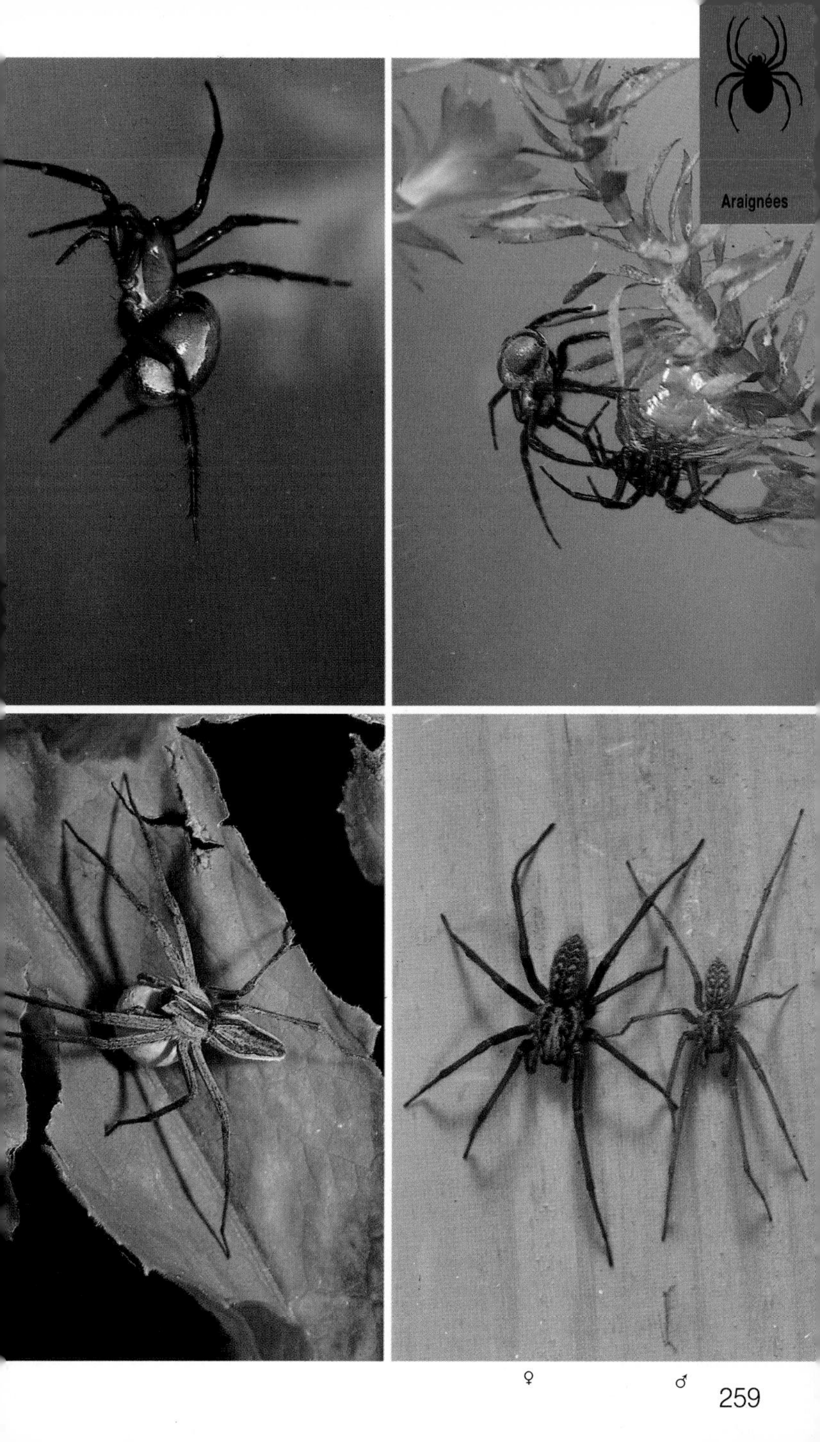
Araignées
♀
♂

Tetragnatha extensa (L.)
Le Tétragnathe allongé

Caractéristiques : 8 à 12 mm. Représentant de la famille très nombreuse des Tetragnathidae. Cette araignée arrive à s'étirer sur une branche ou sur une feuille en étendant ses longues pattes antérieures en avant et ses pattes postérieures en arrière. Son corps devient alors si étroit qu'on la confond avec une sauterelle.
Habitat : Bosquets, bords des ruisseaux et des rivières, des lacs et des mares. Aime l'humidité.
Distribution : Dans presque tous les pays du monde.
Fréquence : Espèce parfois commune, se rencontrant régulièrement.
Généralités : Le mode de construction des toiles varie d'un Tetragnathidae à l'autre. *T. extensa* tisse une large toile lâche, comportant une large spirale ouverte au centre. D'autres espèces ne tissent pas de toiles ou seulement des toiles rudimentaires pour leurs petits. L'aptitude à tisser des toiles peut donc disparaître si l'araignée adopte une autre technique de chasse.

Clubiona sp.
Clubionie

Caractéristiques : 7 mm environ. Difficile d'arriver à déterminer la centaine d'espèces européennes.
Habitat : Forêts de feuillus mixtes, jardins.
Distribution : Nombreuses régions d'Europe.
Fréquence : Espèce parfois très courante.
Reproduction : Accouplement très compliqué. Le ♂ remplit d'abord de spermes le dernier segment de ses pattes antérieures. Puis il tisse un petit spermatophore sur lequel il dépose un sperme lequel est pris par les pédipalpes. Le ♂ est alors prêt à s'accoupler. Les orifices génitaux se trouvent à l'avant du ventre. Au moment de l'accouplement, le ♂ introduit son spermatophore dans l'orifice génital de la ♀. Un système très compliqué basé sur le principe serrure-clef empêche des espèces différentes de s'accoupler.
Nourriture : La nuit, ces araignées s'approchent de petits insectes qu'elles attrapent avec leurs pattes antérieures.

Chiracanthium punctorium (Villers)
L'Araignée de Villers

Caractéristiques : Jusqu'à 15 mm. Abdomen brun-jaune brillant servant d'avertissement dissuasif pour ses ennemis. C'est la seule araignée avec l'Argyronète et la Veuve noire (ou Malmignathe) dont la piqûre est douloureuse et provoque des enflures, sans toutefois être mortelle. Se reconnaît aux épines en forme de doigts se trouvant sur la première paire de pattes et qui lui permet de maintenir sa proie. Fait partie de la famille des Clubionidae.
Habitat : Terrains sablonneux ou pierreux chauds, avec peu de végétation. Espèce thermophile.
Distribution : Presque toute la France, surtout le Sud. Répandue surtout dans le bassin méditerranéen.
Fréquence : Espèce localement commune.
Reproduction : La journée, se tient sous une cloche construite avec des graminées ou des feuilles. Espèce active au crépuscule. Les œufs et les larves sont surveillés par la ♀. C'est à ce moment qu'elle peut être agressive.

Amaurobius ferox (Wlck.)
L'Amaurobe féroce

Caractéristiques : Jusqu'à 15 mm. Araignée brun foncé, robuste, avec des dessins plus ou moins nets sur l'abdomen. Fait partie des Cribellatae. Tamis au-dessus des glandes séricigènes d'où sortent des fils fins et ondulés que l'araignée dépose sur son nid et dans lesquels de petis animaux sont pris au piège et restent collés. Pour pouvoir mieux répartir ces fils sur la toile, ces araignées sont pourvues d'un peigne sur l'avant-dernier article de leurs pattes.
Habitat : Dans les forêts mixtes, sous l'écorce dans les fentes ou dans les substances pourries par terre. Souvent dans les habitations et les étables.
Distribution : Dans toute l'Europe.
Fréquence : Espèce parfois très courante, se rencontrant régulièrement.
Reproduction : Comme chez les autres araignées.
Nourriture : Se nourrit de petits animaux.

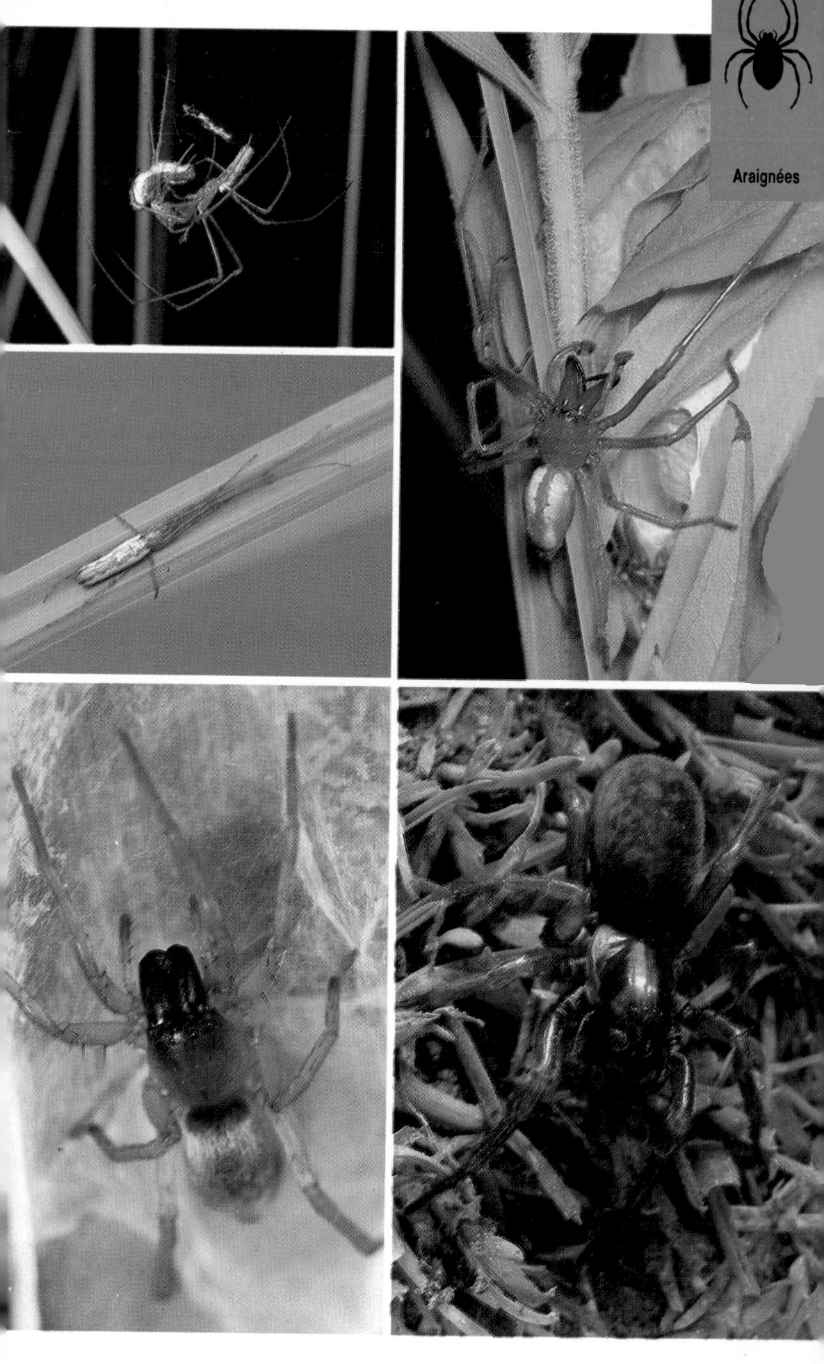

Agroeca brunnea (Black.)
L'Araignée brune

Caractéristiques : 5 à 9 mm. Fait partie des Clubionidae, famille représentée par une centaine d'espèces en Europe. Espèce difficile à identifier. Ne construit pas de toile, mais chasse la nuit de petits animaux.
Habitat : Prés, bosquets, lisières des forêts, clairières.
Distribution : Dans toute l'Europe.
Fréquence : Espèce parfois très courante, se rencontrant régulièrement.
Reproduction : Araignées difficiles à observer, vivant cachées. Cocon suspendu à un fil, ressemblant à une petite lampe et comportant deux chambres : les œufs se trouvent dans la chambre supérieure ; les petites larves restent dans la chambre inférieure pendant un certain temps avant de sortir du cocon.
Nourriture : Chasse au crépuscule de petits animaux, ainsi que d'autres araignées. Mange surtout des mouches et des moustiques.

Meta segmentata (Cl.)
L'Épeire réticulée

Caractéristiques : 7 mm. Abdomen orné de petits dessins brun-jaune. Sphérique.
Habitat : Bosquets, forêts mixtes, jardins.
Distribution : Dans presque toute l'Europe.
Fréquence : Araignée la plus courante dans certaines régions à la fin de l'été et au début de l'automne.
Généralités : Construit de grandes toiles ressemblant à celle de l'Épeire diadème, mais ouverture intérieure libre. De nombreuses araignées peuvent se reconnaître à la forme de leurs toiles, mais ceci nécessite beaucoup d'expérience et de pratique. Pour survivre, les araignées adoptent des techniques de construction et des comportements extrêmement variés. Certaines toiles sont adaptées à la capture d'abeilles et de guêpes, d'autres à la capture de mouches et de moustiques. Les méthodes de capture varient énormément d'une espèce à l'autre, de nombreuses araignées vivant dans un espace restreint.

Theridion sisyphium (Cl.)
L'Araignée-Sisyphe

Caractéristiques : 3 à 4 mm. Araignée très petite. Abdomen sphérique. Fait partie de la famille des Theridiidae, représentée dans le monde par 1 300 espèces, la Veuve noire *Latrodectus mactans* étant la plus connue. Espèces généralement difficiles à identifier. Se suspendent, la tête en bas, à leurs toiles tissées près du sol.
Habitat : Champs de fleurs, lisières des forêts jardins laissés à l'abandon, parcs.
Distribution : Nombreuses régions d'Europe.
Fréquence : Espèce courante.
Reproduction : Non seulement, les ♀ surveillent leurs œufs et les petites larves, mais elles les nourrissent tant qu'elles restent dans le ni de la mère, en leur mettant directement dans l bouche de la bouillie prédigérée.
Nourriture : Lorsqu'un insecte se prend dans l toile, cette araignée étale sur sa proie un substance collante jusqu'à ce que celle-ci s'immobilise. Elle peut ainsi capturer des proie aussi grosses qu'une abeille.

Cyclosa conica (Pall.)
L'Épeire conique

Caractéristiques : 7 mm. Ressemble à l'Épeir des bois, mais l'abdomen dépasse nettemen les mamelons tout en se rétrécissant considérablement. *C. conica* est pourvue d'une bosse *C. oculata* pourvue de trois protubérance coniques. Cette dernière espèce est beaucou plus rare.
Habitat : Forêts de conifères.
Distribution : Dans presque toute l'Europe. S rencontre très haut en montagne.
Fréquence : Espèce courante, se rencontrar régulièrement.
Généralités : Ces araignées tissent leurs toile à intervalles réguliers, de 1,5 à 2 m de haut, entr les branches des conifères. Elles les stabilise par des corps étrangers qui semblent être re tés accrochés là par hasard. L'araignée res immobile, les pattes repliées, entre deux gr fils. Les fils remuent dès qu'un animal s'est pr dans la toile. L'araignée se précipite alors de sus et tue sa proie en la piquant. Mais cet morsure est tellement faible qu'elle ne peut p traverser la peau d'un homme.

Argiope bruennichi (Sc.)
L'Épeire fasciée

Caractéristiques : ♀ jusqu'à 2 cm ; rayures transversales noires et jaunes. ♂ minuscules. Les Épeires fasciées tissent des toiles solides avec de gros fils qui zigzaguent et ont un effet stabilisateur.
Habitat : Vallées chaudes et humides, bosquets.
Distribution : Espèce sans doute originaire du bassin méditerranéen qui, au cours de ce siècle, a traversé les Alpes et est arrivée en Europe centrale et septentrionale ; elle a été découverte en 1940 en Grande-Bretagne.
Fréquence : Espèce courante, se rencontrant régulièrement.
Reproduction : Après s'être accouplée, la ♀ pond en deux minutes 300 à 400 œufs qu'elle dépose dans un cocon composé de plusieurs épaisseurs de fils. Ce cocon pend entre les graminées à une faible hauteur. Grâce à sa couleur brune, il se confond avec les broussailles desséchées et est difficilement découvert. Les œufs hivernent.

Atypus affinis Eich.
L'Atype noir

Caractéristiques : ♂ jusqu'à 15 mm, ♂ nettement plus petits. Mandibules horizontales, ce qui permet de la classer dans le groupe des tropicales.
Habitat : Seulement dans les endroits chauds.
Distribution : Isolée. Surtout répandue dans le bassin méditerranéen.
Fréquence : Espèce courante seulement dans certains endroits.
Généralités : La ♀ creuse dans le sol meuble une galerie de 15 à 50 cm de long et en consolide les parois avec des fils. Cette galerie d'abord verticale devient horizontale dans le tiers supérieur et à la surface du sol. Elle est entièrement fermée. L'araignée attrape à travers la toile épaisse sa proie grâce à ses puissantes mâchoires. Puis elle découpe la paroi de la galerie, tire sa proie à l'intérieur et referme la galerie. Elle rejette à l'extérieur les parties indigestes de l'animal. Ces araignées peuvent vivre huit à neuf ans. Les ♂ vagabondent de-ci de-là.

Dolomedes fimbriatus (Cl.)
Le Dolomède orangé

Caractéristiques : Plus de 2 cm. L'une de nc plus grandes araignées. Corps brun foncé orn de dessins clairs. Quatre raies longitudinale claires sur le dessous de l'abdomen, permettar de la distinguer de *Pisaura mirabilis*.
Habitat : Aime l'humidité. Se rencontre souver près de l'eau, au bord des ruisseaux, des lacs e des rivières ; en cas de danger, elle s'enfuit su l'eau et peut même plonger.
Distribution : Nombreuses régions d'Europe.
Fréquence : Espèce qui se rencontre régulière ment, mais n'est pas très courante.
Reproduction : Les Pisauridae, famille à laquel cette araignée appartient, ne construisent pa de toiles pour capturer leurs proies, mais chas sent. Les ♀ transportent le cocon remp d'œufs entre leurs mâchoires. Juste avai l'éclosion des larves, elles le suspendent à un plante et le surveillent. Une fois écloses, le petites larves grimpent sur le dos de leur mèr qui les transporte et s'en occupe.
Nourriture : Petits animaux.

Latrodectus mactans (F.)
La Malmignathe

Caractéristiques : 8 à 10 mm. Se reconnaît a « sablier rouge » sur le ventre. La forme d'Ital présente 11 à 13 taches rouges sur le dos, d'c le nom scientifique *L. mactans tredecimgutta tus*. Le nom de Veuve noire qui lui est parfo attribué, provient du fait que la ♀ dévo souvent le ♂ après l'accouplement.
Habitat : Espèce thermophile qui se rencont dans les endroits secs, chauds et sablonneu avec peu de végétation ; tisse sa toile dans le buissons.
Distribution : Espèce répandue dans les régior tropicales et subtropicales. En Europe, seul ment dans le bassin méditerranéen.
Fréquence : Espèce parfois courante, se re contrant régulièrement.
Reproduction : Au moment de l'accouplemer le ♂ s'approche très prudemment de la ♀ Les ♂ sont souvent dévorés par la ♀ s'ils s'enfuient pas à temps.
Nourriture : Petits animaux.

Araignées

Chelifer cancroides (L.)
Le Faux-Scorpion des livres

Caractéristiques : 3 à 5 mm. Grands palpes faisant penser à un petit scorpion avec lequel les pseudoscorpions n'ont que peu de liens de parenté. Se déplace lentement, parfois latéralement.
Habitat : Habitations ; dans les placards, sur les étagères, dans les fentes. Sous les feuilles, les morceaux d'écorce et la mousse. Animal souvent introduit accidentellement et acclimaté.
Distribution : Espèce devenue cosmopolite, qui n'est pas nuisible.
Fréquence : Espèce parfois courante, se rencontrant régulièrement
Reproduction : Comme chez les araignées, le ♂ présente à la ♀, après une danse rituelle, un spermatophore. Les ♀ portent leurs œufs dans une petite poche collée sur leur orifice génital. Les petites larves restent dans cette petite poche et sont nourries jusqu'à ce qu'elles deviennent autonomes. Elles hivernent dans un petit cocon entièrement fermé.
Nourriture : Acariens, collemboles et psoques.

Opilio parietinus (DG.)
Le Faucheux des murailles

Caractéristiques : Un peu plus petit que le Faucheux cornu. Abdomen ovale, gris chez la ♀, jaunâtre chez le ♂. Il existe dans le monde environ 3 200 espèces appartenant au groupe des opilions. Grâce à leurs longues pattes, ces animaux se déplacent adroitement entre les tiges. En cas de danger, ils peuvent abandonner leurs pattes.
Habitat : Bâtiments, hangars, enclos, murs.
Distribution : Europe et Asie du Nord, Amérique du Nord.
Fréquence : Espèce se rencontrant régulièrement, parfois en masse.
Reproduction : Se rencontre de fin août à novembre sur les murs ensoleillés. Ces animaux se tiennent immobiles, les pattes écartées. Au moment de l'accouplement, transfert d'un spermatophore. Le ♂ est souvent dévoré par la ♀.
Nourriture : Animale et végétale. Chasse parfois de manière intensive, mais se nourrit surtout de détritus.

Phalangium opilio (L.)
Le Faucheux cornu

Caractéristiques : 1 cm. Les membres de l famille des Phalangidae se reconnaissent faci lement à leurs fines pattes extrêmement lon gues. Mais les quelques 30 espèces en Europ sont difficiles à identifier dans la nature. Si l'o serre trop fort un faucheux, il perd facilemen une patte.
Habitat : Se rencontre souvent en été et e automne dans les graminées, les buissons, le arbres et les arbustes.
Distribution : Europe et Sibérie ; au sud, jus qu'en Afrique du Nord ; Amérique du Nord.
Fréquence : Espèce parfois courante.
Reproduction : Les jeunes Faucheux se rencon trent de mai à novembre. Après l'accouplemen qui se déroule comme chez les araignées, sur tout lorsque la ♀ a dévoré le ♂ — ce qui s produit souvent —, la ♀ dépose ses œufs dan le sol, dans les fissures des rochers ou dans le troncs d'arbres pourris. Les œufs et les jeune larves hivernent.
Nourriture : Détritus végétaux, animaux morts

Ischyropsalis helwigi
La Fausse Araignée

Caractéristiques : 5 à 7 mm. Organes de pré hension puissants, mesurant parfois plus d 1 cm de long et avec lesquels cet opilio maintient ses proies. Les animaux qui viennen de muer ont des pattes jaunes, noires au nivea de l'article médian. Les animaux plus vieux son noirs.
Habitat : Vallées humides en montagne. Sou ches d'arbres ; se repose le jour sur les feuille humides ou sous la mousse.
Distribution : Forêts de feuillus d'Europe.
Fréquence : Espèce plutôt rare, se rencontrar irrégulièrement.
Reproduction : Accouplement, ponte et soins la progéniture comme chez les araignées. O connaît quelques espèces proches en Europe
Nourriture : Escargots. Avec leurs chélicères, i attrapent leur proie qu'ils découpent en petit morceaux avec leurs mâchoires. On ignor pourquoi cette espèce est peu répandue.

Parasitus fucorum (DG.)
Le Gamase des coléoptères

Caractéristiques : 1 mm environ. Se rencontre toujours sur la face ventrale des coléoptères.
Habitat : Jardins, parcs, forêts mixtes.
Distribution : Europe.
Fréquence : Espèce souvent courante.
Reproduction : Accouplement comme chez les araignées. Œufs pondus sur l'hôte. Mue 3 fois avant de devenir adulte. Les *deutonymphes* (larves des acariens) ressemblent aux adultes. Mais les larves ont six pattes, tandis que les jeunes en ont quatre.
Nourriture : Espèce prédatrice.

Trombidium holosericeum (L.)
Le Trombidion soyeux

Caractéristiques : 4 mm. Corps orangé brillant, recouvert de petits poils soyeux.
Habitat : Forêts mixtes, jardins.
Distribution : Nombreuses régions d'Europe.
Fréquence : Régulière.
Reproduction : Tout l'été, on peut voir ces petits animaux courir par terre. Œufs déposés dans la couche supérieure du sol. Les larves sont pourvues de six pattes et se nourrissent de petits insectes, surtout d'œufs d'insectes qu'elles découvrent avec leurs poils tactiles. Muent 2 à 3 fois avant de devenir adultes. Les adultes ont seulement quatre pattes. Les larves parasitent les insectes.

Metatetranychus ulmi (L.)
La Mite rouge du pommier

Caractéristiques : 1 à 2 mm. Corps rouge brillant.
Habitat : Arbres fruitiers.
Distribution : Nombreuses régions d'Europe.
Fréquence : Se rencontre régulièrement, parfois en masse.
Généralités : Insecte nuisible redouté par les arboriculteurs et les amis des fleurs et des cactées. L'utilisation de produits chimiques n'a pas permis d'éliminer cette espèce. Aussi a-t-on de plus en plus recours aujourd'hui aux ennemis naturels, par exemple *Stethorus punctillum* et *Anthocoris nemorum*.

Ixodes ricinus (L.)
Le Tique du chien

Caractéristiques : 2 à 3 mm. Les ♀ gorgées de sang peuvent mesurer jusqu'à 11 mm. Suce le sang des homéothermes ; se rencontre souvent sur l'Homme.
Habitat : Forêts de toutes sortes, fossés, parcs
Distribution : Cosmopolite.
Fréquence : Régulière.
Reproduction : Les petites larves grimpent sur les graminées et sur les arbres. Elles se laissent tomber sur des animaux, en sucent le sang pendant 3 à 4 jours, puis tombent par terre pour muer. Même processus lors du stade nymphal suivant. Change souvent d'hôte, vit alternativement sur les reptiles et les mammifères.

Hydrodroma sp.
L'Hydrodrome

Caractéristiques : 1 à 2 mm. Corps orangé brillant, adapté à la vie aquatique : les pattes sont pourvues de longs poils qui permettent à ces animaux de se déplacer rapidement et avec agilité. Nombreuses espèces. Difficiles à identifier.
Habitat : Eaux de toutes sortes ; également dans les lacs pollués et riches en substances nutritives et dans la nappe d'eau phréatique.
Distribution : Dans toute l'Europe.
Fréquence : Régulière.
Reproduction : S'accouple, pond et se nourrit dans l'eau.
Nourriture : Petits crustacés.

Trombicula autumnalis (L.)
La Mite automnale (ou Aoûtat)

Caractéristiques : 3 mm. Identifiable uniquement à l'examen macroscopique par un spécialiste.
Habitat : Prés, champs, bords des chemins, lisières des forêts.
Distribution : Europe.
Fréquence : Se rencontre parfois en masse.
Généralités : Lorsque les conditions sont favorables, ces insectes apparaissent en masse. Les larves sucent le sang et s'attaquent parfois aux hommes. Leur morsure provoque des démangeaisons très violentes. Un grand nombre des 2 000 espèces d'acariens vivant en Europe ont une grande importance sur le plan économique

Acariens,
pseudo-
scorpions,
faucheurs

L'Aeschne bleu et vert (p. 38)

Exuvie

Accouplement
Ponte

Le Fourmilion commun, de la larve...

Métamorphoses du Doryphore (p. 172)

Une punaise *(Picromerus)* vidant un Doryphore

Essaim

Rayon d'abeilles sauvages

Chaîne pour la construction des rayons

Ouvrière récolteuse de pollen

Abeilles sur un rayon de couvain

Cellule ouverte transversalement

Glossaire

Abdomen. La troisième division, ou division postérieure, du corps de l'insecte. Ne porte pas de pattes fonctionnelles au stade imago.
Antennes. Organes sensoriels pairs, articulés, placés de chaque côté de la tête.
Biotope. Station offrant des conditions d'existence convenables à une espèce et constituant son habitat normal. Milieu défini, environnement d'une espèce : un étang, un bois sont des biotopes.
Caudal. Qui appartient à la queue. Se dit de l'extrémité anale du corps des insectes.
Chitine. Substance transparente semblable à la corne, qui forme la cuticule des insectes. Nom des parties dures du corps des insectes qui forment l'essentiel de leur exosquelette.
Dimorphisme. Différence dans la forme, la taille, la couleur, entre deux individus ou entre les deux sexes d'une même espèce. Il peut être saisonnier, occasionnel, sexuel ou géographique.
Endémique. Se dit d'une espèce ou d'une forme, spéciale à une région donnée.
Époque de vol. Période pendant laquelle les insectes ailés adultes (imago) sont susceptibles de voler.
Espèce. Groupe d'individus apparentés, ayant la même morphologie héréditaire et le même genre de vie, séparé des groupes voisins par un obstacle généralement d'ordre sexuel.
Famille. Unité de classification systématique comprenant un certain nombre de genres possédant des caractères en commun. La terminaison latinisée de ces noms se termine en *-idae* (les sous-familles en *-inae*). Les ordres se divisent en sous-ordres et ceux-ci se découpent en familles.
Fennoscandie. Nom donné à l'ensemble formé par la Norvège, la Suède et la Finlande.
Flore. Ensemble des plantes d'un pays ou d'une région.
Genitalia. Voir Organes de la copulation.
Genre. Groupement d'espèces ayant entre elles des caractères communs. Le genre est placé entre la famille et l'espèce, dans la classification systématique.
Hémimétaboles. Insectes à métamorphoses incomplètes, qui subissent des métamorphoses simples et dont le stade nymphal est mobile. Les orthoptères et les hémiptères sont des hémimétaboles.
Holométaboles. Insectes qui subissent un stade nymphal entre l'état de larve et celui d'imago. La métamorphose est alors complète.

Imago. Insecte entièrement développé à la fin d son évolution ; insecte adulte, à développeme sexuel complet ; insecte parfait.
Juvénile. Nom de la larve chez certains insecte hémimétaboles, tels les orthoptères.
Larve. Insecte à la sortie de l'œuf, à un âge précoc de développement morphologique ; chez les hol métaboles, diffère absolument de l'imago. Au sen strict, forme immature des insectes qui subisse des métamorphoses complètes.
Mandibule. La paire supérieure de mâchoires. Ch cune des deux pièces dures et cornées qui, placée en avant des lèvres de certains insectes, leur se vent à saisir et broyer la nourriture.
Massue antennaire. Partie apicale d'une antenn formée d'un nombre variable d'articles élargi produisant un renflement de celle-ci.
Maxilles. Les premier et second appendices max laires. Elles comprennent les palpes maxillaires.
Ocelle. Œil simple, ou photorécepteur, ayant u seul appareil dioptrique. Ce terme s'emploie aus pour désigner des taches plus ou moins colorée disposées sur les ailes de certains insectes. On e rencontre notamment chez les orthoptères, le névroptères et les lépidoptères.
Organes de la copulation, pièces génitales. Ensem ble de l'appareil génital ; ce terme s'applique su tout aux organes externes. Dans une espèce don née, la structure des pièces génitales mâle et f melle est généralement constante. Leur exame permet donc la détermination des espèces extérie rement très proches.
Palpe. Appendice articulé accompagnant diverse parties de la bouche. Ils peuvent être des organe tactiles, gustatifs ou préhensiles.
Parasite. Organisme qui, pendant une partie ou totalité de son existence, vit exclusivement au dépens d'un ou d'autres êtres organisés. Il peut êt endo- ou ecto- parasite.
Polymorphisme. Caractère des insectes chez les quels on peut trouver des formes différentes che une même espèce. Il peut être génétique ou lié au conditions spéciales du milieu.
Population. Ensemble des individus d'une mêm espèce trouvés dans une situation donnée.
Pupe. Nom donné à la chrysalide chez les diptère et les hyménoptères. Stade intermédiaire qui sépa l'état larvaire de l'état imaginal (ou d'imago).
Race. Subdivision de l'espèce, à caractère héréc taire, représentée par un certain nombre d'indiv dus. Se rencontre dans une région dont la faune e

différente de la race nominale. Lorsque l'isolement génétique est plus prononcé, on parle plutôt de sous-espèce.
Région paléarctique. Région géographique actuelle comprenant l'Europe, l'Afrique du Nord, toute l'Asie au nord de l'Himalaya jusqu'au Japon.
Symbiose. Condition des parasites qui se nourrissent en ingérant les matières qui servent à l'alimentation de leur hôte, tels certains protozoaires chez les termites.
Sympatrique. Se dit d'insectes vivant sur un même territoire, une même région, donnés.
Thorax. Partie du corps située entre la tête et l'abdomen, et portant les organes de la locomotion (pattes et ailes) et une partie de ceux de la respiration.

Bibliographie

Gisin (H.), 1960. *Collembolen fauna Europas.* 312 p., 554 fig., Genève.
Aguesse (P.), 1968. Les Odonates de l'Europe occidentale, du nord et de l'Afrique ; des îles atlantiques. In *Faune de l'Europe et du bassin méditerranéen.* **4**, 258 p., 116 fig., pl. I-VI.
Despax (R.), 1951. Plécoptères. In *Faune de France.* **55**, 280 p., 128 fig., Paris.
Chopard (L.), 1952. Orthoptéroïdes. In *Faune de France.* **1951, 56**, 359 p., 531 fig. Paris.
Péricard (J.), 1972. Hémiptères Anthocoridae, Cimicidae et Microphysidae. In *Faune de l'Europe et du bassin méditerranéen.* 402 p., 204 fig.
Ribaud (H.), 1953. Homoptères Auchénorhynques, 2 (Jassidae). In *Faune de France.* **1952, 57**, 474 p., 1 187 fig. Paris.
Bonadona (P.), 1971. Catalogue des coléoptères carabiques de France. Suppl. *Nouv. Rev. Ent*, 177 p. Toulouse.
Coiffait (H.), 1972-1982. *Coléoptères staphylinides de la région paléarctique occidentale.* **1**, 1972, 651 p., 219 fig., pl. I-V ; **2**, 1974, 593 p., 131 fig. ; **3**, 1978, 364 p., 73 fig. ; **4**, 1982, 440 p., 100 fig.
Paulian (R.) & Baraud (J.), 1982. Lucanoidea et Scarabaeoidea. In *Faune des coléoptères de France.* **2**, 477 p., 185 fig., pl. I-XVI.
Leseigneur (L.), 1972. *Coléoptères Elateridae de la faune de France continentale et de Corse.* Suppl. *Bull. Soc. linn. Lyon.* 379 p., 384 fig.
Villiers (A.), 1978. Cerambycidae. In *Faune des coléoptères de France.* **1**, 611 p., 1 802 fig. Lechevalier éd. Paris.
Aspöch (H.), Aspöch (U.) & Holzel (H.), 1980. *Die Neuropteren Europas.* **1**, 495 p. ; **2**, 355 p., 913 fig., 259 phot, 26 aquarelles coul., 222 cartes. Goecke & Evers éd. Krefeld, Autriche.
Guiglia (D.), 1972. Les guêpes sociales (Hymenoptera, vespidae) d'Europe occidentale et septentrionale. In *Faune de l'Europe et du bassin méditerranéen.* **6**, 181 p., 41 pl. couleur, pl. I-III.
Bernard (F.), 1968. Les Fourmis (Hymenoptera, Formicidae) d'Europe occidentale et septentrionale. In *Faune de l'Europe et du bassin méditerranéen.* **3**, 411 p., 425 fig.
Berland (L.), 1925-1938. Hyménoptères vespiformes. In *Faune de France.* **10**, 364 p., 663 fig. ; **19**, 208 p., 231 fig. ; **34**, 145 p., 241 fig. Paris.
Pierre (C.), 1924. Diptères Tipulidae. In *Faune de France.* **8**, 109 p., 179 fig. Paris.
Séguy (E.), 1940. Diptères nématocères. In *Faune de France.* **36**, 368 p. Paris.
Hollis (D.), 1982. *Animal identification. A reference Guide.* **3**. Insects, 160 p. J. Wiley & Sons. London.
Perrier (R.), 1961, 1964. *La faune de la France en tableaux synoptiques.* Coléoptères. **5**, 192 p., fig. dans le texte ; **6**, 230 p., fig. dans le texte (2e éd.). Delagrave. Paris.

Crédit photographique

h=haut ; b=bas ; m=milieu ; g=gauche ; d=droite.

T. Angermayer : 23 hd, 149 bd ; Pfletschinger : p. 21 bd, 29 bg, 49 b, 53 hg, 57 hg, 57 bd, 63 bg, 65 hg, 67 hd, 67bd, 69 bg, 69 bd, 71 hd, 73 hg, 73 bg, 73bd, 75bg, 77 hg, 77 bg, 77 bd, 81 hg, 83 hd, 93 hg, 95 hd, 95 bg, 95 bd, 97 h, 101 bg, 101 bd, 103 h, 107 bg, 109 hg, 109 hd, 111 bg, 115 hd, 115 b, 117 h, 119 bd, 123 hg, 123 hd, 125 hg, 125 hd, 127 bg, 129 hg, 129 bg, 131 bd, 133 bg, 135 hd, 135 bg, 137 mg, 139 hg, 139 bg, 139 bd, 145 hd, 145 bg, 147 b, 149 hd, 151 bg, 153 bg, 159 hd, 159 bg, 161 hg, 161 bd, 169 hd, 169 bd, 171 hg, 173 hg, 175 hd, 175 bg, 177 hg, 177 bd, 181 bg, 183 bd, 185 bg, 185 bd, 187 hd, 187 bg, 191 bd, 193 mg, 193 b, 195 hg, 195 md, 195 bd, 197 bg, 201 bg, 203 hd, 203 bg, 209 hd, 209 bg, 211 hd, 211 b, 213 hg, 213 hd, 213 md, 215 hd, 215 bg, 217 hg, 217 md, 217 bg, 217 bd, 219 hd, 219 mg, 219 md, 219 bg, 221 h, 223 bg, 225 hg, 225 hd, 225 mg, 225 md, 225 bg, 225 bd, 227 bg, 227 bd, 229 h, 229 bd, 231 bg, 233 hd, 233 bg, 233 bd, 235 bd, 237 bg, 239 hg, 239 hd, 239 bg, 239 bd, 241 hd, 247 bg, 247 bd, 255 bd, 257 hd, 257 bd, 259 hg, 259 hd, 259 bd, 261 bg, 263 hg, 263 hd, 263 bd, 267 hd, 269 hg, 269 hd ; **B. Geiges** : p. 59 bg, 65 hd, 111 bd, 113 hg, 131 hg, 141 bg, 141 bd, 145 bd, 151 hd, 155 hg, 171 bd, 175 bd ; **H. Heppner** : p. 141 mg ; **G. Jurzitza** : p. 31 hg, 31 hd, 31 bg, 31 bd, 33 hg, 33 hd, 33 bg, 35 h, 35 bg, 35 bd, 37 hg, 37 hd, 37 bd, 39 h, 43 b, 45 bg, 45 bd, 47 hg, 47 bg, 47 bd, 49 hg, 49 hd, 67 hg, 79 bd, 85 hg, 107 hg, 127 hg, 137 h, 137 md, 137 bd, 159 bd, 165 bd, 227 hd, 235 hd, 237 hd, 237 bd, 239 md, 241 hg, 249 bg, 261 hd, 265 hd ; **G. Kalden** : p. 79 hd ; **W. Layer** : p. 41 bg, 51 bg, 93 hd, 107 hd, 143 bd, 151 hg ; **Bildarchiv J. Lindenburger** : Bandelin : p. 195 mg ; Bellmann : p. 21 hg, 21 bg, 23 bg, 23 bd, 27, 33 bd, 41 bd, 55 bg, 55 bd, 57 hd, 57 bg, 61 bg, 61 bd, 65 bg, 69 hg, 73 hd, 75 bd, 79 hg, 79 bg, 81 hd, 83 bd, 89 bd, 91 b, 99 h, 105 bg, 109 bd, 111 hg, 111 hd, 113 bg, 113 bd, 119 bg, 125 bd, 131 hd, 139 hd, 141 hd, 155 hd, 155 bg, 159 hg, 163 bd, 167 hg, 167 mg, 169 hg, 175 hg, 179 hg, 179 hd, 179 bg, 181 hd, 183 hg, 183 hd, 191 bg, 193 hg, 193 hd, 193 md, 197 hg, 197 hd, 199 hd, 203 hg, 203 bd, 205 h, 207 hg, 207 hd, 207 bg, 207 bd, 209 hg, 209 bd, 213 bd, 215 hg, 217 hd, 219 hg, 219 bd, 221 b, 223 hd, 229 mg, 229 bg, 231bd, 235 hg, 235 bg, 239 mg, 241 bg, 241 bd, 243 hd, 243 bg, 245 h, 245 bg, 249 hd, 249 bd, 253 hg, 253 hd, 255 hd, 263 bg, 265 bg, 267 hg, 267 bg, 267 bd ; Bruckner : p. 247 hg ; Cramm ; p. 47 hd, 61 hd ; Gross : p. 53 hd, 109 bg, 171 hd ; Jacana/Carrara : p. 141 hg ; Jacana/Champoux : p. 163 hg ; Jacana/Ermie : p. 127 bd ; Jacana/König : p. 157 hd, 157 bd, 261 hg ; Jacana/Kerneis : p. 163 hd ; Jacana/ Labat : p. 63 h ; Jacana/Lorne : p. 23 hg, 205 b, 259 bg Jacana/Moiton : p. 37 bg, 45 hg, 135 bd, 149 hg, 167 md 191 hg ; Jacana/Tercafs : p. 133 hd ; Jacana/Varin : p 265 bd ; Happenhofer : p. 195 hd ; Kapp : p. 53 bg Kotzke : p. 77 hd, 81 bg, 95 hg, 105 hd, 107 bd, 113 hd 121 hd, 135 hg, 137 bg, 145 hg, 155 bd, 161 bg, 169 bg 177 bg, 179 bd, 181 bd ; Rohdich : p. 149 bg ; Skibbe p. 41 hg, 41 hd ; **A. Limbrunner** : p. 59 h, 123 bg, 143 h 185 hg, 223 bd ; K.H. Löhr : p. 251 b ; **Natural History Photo Agency** : Callow : p. 105 hg, 227 hg, 261 bd Cambridge : p. 63 bd ; Dalton : p. 53 bd, 85 bd, 87 d 99 m, 103 bg, 129 hd, 187 hg, 195 bg, 197 bd ; Elkan : p 249 hg ; Fotheringham : p. 123 bd, 243 bd ; Preston Mafham : p. 65 bd, 71 bg, 83 bg, 199 hg, 233 hg ; Temps p. 121 bg ; Tweedie : p. 21 hd, 89 bg, 117 b, 119 hd 121 bd, 125 bg ; **H. Partsch** : p. 43 hg, 101 hd, 115 hg 153 hd, 213 mg, 261 mg ; **M. Pforr** : p. 25 h, 25 b, 61 hg 85 hd, 93 bd, 103 bd, 121 hg, 131 bg, 133 bd, 153 bd 167 bg, 167 bd, 185 hg, 199 bd, 201 h, 201 bd, 215 bd 231 h, 255 bg, 269 mg ; **Dr E. Pott** : p. 87 hg, 87 bg, 89 hg 89 hd, 115 m, 163 bg ; **Bildagentur H. Prenzel** : F. Prenzel : p. 177 hd ; Maier : p. 29 hd, 39 b, 147 h, 223 hg ; **T Ruckstuhl** : p. 29 hg, 29 bd, 71 bd, 75 hd, 97 b, 101 hg 127 hd, 129 bd, 165 hg, 173 b, 199 bg, 213 bg, 257 bg ; **D J. Reichholf** : p. 171 bg, 191 hd ; **H. Schrempp** : p. 69 hd 237 hg, 253 bd ;**G. Synatzschke** : p. 187 bd, 253 bg ; **G Steinbach** : p. 211 hg ; **K. Wothe** : p. 45 hd, 83 hg, 85 bg 189, 245 bd, 247 hd ; **W. Zepf** : p. 43 hd, 51 hg, 51 hd 51 bd, 59 bd, 67 bg, 91 h, 99 bg, 99 bd, 105 bd, 133 hg 143 bg, 151 bd, 153 hg, 157 hg, 157 bg, 161 hd, 165 hd 165 bg, 167 hd, 173 hd, 181 hg, 251 h, 255 hg, 257 hg 265 hg ; **Nature :** Lanceau : p. 93 bg, 217 mg ; Sauer : p 183 bg ; **Foldi :** 71 hg.

Partie générale : **Angermayer** : Pfletschinger : p. 6 12 hg, 12 hd, 17, 273 hd, 273 b, 274 hg, 274 m, 274 b 275 h, 275 b, 276 hg, 276 hd, 276 mg, 276 md, 276 bg 276 bd, 277 hg, 277 hd, 277 mg, 277 md, 277 bg, 277 bd 278 hg, 278 hd, 278 bg, 279 hg, 279 hd, 279 bg **H. Heppner** : p. 272 bg; **W. Layer** : p. 13 hb, 13 b A. Limbrunner : p. 278 bd ; **Bildarchiv J. Lindenburger** Bellmann : p. 12 bd, 13 hg, 273 hg, 274 hd ; **K.H. Löhr** p. 272 h ; **Natural History Photo Agency** : Cambridge p. 12 bg ; **Bildagentur H. Prenzel** : Hoffmann : p. 16 h **T. Ruckstuhl** : p. 16 b ; **H. Schrempp** : p. 279 bd **G. Synatzschke** : p. 270 hg, 270 hd, 270 bg, 270 bd 271 hg, 271 hd, 271 bg, 271 bd.

Index des noms latins

Index des noms vernaculaires

Achevé d'imprimer de la nouvelle
édition, revue et corrigée, le 15-4-1985
par Mohndruck, Gütersloh